Lieutenant Eve Dallas - 23

# NAISSANCE DU CRIME

Du même auteur

*aux Éditions J'ai lu*

Les illusionnistes (n° 3608)
Un secret trop précieux (n° 3932)
Ennemies (n° 4080)
Meurtres au Montana (n° 4374)
La rivale (n° 5438)
Ce soir et à jamais (n° 5532)
Comme une ombre dans la nuit (n° 6224)
La villa (n°6449)
Par une nuit sans mémoire (n° 6640)
La fortune de Sullivan (n° 6664)
Bayou (n° 7394)
Un dangereux secret (n° 7808)
Les diamants du passé (n° 8058)
Le lumières du Nord (n°8162)

*Lieutenant Eve Dallas* :
Lieutenant Eve Dallas (n° 4428)
Crimes pour l'exemple (n° 4454)
Au bénéfice du crime (n° 4481)
Crimes en cascade (n° 4711)
Cérémonie du crime (n° 4756)
Au cœur du crime (n° 4918)
Les bijoux du crime (n° 5981)
Conspiration du crime (n° 6027)
Candidat au crime (n° 6855)
Témoin du crime (n° 7323)
La loi du crime (n°7334)
Au nom du crime (n° 7393)
Fascination du crime (n° 7575)
Réunion du crime (n° 7606)
Pureté du crime (n° 7797)
Portrait du crime (n° 7953)
Imitation du crime (n° 8024)
Division du crime (n° 8128)
Visions du crime (n° 8172)
Sauvée du crime (n° 8259)
Aux sources du crime (n° 8441)
Souvenir du crime (n° 8471)

*Les frères Quinn* :
Dans l'océan de tes yeux (n° 5106)
Sables mouvants (n° 5215)
À l'abri des tempêtes (n° 5306)
Les rivages de l'amour (n° 6444)

*Magie irlandaise* :
Les joyaux du soleil (n° 6144)
Les larmes de la lune (n° 6232)
Le cœur de la mer (n° 6357)

*Les trois clés* :
La quête de Malory (n° 7535)
La quête de Dana (n° 7617)
La quête de Zoé (n° 7855)

*Les trois sœurs* :
Maggie la rebelle (n° 4102)
Douce Brianna (n° 4147)
Shannon apprivoisée (n° 4371)

*Trois rêves* :
Orgueilleuse Margo (n° 4560)
Kate l'indomptable (n° 4584)
La blessure de Laura (n° 4585)

***En grand format***

*Le secret des fleurs* :
Le dahlia bleu
La rose noire
Le lys pourpre

# NORA ROBERTS

Lieutenant Eve Dallas - 23

# NAISSANCE DU CRIME

Traduit de l'américain
par Sophie Dalle

*Titre original :*
BORN IN DEATH
G.P. Putnam's Sons, New York,
published by the Penguin Group

© Nora Roberts, 2006

*Pour la traduction française :*
© Éditions J'ai lu, 2008

*Je suis l'Alpha et l'Oméga, le début et la fin,*
*le premier et le dernier.*
Apocalypse

*L'amour engendre l'amour.*
ROBERT HERRICK

# 1

Les voies et les finalités de l'amitié étaient dangereuses. S'aventurer dans les méandres de ce labyrinthe exigeait parfois des prouesses dérangeantes, irritantes, voire carrément horrifiantes.

La pire exigence aux yeux d'Eve Dallas consistait à devoir consacrer une soirée entière à un cours de préparation à l'accouchement.

Ce qui s'y passait – les images, les sons, l'agression sur tous les sens – avait de quoi vous glacer les sangs.

Elle était flic, lieutenant de la brigade Homicide. Depuis onze ans déjà, elle protégeait et défendait ses concitoyens dans les rues impitoyables de la ville de New York. Elle avait à peu près tout vu, touché, senti, palpé. Dans son esprit, l'homme trouverait toujours des moyens plus inventifs et méprisables de tuer ses frères : elle savait donc quels tourments l'on pouvait infliger aux corps humains.

Mais, comparé à l'enfantement, un meurtre brutal et sanglant, ce n'était *rien* !

Comment toutes ces femmes énormes, au corps étrangement déformé par l'entité en gestation dans leur ventre, pouvaient-elles faire preuve d'une telle joie, d'un tel... *flegme* face à ce qui leur arrivait – à ce qui allait leur arriver ? Franchement, cela la dépassait totalement.

Pourtant, Mavis Freestone, sa plus vieille amie, à la silhouette si fine littéralement engloutie par son ventre rond, souriait devant les images qui défilaient sur l'écran mural. Elle n'était pas la seule. Comme elle, les autres arboraient toutes un air plus ou moins béat.

La grossesse empêchait-elle certains signaux d'atteindre le cerveau ?

De son côté, Eve avait vaguement mal au cœur. Observant Connors à la dérobée, elle constata, à son expression, qu'il était aussi mal à l'aise qu'elle. Un point positif à ajouter dans la colonne Promariage. On pouvait se permettre d'entraîner son conjoint dans ses pires cauchemars.

Le regard d'Eve se brouilla. Elle aurait de loin préféré étudier l'enregistrement d'une scène de crime – meurtre en série, mutilations, membres sectionnés – plutôt que cette tête chevelue surgissant entre les cuisses d'une parturiente. Mavis se pencha pour chuchoter quelques mots à Leonardo, l'heureux papa.

*Seigneur Dieu, quand donc ce supplice prendrait-il fin ?*

En désespoir de cause, Eve tenta de se distraire en scrutant les alentours. L'immeuble était une sorte de cathédrale dédiée à la conception, à la gestation, à l'accouchement et aux nourrissons. Quand Mavis le lui avait proposé, elle avait réussi à s'épargner une visite des lieux en prétextant un rendez-vous urgent.

Parfois, il fallait savoir recourir aux mensonges pieux pour préserver une amitié – et surtout, sa lucidité.

L'aile pédagogique lui suffisait amplement. Eve avait subi une conférence, plusieurs démonstrations qui hanteraient ses rêves pendant des décennies. En sa qualité de membre de l'équipe d'entraînement de Mavis, elle avait même participé à un simulacre de naissance avec des droïdes.

Et maintenant, cet abominable film.

« N'y pense plus », se réprimanda-t-elle en reprenant son examen de la salle.

Murs de couleur pastel, couverts de photos de bébés ou de femmes enceintes à divers stades de félicité.

Plantes vertes et bouquets décoratifs ici et là. Fauteuils confortables, soi-disant conçus pour faciliter la tâche des patientes lorsqu'elles voulaient s'asseoir. Trois charmantes monitrices, disponibles à tout instant pour répondre aux questions, fournir des explications et servir des boissons fraîches.

Les femmes enceintes passaient leur temps à manger ou à faire pipi.

Une porte à double battant au fond, une sortie à l'avant, à gauche de l'écran. Dommage qu'elle ne puisse pas prendre ses jambes à son cou !

Au lieu de quoi, Eve s'abandonna à une sorte d'extase. Grande, très mince, elle avait les cheveux relativement courts, châtain clair. Son visage était anguleux, plus pâle que de coutume. Ses yeux ambre se voilèrent. Par-dessus l'étui contenant son arme de service, elle portait une veste vert foncé. Parce que c'était son mari qui la lui avait achetée, elle était en cachemire.

Elle rêvait de rentrer chez elle et de noyer le souvenir de ces trois dernières heures avec du vin, quand Mavis lui saisit la main.

— Regarde, Dallas ! Le bébé arrive !

— Hein ? Quoi ? *Maintenant ?* Eh bien, respire, nom de Dieu. Respire !

Des rires fusèrent tout autour, tandis qu'Eve bondissait sur ses pieds.

— Non, pas celui-ci, gloussa Mavis en frottant son ventre en forme de ballon de basket. *Celui-là*.

Instinctivement, Eve suivit des yeux le doigt de Mavis, pointé sur l'écran. Une créature immonde, hurlante, visqueuse surgissait entre les cuisses d'une pauvre femme.

— Aïe ! Ô Seigneur !

Elle s'assit avant que ses jambes ne se dérobent sous elle. Se fichant éperdument de passer pour une mauviette, elle s'empara de la main de Connors. Aussi moite que la sienne.

Les futures mamans applaudirent – applaudirent ! – et s'exclamèrent de joie, quand on déposa la chose sur le ventre dégonflé de la mère, entre ses seins engorgés.

— Au nom de tous les saints, marmonna Eve à l'intention de Connors, nous sommes en 2060, pas en 1760. On pourrait imaginer d'autres moyens, non ?

— Amen, marmonna faiblement Connors.

— Il est magnifique, n'est-ce pas ? Trop mignon ! s'extasia Mavis, quelques larmes perlant sur ses cils aujourd'hui teintés en bleu saphir. C'est un petit garçon. Oh ! Quel adorable poupon !

Dans le brouhaha, Eve entendit la responsable du stage annoncer la fin de la séance – ouf ! – et inviter les participants à boire un verre.

— De l'air, souffla Connors. J'ai besoin d'air !

— C'est à cause de toutes ces femmes enceintes. Elles aspirent l'oxygène. Trouve un prétexte. Allons-nous-en d'ici. Je suis incapable de réfléchir. J'ai le cerveau en bouillie.

— Mets-toi debout, ordonna-t-il en la hissant sur ses pieds.

« Mavis, Eve et moi souhaiterions vous emmener dîner.

Les conversations allaient bon train, tandis que les jeunes femmes se précipitaient aux toilettes ou se ruaient sur le buffet. Les ignorant, Eve fixa le visage de son époux.

Il était un peu plus blanc que de coutume, ce qui ne faisait qu'intensifier le bleu de ses yeux. Ses cheveux noirs et soyeux encadraient un visage aux traits fins et à la bouche gourmande. Malgré son état, Eve l'aurait volontiers embrassé.

Connors était le fantasme de toutes les femmes : grand, élancé, musclé, impeccablement habillé d'un costume taillé sur mesure.

Il ne se contentait pas d'être l'homme le plus riche de l'univers : il en avait le physique et l'allure.

Pour l'heure, alors qu'il la prenait par le bras et l'entraînait vers la sortie, il était son héros. Elle saisit son manteau au vol.

— Ils ne nous accompagnent pas ?

— Ils veulent proposer à quelqu'un de se joindre à nous, répondit Connors en se précipitant dehors. Je leur ai dit qu'on allait chercher la voiture et qu'on les attendrait devant le bâtiment. Histoire d'éviter l'escalier.

— Tu es un génie. Mon chevalier en armure... Tu as vu comme il était visq...

— Tais-toi.

Ils s'engouffrèrent dans l'ascenseur, et Connors appuya sur la touche de leur étage de parking.

— Si tu m'aimes, promets-moi de ne plus jamais me ramener là-bas. J'ai toujours respecté les femmes. Tu le sais.

Elle se gratta le nez.

— Tu en as sauté des tas. Mais oui, c'est vrai, tu les respectes.

— Ce respect s'est désormais transformé en une admiration sans bornes. Comment font-elles ?

— On vient de le découvrir en détail. Tu as vu Mavis ? Elle avait les larmes aux yeux ! murmura Eve en hochant la tête. Elle n'avait pas peur du tout. Elle est impatiente d'en arriver là.

— Leonardo était un peu vert.

— C'est vrai, mais tu sais qu'il ne supporte pas la vue du sang. Il y en avait partout, ainsi que...

— Ça suffit. Le sujet est clos.

En cette fin de mois de janvier, le temps était mauvais. Connors avait donc opté pour un de ses tout-terrain. Un véhicule imposant, noir. Quand il eut décodé la sécurité, Eve s'adossa contre la portière du côté passager.

— Mon vieux, il va bien falloir qu'on assume, toi et moi.

— Pas question.

Eve s'esclaffa. Elle l'avait vu affronter la mort avec plus d'aplomb.

— Ce qu'on vient de faire, ce n'était que le prologue. Nous serons dans la salle, quand elle expulsera sa créature. C'est nous qui devrons compter jusqu'à dix, lui dire de respirer, ou de faire le petit chien.

— On pourrait être en voyage. Hors planète. Ce serait l'idéal. Appelés pour sauver l'univers d'un dangereux criminel.

— Avec des « si »... Tu sais comme moi que nous serons présents et que c'est pour bientôt.

Il poussa un soupir, posa le front sur le sien.

— Dieu ait pitié de nous, Eve !

— S'Il avait pitié de nous, Il peuplerait le monde sans passer par nous. Allons boire un coup.

Le restaurant était un peu bruyant, mais l'ambiance y était décontractée et l'établissement aurait reçu l'approbation de la sage-femme. Mavis sirotait un punch aux fruits exotiques qui semblait presque aussi pétillant qu'elle. Elle avait teinté les pointes de ses exubérantes boucles argentées du même bleu saphir que ses cils. Ce soir, ses yeux étaient d'un vert émeraude, sans doute pour accentuer celui du pull qui lui moulait les seins et le ventre. D'innombrables boucles et anneaux s'agitaient à ses oreilles et lançaient des étincelles de lumière dès qu'elle bougeait la tête. Son pantalon bleu saphir lui allait comme une seconde peau.

L'amour de sa vie était assis à ses côtés. Leonardo était bâti comme un séquoia et exerçait la profession de styliste de mode. Ensemble, ils faisaient tourner toutes les têtes. Aujourd'hui, il avait choisi un pull orné de dessins géométriques multicolores sur un fond décoré. Étrangement, selon Eve, cette tenue seyait à son physique imposant et à son teint cuivré.

L'amie qu'ils avaient amenée avec eux était tout aussi enceinte que Mavis. Voire un peu plus, si cela était possible. Mais en contraste avec le style excentrique de Mavis, Tandy Willowby portait un simple pull avec un col en V sur un tee-shirt blanc. C'était une blonde aux yeux bleu clair avec un petit nez en trompette.

Pendant le trajet, Mavis avait procédé aux présentations. Originaire de Londres, Tandy ne vivait à New York que depuis quelques mois.

— Je suis si contente que tu sois passée ce soir ! s'exclama Mavis, en se ruant sur les amuse-gueule que Connors leur avait commandés. Tandy n'a pas assisté à la séance, elle n'est arrivée qu'à la toute fin pour donner à la sage-femme des bons d'achat de *La cigogne blanche*. C'est une superbe boutique de puériculture, où elle travaille.

— C'est une superbe boutique, en effet, concéda Tandy. Mais je ne m'attendais pas à me retrouver ici avec vous. C'est vraiment gentil, ajouta-t-elle en adressant un sourire à Connors et à Eve. Mavis et Leonardo m'ont tellement parlé de vous. Vous devez être surexcités.

— À propos de quoi ? demanda Eve.

— De faire partie de l'équipe d'entraînement de Mavis.

— Ah ! Ah, oui, euh… nous sommes…

— … sans voix, intervint Connors. De quel quartier de Londres êtes-vous ?

— En fait, je viens du Devon. Je me suis installée à Londres avec mon père quand j'étais adolescente. Et me voici désormais à New York. Je dois avoir une âme de voyageuse. Remarquez, je ne vais pas pouvoir bouger avant un bon bout de temps, chuchota-t-elle en se caressant le ventre d'un air rêveur. Et vous, vous êtes dans la police. C'est formidable. Mavis, tu ne m'as jamais raconté comment vous vous êtes rencontrées, toutes les deux.

— Eve m'a arrêtée, riposta Mavis, entre deux bouchées.
— C'est une blague ?
— Pas du tout. Je donnais dans l'escroquerie. J'étais plutôt douée.
— Pas suffisamment, rétorqua Eve.
— Je veux tout savoir ! Mais avant cela, je dois filer aux toilettes. Une fois de plus.
— Je t'accompagne, déclara Mavis en se levant. Dallas, tu viens avec nous ?
— Je passe, merci.
Mavis et Tandy s'éloignèrent, et Eve se tourna vers Leonardo.
— C'est au cours que vous avez connu Tandy ?
— Oui. Tandy doit accoucher environ une semaine avant Mavis. C'est adorable de l'avoir invitée. Elle vit toute cette aventure sans partenaire.
— Qu'est devenu le père ? s'enquit Connors.
Leonardo haussa les épaules.
— Elle n'en parle pas beaucoup. Elle dit simplement qu'il ne s'impliquait guère, que ça ne l'intéressait pas. Si c'est le cas, il ne la mérite pas plus que le bébé. Mavis et moi sommes si gâtés ! Nous voulons l'aider de notre mieux.
Le cynisme d'Eve refit surface.
— Financièrement ?
— Non. Je ne pense pas qu'elle accepterait de l'argent, quand bien même elle en aurait besoin. Sur ce plan, elle semble s'en sortir. Je parle plutôt de soutien, d'amitié… Je vais l'assister pour son accouchement. Ce sera… euh… une sorte de répétition générale avant celui de Mavis.
— Tu meurs de trouille, n'est-ce pas ?
Il jeta un coup d'œil vers les toilettes.
— Je suis terrifié. Je crains de tomber dans les pommes. Qu'est-ce qui se passe, alors ?
— Débrouille-toi pour ne pas atterrir sur moi, dit Connors.

— Mavis n'est pas nerveuse du tout. Plus la date fatidique approche, plus mon estomac se noue. Je ne sais pas comment je ferais si vous n'étiez pas là.

Eve échangea un regard interloqué avec Connors.

— Où voudrais-tu que nous soyons ?

Elle fit signe au serveur de lui apporter un deuxième verre de vin.

Deux heures plus tard, après avoir déposé Leonardo et Mavis chez eux, Connors prit la direction de l'immeuble de Tandy.

— Je peux prendre le métro, vous savez. Ce n'est pas très loin.

— Justement, ce n'est pas très loin. Cela ne me dérange pas du tout.

Tandy rit.

— Que répondre à cela ? D'ailleurs, c'est exquis de se retrouver à l'intérieur d'une voiture bien chauffée. Il fait tellement froid, dehors ! Hmm, enchaîna-t-elle en se calant sur son siège, je suis dorlotée, et grosse comme une baleine. Mavis et Leonardo sont des amours. Au bout de cinq minutes en leur compagnie, on se sent heureux et je constate qu'ils sont bien entourés. Ouille !

Eve tourna vivement la tête.

— Ah, non !

— Ce n'est rien, il s'agite un peu. N'ayez aucune inquiétude. Mavis est folle de joie à la perspective de la fête que vous organisez en l'honneur de son futur bébé, la semaine prochaine.

— Ah, oui, c'est vrai ! La semaine prochaine.

— Nous y sommes ! J'habite juste là… Merci infiniment.

Tandy rajusta son écharpe et ramassa un sac de la taille d'une valise.

— Merci pour ce repas succulent et votre gentillesse. À samedi, pour la fête.

— Vous voulez de l'aide pour, euh… ?

— Non, non ! s'exclama Tandy. Même une baleine doit se débrouiller seule. Si je ne vois plus mes pieds, je me rappelle où ils sont. Bonne nuit !

Connors attendit, moteur ronronnant, que Tandy pénètre dans l'immeuble.

— Elle est charmante. Stable, sensible.

— Tout le contraire de Mavis. Sauf pour l'aspect baleine. Ce doit être dur d'être en cloque, sans compagnon, dans un pays étranger. Elle semble tenir le coup. Peux-tu m'expliquer pourquoi, sous prétexte qu'on est amies, on doit, *en plus* de se coltiner les cours de préparation à l'accouchement et d'assister à la naissance, organiser des fêtes pour les futurs bébés ?

— Je serais bien incapable de répondre à cette question.

— Moi aussi, avoua Eve.

Eve rêvait. Des bébés pourvus de crocs et armés jusqu'aux dents jaillissaient des cuisses de Mavis et se ruaient autour de la salle, sous le regard effaré de la sage-femme, tandis que Mavis roucoulait : « Qu'est-ce qu'ils sont mignons ! »

Le signal du communicateur sur sa table de chevet l'arracha à son sommeil. Elle eut un frisson d'horreur.

— Bloquer la vidéo, commanda-t-elle. Lumières à dix pour cent. Dallas à l'appareil.

— *Dispatching à Dallas, lieutenant Eve. Rejoindre les officiers au 51, Jane Street, appartement 3B. Homicide possible*.

— Bien reçu. Contactez Peabody, inspecteur Delia. Je suis en route.

— *Dispatching bien reçu. Fin de communication*.

Pivotant légèrement, Eve constata que Connors avait les yeux grands ouverts.

— Désolée.

— Ce n'est pas moi qu'on tire d'un lit chaud à quatre heures du matin.

— En effet. Les gens devraient avoir la courtoisie de s'étriper à des horaires décents.

Elle fila sous la douche. Lorsqu'elle reparut dans la chambre, nue, Connors buvait un café.

— Pourquoi t'es-tu levé ?

— Je suis réveillé et je m'en serais voulu de manquer un tel spectacle en me rendormant aussitôt.

Il lui tendit la deuxième tasse de café qu'il avait programmée.

— Merci, murmura-t-elle en l'emportant avec elle dans son dressing.

Il devait faire un froid de canard dehors. Elle décida de mettre un pull par-dessus son tee-shirt.

À deux reprises, Eve et Connors avaient repoussé de vagues projets de vacances sous les tropiques. Mavis avait du mal à accepter qu'ils l'abandonnent pour bronzer et surfer sur la plage alors que la date de son accouchement approchait.

— Les bébés ne naissent pas avec des dents, n'est-ce pas ?

— Non. Je ne vois pas comm… Eve, pourquoi t'obstines-tu à me mettre de pareilles idées dans la tête ?

— Ce qui est dans ma tête, camarade, est dans la tienne. Tu es mon mari pour le meilleur et pour le pire.

— Tu vas me faire regretter de t'avoir préparé un café.

Elle s'habilla rapidement.

— Ce meurtre est peut-être l'œuvre d'un criminel hors planète. Tu t'occupes si bien de moi que je pourrais être tentée de t'emmener avec moi.

— Ne joue pas avec mes sentiments.

Elle s'esclaffa, s'empara de son harnais.

— À plus !

Elle s'avança vers lui et lui fit la bise, avant de réclamer ses lèvres en un baiser passionné.

— Fais attention à toi, lieutenant.

— C'est bien mon intention.

Elle descendit l'escalier, saisit au vol son manteau, drapé sur le pilastre. C'était là qu'elle le jetait négligemment chaque soir à son retour, d'une part parce que c'était pratique, d'autre part parce qu'elle savait que cela irritait Summerset, le majordome de Connors et son fléau personnel.

Elle le revêtit, découvrit qu'un miracle s'était produit : ses gants étaient dans la poche. Eve enroula l'écharpe en cachemire autour de son cou. Malgré tout, le froid lui parut cinglant.

Difficile de se plaindre cependant, quand on était mariée avec un homme qui avait pensé à faire avancer et chauffer votre voiture.

En franchissant le portail, elle jeta un coup d'œil dans le rétroviseur. La maison bâtie par Connors se reflétait comme dans un miroir, un palais de pierres de taille, de verre et de tourelles. La fenêtre de leur chambre était éclairée.

Il allait sans doute prendre un autre café tout en lisant ses rapports financiers ou les premières nouvelles du jour sur l'écran mural. Se mettre au travail avant l'aube n'avait jamais effrayé Connors.

Des nuages de vapeur s'échappaient des grilles d'égouts, tandis que le monde souterrain de la ville s'éveillait. Dans le ciel, les dirigeables publicitaires vantaient déjà les promotions du jour. Qui donc se souciait des soldes « spécial Saint-Valentin » à une heure pareille ? Il fallait vraiment être cinglé pour se farcir la foule dans un centre commercial dans le seul but d'acheter un cœur en chocolat !

Elle passa devant un panneau animé présentant des images en boucle de personnages trop beaux pour être vrais, en train de gambader sur des plages de sable blanc. Là, elle pourrait se laisser tenter…

Elle contourna la fête perpétuelle du quartier de Broadway. De jour comme de nuit, hiver comme été, touristes et voleurs à la tire hantaient cette Mecque du bruit, de la lumière et du mouvement. Elle se faufila à travers la section ouvrière de Chelsea, puis s'enfonça dans l'atmosphère plus artistique du Village.

Le véhicule officiel était garé devant une maison restaurée, Jane Street. Eve se gara un peu plus bas, sur un emplacement réservé aux livraisons, enclencha son néon « En service », rassembla ses affaires. À peine avait-elle verrouillé ses portières, qu'elle aperçut Peabody.

Engoncée dans un épais manteau de couleur rouille, une écharpe de trois kilomètres autour du cou, un bonnet assorti enfoncé jusqu'aux yeux, sa partenaire ressemblait à une exploratrice de l'Antarctique.

— Franchement, ils pourraient attendre le lever du soleil pour s'entre-tuer, non ? lança Peabody.

— On dirait un dirigeable publicitaire.

— Oui, je sais, c'est moche, mais c'est chaud et, quand je l'enlève, j'ai l'impression d'être mince.

Ensemble, elles gagnèrent la maison. Eve brancha son magnétophone.

— Pas de caméras de sécurité, observa-t-elle. Pas de détecteur digital. La serrure a été forcée.

Les fenêtres du bas étaient équipées de barreaux. La peinture des huisseries était écaillée. Le propriétaire des lieux ne se souciait guère de la maintenance ni de la sécurité.

L'homme en uniforme à l'entrée les salua d'un signe de tête.

— Lieutenant, inspecteur... Quel froid ! L'appel aux secours nous est parvenu à trois heures quarante-deux. C'est la sœur de la victime qui a téléphoné. Mon coéquipier est là-haut avec elle. Nous sommes arrivés sur les lieux à trois heures quarante-six. Nous avons constaté que l'entrée avait été forcée. La victime est au troisième dans sa chambre. Là encore, entrée par effraction. Apparemment, la victime s'est défendue. Pieds et mains ligotés avec du papier adhésif. On l'a malmenée avant de la tuer. Il semble qu'on l'ait étranglée avec la ceinture de sa robe de chambre, puisqu'elle l'avait encore autour du cou.

— Où était la sœur, pendant ce temps ? demanda Eve.

— Elle dit qu'elle vient de rentrer. Elle voyage beaucoup pour son travail. Quand elle est de passage à New York, elle descend ici. Elle s'appelle Palma Copperfield. Hôtesse de l'air chez World Wide. Elle a contaminé la scène : elle a vomi par terre et touché le corps, avant de se ruer sur le téléphone.

L'homme indiqua l'ascenseur.

— Elle était assise sur l'escalier, en sanglots. Elle n'a pas cessé de pleurer.

— Faites monter les techniciens dès qu'ils seront là.

Vu l'état minable de la bâtisse, Eve décida de prendre l'escalier.

Un appartement par étage, nota-t-elle. Volumes corrects. Intimité respectée.

Au troisième, elle tomba sur ce qui ressemblait à un système de sécurité flambant neuf. Cassé – par un amateur efficace.

Elle pénétra dans une salle de séjour, où une collègue se tenait devant une femme tremblante, blottie sous une couverture.

La vingtaine, jugea Eve. Une longue queue de cheval blonde, le visage bien dégagé, sans maquillage et ravagé par les larmes. Elle tenait dans ses mains un verre d'eau.

— Mademoiselle Copperfield, je suis le lieutenant Dallas. Voici ma partenaire, l'inspecteur Peabody.

— La brigade Homicide. La brigade Homicide, bredouilla-t-elle, avec un accent du Middle West.

— C'est exact.

— Quelqu'un a tué Nat. Quelqu'un a tué ma sœur. Elle est morte. Natalie est morte.

— Je suis désolée. Pouvez-vous nous raconter ce qui s'est passé ?

— Je... je suis entrée. Elle savait que je venais. Je l'avais contactée ce matin pour le lui rappeler. Nous avons atterri avec du retard, puis j'ai bu un verre avec Mae, ma collègue. La porte d'en bas était... entrouverte. Je n'ai pas eu besoin de ma clé. J'en ai une. Je suis montée, et je me suis rendu compte que le nouveau système de sécurité – elle m'avait donné le code ce matin – était fracturé. J'ai tout de suite pensé que c'était louche. J'ai voulu m'assurer que tout allait bien, avant d'aller me coucher. Et j'ai vu... Ô mon Dieu ! Elle était par terre, et tout était sens dessus dessous. Et son visage... son visage...

Palma se remit à pleurer de plus belle.

— Tuméfié, violacé... J'ai couru jusqu'à elle. J'ai tenté de la réveiller, de la relever. Elle ne dormait pas. J'en étais consciente, mais je devais à tout prix essayer de la réveiller. Ma sœur ! On a tué ma sœur.

— Nous allons nous en occuper, à présent, promit Eve en pensant au temps qu'il faudrait pour analyser la scène du crime. J'aurai quelques questions à vous poser un peu plus tard, je vais donc vous faire conduire au Central. Vous pourrez patienter là-bas.

— Je ne veux pas la laisser. Je ne sais pas quoi faire, mais je veux rester près d'elle.

— Vous devez nous faire confiance. Peabody !

— Je m'en charge.

Eve jeta un coup d'œil vers l'agent qui, d'un signe de la tête, lui montra une porte.

Enduisant ses mains de Seal-It, Eve alla affronter la mort.

# 2

La chambre était vaste, dotée d'un confortable petit coin-salon, côté rue. Eve imagina Natalie assise sur le sofa, en train de suivre les passants des yeux.

Le lit était plein de froufrous. Les nombreux coussins qui jonchaient la pièce – dont certains maculés de sang – avaient dû être empilés sur la couette en dentelle rose et blanche.

L'écran mural était installé de façon à être vu depuis le lit ou le coin-salon. Tableaux de bouquets de fleurs, une longue commode sur laquelle devaient être disposés les flacons désormais éparpillés par terre.

Natalie gisait sur un tapis, les chevilles ligotées, les poignets attachés devant elle, serrés comme pour lancer une ultime prière.

Elle portait un pyjama à carreaux bleus et blancs, strié de traces de sang. Dans un coin, un peignoir, bleu lui aussi. La ceinture était enroulée autour du cou de la victime.

Les tapis étaient tachés de sang, et une mare de vomi s'étalait près de la porte. La chambre empestait.

Eve s'approcha du cadavre et entama les premiers examens de routine : recherche d'identification et heure du décès.

— Il s'agit d'une femme de race blanche, âgée de vingt-six ans. Copperfield, Natalie, domiciliée en ces lieux. Hématomes au visage indiquant un traumatisme périmortem. Le nez semble cassé, de même que deux doigts de la main droite. Traces de brûlures visibles sur l'épaule, à l'endroit où la veste de pyjama a été déchirée. Traces de brûlures sur les plantes des pieds. La couleur bleutée de la peau pourrait être la conséquence d'une strangulation. Yeux rouges, exorbités. Le témoin a manipulé le corps, la scène est contaminée. Heure du décès, une heure quarante-cinq, environ deux heures avant la découverte.

Eve changea de position, tandis que Peabody entrait.

— Attention au vomi !

— Merci. Deux agents et un conseiller du département vont venir chercher la sœur.

— Parfait. La victime est encore en pyjama. Il ne semble pas qu'elle ait subi une agression sexuelle. Voyez ici, autour de la bouche. Elle a été bâillonnée. Il reste des marques de papier collant sur sa figure. Vous avez vu l'auriculaire et l'annulaire droits ?

— Aïe ! Brisés en deux.

— Les doigts, le nez. Des brûlures. Soit elle s'est franchement débattue, soit l'assassin avait quelque chose à prouver.

— La salle de bains est par ici, annonça Peabody en se rendant sur le seuil. Pas de communicateur près du lit, mais il y en a un ici, sur le carrelage.

— Qu'en déduisez-vous ?

— Que la victime s'est emparée de l'appareil et a couru se réfugier dans la salle de bains, peut-être dans l'espoir de s'y enfermer à clé et d'appeler les secours. Elle n'y est pas parvenue.

— C'est mon impression. Elle se réveille, elle entend du bruit dans l'appartement. Elle se dit tout d'abord que c'est sa sœur. La porte s'ouvre. Ce n'est pas sa sœur. Elle saisit le communicateur, essaie de s'enfuir. Elle avait pris la précaution d'installer un nouveau système de sécurité à l'entrée. Peut-être que quelqu'un la harcelait ? Lancez donc une recherche, voyez si elle a porté plainte au cours des deux derniers mois.

Eve se redressa et se dirigea vers la porte donnant sur le couloir.

— Si le meurtrier est arrivé par ici, elle a pu l'apercevoir depuis son lit. Elle attrape au vol son communicateur et fonce dans la direction opposée. C'est malin – étonnant, aussi, de la part de quelqu'un qui vient d'être arraché à un sommeil profond.

Elle retourna vers le lit, le contourna, jaugea la distance jusqu'à la salle de bains, aperçut quelque chose de brillant, par terre. Elle s'accroupit et ramassa précautionneusement un couteau de cuisine.

— C'est étrange. Pourquoi aurait-elle conservé un couteau dans sa chambre ?

— Impressionnante, la lame, concéda Peabody. Elle appartient à l'assassin ?

— Si c'est le cas, pourquoi ne s'en est-il pas servi ? Je parie qu'il provient de la cuisine. Nouveau système de sécurité, une arme de fortune sous le lit. Elle avait peur de quelqu'un.

— D'après les archives, elle n'a rien signalé.

Eve fouilla sous le lit, sous le matelas ; elle secoua les coussins. Puis elle inspecta la salle de bains. Minuscule, parfaitement rangée, très féminine. Rien n'indiquait que le meurtrier y était entré. Pourtant, Eve pinça les lèvres en ouvrant l'armoire à pharmacie. Sur une étagère trônaient un déodorant pour homme et une bouteille d'eau de toilette.

— Elle avait un copain, déclara Eve en allant ouvrir le tiroir de la table de chevet. Préservatifs, huile de massage…

— Une rupture qui aurait mal tourné ? proposa Peabody. Peut-être n'a-t-il pas apprécié d'être plaqué ?

— Possible. En général, ce genre de mobile engendre une agression sexuelle. Vérifiez tous les appels de son communicateur au cours des deux derniers jours.

Elle sortit, scruta de nouveau la salle de séjour. S'il s'agissait d'une rupture mal vécue, le type aurait sans doute frappé un moment à sa porte. « Nom de nom, Natalie, ouvre-moi ! Il faut qu'on parle ! » Elle s'aventura jusqu'à la cuisine. Beau volume, un espace de toute évidence utilisé par la victime. Un ensemble de couteaux auquel il manquait un élément était posé sur le comptoir d'une blancheur immaculée.

Elle s'aventura dans la deuxième chambre, transformée en bureau. L'endroit avait été fouillé de fond en comble. Sur la table en métal chromé, il n'y avait rien.

— Pas d'ordinateur dans le bureau, lança-t-elle à Peabody.

— Dans ce cas, à quoi sert d'avoir un bureau ?

— Précisément. Pas un disque en vue non plus. Les autres appareils électroniques facilement transportables étant toujours à leur place, je suppose que la cible était l'ordinateur. L'ordinateur et la victime. Que possédait Natalie qui puisse susciter une telle convoitise ?

— Et inspirer un tel désir de faire mal, ajouta Peabody. Sur ce communicateur, je ne relève que l'appel de la sœur, à dix heures ce matin, et un appel sortant, à sept heures trente, chez Sloane, Myers et Kraus. Elle a téléphoné pour dire qu'elle était malade. C'est un cabinet d'expertise comptable, les bureaux sont situés Hudson Street. Tous les appels précédents ont été effacés. La DDE pourra récupérer les infos. Vous voulez écouter ce qui reste ?

— Oui, mais on emporte l'appareil avec nous. Je veux interroger la sœur.

En chemin pour le Central, Peabody lut à voix haute la fiche de la victime.

— Née à Cleveland, dans l'Ohio. Parents – tous deux enseignants – toujours mariés. Une sœur, de trois ans sa cadette. Pas de casier judiciaire. Comptable chez Sloan, Myers et Kraus depuis quatre ans. Aucun certificat de mariage ou de cohabitation. Domiciliée depuis dix-huit mois Jane Street. Auparavant, elle habitait la

Seizième Avenue, à Chelsea. Et avant cela, chez ses parents, à Cleveland, où elle avait un poste de comptable à mi-temps. On dirait qu'elle a travaillé tout en poursuivant ses études universitaires.

— Croqueuse de chiffres, elle s'installe à New York. Qu'avez-vous sur la firme en question ?

— Une seconde... Grosse entreprise, clientèle friquée. Trois étages de bureaux rue Hudson, deux cents employés. Existe depuis plus de quarante ans. Ah ! Et la victime était cadre supérieur.

Eve réfléchit, tout en s'engouffrant dans le parking souterrain du Central.

— Elle a pu repérer un client plein aux as malhonnête. Quelqu'un qui tenait une double comptabilité, qui blanchissait de l'argent, qui fraudait le fisc, fricotait avec la Mafia. Ou un collègue douteux. Chantage, extorsion, détournement de fonds.

— La société a un bon avocat.

— Ce n'est pas forcément le cas de leurs clients ou de leurs employés. En tout cas, c'est une piste à examiner.

Eve se gara, et elles se dirigèrent vers les ascenseurs.

— Il nous faut le nom du copain – passé ou actuel. Quadrillez l'immeuble. Tâchez de savoir si elle a confié à sa sœur des soucis professionnels ou personnels. Selon toute apparence, elle s'attendait à avoir un problème, mais ne s'était pas encore décidée à en parler – du moins, pas aux flics.

— Elle en a peut-être discuté avec un de ses supérieurs ?

— Ou un copain.

Plus elles montaient, plus la cabine se remplissait de monde. Elles durent se faufiler pour sortir à leur étage.

— On va réquisitionner une salle d'interrogatoire, annonça Eve. Pour éviter toute distraction inutile. Elle a besoin d'un conseiller psychologique. Il peut l'accompagner.

Eve fonça à travers la salle commune jusqu'à son bureau. Jetant son manteau sur une chaise, elle commença par vérifier l'alibi du témoin. Palma Copperfield était hôtesse à bord de la navette de Las Vegas. Son avion avait atterri à l'heure où sa sœur était décédée.

— Dallas.

Levant les yeux, Eve vit Baxter, un de ses hommes.

— Je n'ai pas bu un seul café depuis deux heures. Voire trois.

— J'ai entendu dire que vous reteniez une certaine Palma Copperfield.

— Oui, c'est un témoin. Sa sœur a été étranglée tôt ce matin.

— Merde, marmonna-t-il en passant la main dans ses cheveux. J'espérais avoir mal compris.

— Vous les connaissez ?

— Palma, un peu. Pas la victime. J'ai rencontré Palma il y a quelques mois, lors d'une soirée. Nous sommes sortis ensemble deux ou trois fois.

— Elle a vingt-trois ans.

— Je ne suis pas près de la retraite, grogna-t-il. D'ailleurs, ça n'avait rien de sérieux. C'est une femme charmante. Elle a été blessée ?

— Non. Elle a découvert sa sœur morte dans son appartement.

— Quelle horreur ! Elles étaient très proches l'une de l'autre, il me semble. Palma m'avait raconté qu'elle descendait chez sa sœur chaque fois qu'elle était de passage à New York. Je l'ai déposée devant son immeuble de Jane Street une fois, après avoir dîné avec elle.

— Vous vous fréquentez toujours ?

— Non, non.

Comme s'il ne savait pas exactement quoi en faire, Baxter fourra les mains dans ses poches.

— Si cela peut l'aider, je veux bien lui parler.

— Oui, pourquoi pas ? Peabody est en train de nous trouver une salle d'interrogatoire. Elle était dans un état pitoyable, quand j'ai entendu ses premières déclarations. Elle vous a dit si sa sœur avait un ami ?

— Euh, oui. C'était un financier, je crois. Leur relation était assez sérieuse. Il me semble qu'ils s'étaient fiancés. Mais j'avoue ne pas avoir fait très attention. Ce n'est pas la sœur que je poursuivais.

— Et le témoin, vous l'avez attrapé, Baxter ?

— Non, murmura-t-il avec un petit sourire. Je vous le répète, c'est une femme charmante.

Traduction : ils n'avaient pas couché ensemble, ce qui était mieux s'il assistait à l'entretien.

— Entendu. Allons nous occuper d'elle.

Eve s'effaça pour laisser Baxter entrer le premier tout en scrutant de loin le visage ravagé de Palma. Celle-ci cligna des yeux, comme si elle s'efforçait de digérer de nouvelles informations, puis manifesta une série successive d'émotions : reconnaissance, soulagement, désarroi, avant de se laisser de nouveau envahir par le chagrin.

— Baxter ! Ô mon Dieu ! s'exclama-t-elle en lui tendant les deux mains.

— Palma, je suis désolé.

— Je ne sais pas quoi faire. Natalie. Ma sœur. Quelqu'un l'a tuée.

— Nous allons t'aider.

— Elle n'a jamais fait de mal à personne, Baxter. Elle n'aurait pas tapé sur une mouche. Sa figure…

— Je sais, c'est épouvantable, mais tu peux nous aider à trouver celui qui a fait ça.

— D'accord, d'accord. Tu vas rester près de moi ? Est-ce qu'il peut rester ? répéta-t-elle en s'adressant à Eve.

— Bien sûr. Je vais brancher le magnétophone et vous poser quelques questions.

— Vous ne pensez pas que je l'ai… Vous croyez que c'est moi qui l'ai… ?

— Certainement pas, Palma, répliqua Baxter d'un ton rassurant en lui serrant brièvement le bras. Nous devons t'interroger. Plus nous en saurons, plus vite nous retrouverons l'assassin.

— Vous devez l'arrêter, chuchota-t-elle. Je vous dirai tout ce que je peux.

Eve enclencha l'appareil et énonça les données nécessaires.

— Vous avez atterri à New York tôt ce matin, c'est bien cela ?

— Oui. J'étais sur la navette de Las Vegas. Nous avons touché le sol aux alentours de deux heures. Il a fallu une vingtaine de minutes pour clôturer le vol. Ensuite, ma collègue Mae et moi nous sommes rendues au bar de l'aéroport pour boire un verre de vin, nous détendre un peu. Nous avons partagé un taxi jusqu'en ville. Elle est descendue la première. Elle loue un appartement avec deux autres hôtesses dans l'East Side. Moi, j'ai continué jusque chez Nat.

Elle se tut, reprit son souffle, but une gorgée d'eau du gobelet en plastique posé sur la table.

— J'ai payé le chauffeur et je suis entrée dans l'immeuble. J'avais ma clé à la main et je connais le code de Natalie par cœur. La serrure était cassée. Ce n'est pas rare, aussi je ne m'en suis pas inquiétée sur le moment. Mais une fois devant sa porte, j'ai découvert que son système de sécurité – qu'elle venait de faire installer – était fracturé, lui aussi. Cela m'a intriguée, mais je n'ai pas voulu m'affoler.

— En pénétrant à l'intérieur, avez-vous noté quoi que ce soit d'étrange ? Dans la salle de séjour, tout d'abord ? voulut savoir Eve.

— Je n'ai pas vraiment fait attention. J'ai mis la chaîne de sécurité ; j'ai laissé mon bagage dans le vestibule en me disant que j'allais juste jeter un coup d'œil, m'assurer que tout allait bien, mais…

Un flot de larmes jaillit de ses yeux. Palma enchaîna vaillamment :

— Elle était par terre, il y avait du sang partout et la chambre était sens dessus dessous, comme s'il y avait eu une bagarre. Ses flacons de parfum étaient brisés, éparpillés sur le sol. Elle gisait sur l'un de ses deux tapis roses. J'étais avec elle quand elle les a achetés. Ils étaient tout doux, comme la fourrure d'un chat. Elle ne pouvait pas avoir d'animaux. Les tapis étaient si doux. Je... Pardon.

— C'est parfait, l'encouragea Baxter. Continue.

— Je crois... je ne me souviens plus très bien. Est-ce que j'ai crié ? Oui, j'ai dû hurler son nom, puis courir, tenter de la relever, de la secouer pour qu'elle se réveille, tout en sachant pertinemment qu'elle était... je ne voulais pas qu'elle soit morte. Son visage était tuméfié, couvert de sang... ses yeux... Elle avait les mains ligotées avec du papier collant.

Comme si elle venait de se rappeler ce détail, elle se tourna vers Eve, effondrée.

— On lui avait lié les poignets et les chevilles, reprit-elle en pressant le poing sur sa bouche. Je voulais appeler les secours mais, avant de pouvoir sortir mon communicateur de mon sac, je me suis mise à vomir. Ensuite, je suis sortie. Je ne pouvais pas rester là. J'ai couru jusqu'à l'escalier, et j'ai téléphoné. J'aurais dû y retourner. Je n'aurais pas dû l'abandonner de cette façon.

— Tu n'as rien à te reprocher, déclara Baxter en lui tendant le verre d'eau. Tu as fait exactement ce qu'il fallait.

— Savez-vous si quelqu'un la harcelait ?

— Non, mais quelque chose la tracassait, j'en suis certaine. Quand je lui ai posé la question, elle m'a dit qu'elle avait quelques soucis, mais rien de grave.

— Elle fréquentait un homme ?

— Bick ! Mon Dieu, Bick ! Je n'ai même pas pensé à lui. Ils sont fiancés. Ils vont se marier au mois de mai. Mon Dieu, il va falloir que je le prévienne !

— Quel est son nom ?

— Bick. Bick Byson. Ils travaillent ensemble. Du moins, ils appartiennent à la même entreprise. Natalie est cadre supérieur chez Sloan, Myers & Kraus, au service de la comptabilité. C'est elle qui gère le portefeuille de Bick. Ils sont ensemble depuis bientôt deux ans. Comment vais-je lui annoncer la nouvelle ?

— Il serait plus sage que nous nous en chargions.

— Et mes parents...

Elle se balança d'avant en arrière.

— Je dois le leur dire. De vive voix. Suis-je obligée de rester ici ? Il faut que je rentre à Cleveland, que je les prévienne que Natalie est partie pour toujours. Natalie...

— Nous en discuterons quand nous aurons terminé, déclara Eve. Votre sœur et son fiancé avaient-ils des problèmes ?

— Pas que je sache. Ils s'aiment à la folie. J'ai vaguement pensé qu'ils s'étaient disputés et que cela pouvait expliquer son mal-être. Organiser un mariage, c'est stressant. Mais ils s'entendent à merveille.

— Elle avait une bague de fiançailles ?

— Non. Ils ont préféré économiser là-dessus. Bick est un type épatant, mais un peu radin. Cela ne dérangeait pas Natalie. Elle est pareille, vous comprenez. Mieux vaut mettre son argent de côté, au cas où.

— Ils ne vivaient pas ensemble ? Cela leur aurait évité un deuxième loyer.

— Elle n'a pas voulu.

Pour la première fois, Palma esquissa un sourire, et Eve comprit en quoi Baxter avait pu être séduit.

— Elle tenait à ce qu'ils patientent jusqu'au mariage. Dans notre famille, nous sommes assez vieux jeu. À mon avis, nos parents sont persuadés que Bick et Nat ne couchaient pas ensemble. Ils s'aimaient tant.

— Et au travail ? Elle avait des problèmes ?

— Elle ne m'en a jamais parlé. Je ne l'avais pas vue depuis trois semaines. J'ai eu la chance d'être affectée à la ligne New Los Angeles – Hawaï pendant dix jours, puis je me suis offert quelques jours de vacances avec des copines. Je viens tout juste de reprendre la navette. J'ai pu communiquer avec elle plusieurs fois, mais… Nous avions prévu de faire du shopping, de revoir les préparatifs du mariage. Non, elle n'a jamais mentionné le moindre problème. Pourtant, je suis sûre que quelque chose clochait.

Eve émergea de la salle en compagnie de Baxter.

— Vous connaissez ce fiancé ?

— Non, marmonna-t-il en se frottant la nuque. Palma m'a bien glissé que sa sœur s'était fiancée. Elle était surexcitée, ce qui m'a incité à… prendre du recul. Au cas où c'eût été contagieux.

— Vos réticences à vous engager ne nous intéressent guère dans cette affaire ; oublions-les. C'est bien que vous ayez pu être là, pour la rassurer. Je propose que vous la mettiez dans une navette pour Cleveland. Comptez les heures supplémentaires.

— Entendu, lieutenant.

— Je vous rappelle que vous êtes en service, insista-t-elle. Elle doit se tenir à notre disposition. Je veux savoir où elle est, et quand elle sera de retour. La procédure habituelle, quoi.

— Compris. J'ai tellement de peine pour elle. Vous allez vous renseigner sur le fiancé.

— C'est ma prochaine étape, en effet.

— Byson ne s'est pas présenté au bureau, annonça Peabody en s'engageant aux côtés d'Eve sur le tapis roulant. D'après son assistante, c'est inhabituel. Il n'est jamais absent et prévient systématiquement s'il est en retard ou s'il a un rendez-vous à l'extérieur. Elle a tenté de le joindre chez lui, sur son communicateur de poche. En vain.

— On a son adresse ?

— Oui, il est sur Broome Street, à Tribeca. Toujours d'après l'assistante, la victime et lui venaient d'acquérir un loft ; c'est là qu'il s'est installé pour surveiller les travaux de rénovation.

— Allons-y.

— Il a peut-être fichu le camp, répliqua Peabody en quittant la rampe pour s'engouffrer dans un ascenseur. Il se dispute avec sa fiancée, se venge sur elle, puis s'enfuit.

— Ce n'était pas personnel.

Peabody fronça les sourcils, tandis qu'elles émergeaient de la cabine dans le parking.

— Pourtant, vu les lésions faciales et le mode de strangulation...

— Avons-nous trouvé des outils sur la scène du crime ?

— Des outils ?

— Un tournevis, un marteau, un mètre laser ?

— Non. Je ne compr... Ah ! s'exclama Peabody en hochant vigoureusement la tête, le ruban adhésif ! Dans la mesure où elle ne possédait aucun outil de base, comment expliquer le ruban adhésif ? L'assassin l'a apporté avec lui, ce qui réduit les possibilités d'un crime passionnel.

— D'autant qu'il n'y a pas eu agression sexuelle. Les serrures étaient fracturées. En déboulant plusieurs heures après le meurtre, la sœur n'a rien vu venir. Ça n'avait rien de personnel, répéta Eve. C'était un règlement de comptes.

Le loft était situé dans un vieil immeuble superbement restauré, dans un quartier où les habitants peignaient leurs terrasses et s'y asseyaient les soirs d'été. Les fenêtres donnant sur la rue étaient larges, offrant une vue sur la circulation et toutes sortes de commerces, de la boulangerie traditionnelle au traiteur de luxe, en passant par des dizaines de boutiques chics où une paire de chaussures coûtait l'équivalent d'un aller-retour à Paris, tout en vous broyant les pieds.

Certains appartements étaient dotés de balcons. À en juger par la façade, l'ensemble présentait nettement mieux que Jane Street et convenait à merveille à deux jeunes citadins en pleine ascension professionnelle.

Byson ne réagissait pas au coup de sonnette mais, avant qu'Eve ne puisse se servir de son passe-partout, une voix féminine jaillit du haut-parleur.

— Vous cherchez M. Byson ?

— Oui, répondit Eve en agitant son badge devant l'écran de sécurité. Police. Vous nous faites entrer ?

— Une seconde.

La porte s'ouvrit. Eve et Peabody pénétrèrent dans un minuscule hall commun, où quelqu'un avait pris la peine de déposer une superbe plante verte dans un pot multicolore. L'ascenseur arriva.

Une jeune femme en surgit, en pantalon gris et pull rouge, ses cheveux châtains rassemblés en un catogan. Elle avait un joli visage et un bébé d'âge et de sexe indéterminés était juché sur sa hanche.

— C'est moi qui vous ai répondu, annonça-t-elle. Je suis la voisine de M. Byson. Quel est le problème ?

— Nous avons besoin de lui parler.

— Je ne sais pas s'il est là.

L'enfant fixa Eve d'un regard de hibou, en suçant son pouce comme s'il contenait de l'opium.

— À cette heure-ci, il doit être à son bureau.

— Justement, il n'y est pas.

— C'est bizarre, parce que en général, je l'entends partir. Nous sommes au même étage, et cet ascenseur fait un bruit d'enfer. Il ne l'a pas pris ce matin. De plus, le plombier devait passer. Quand il attend des ouvriers, il sonne à ma porte en partant et me demande de leur ouvrir. Aujourd'hui, il a dû oublier. Du coup, je ne leur ai pas ouvert. On ne sait jamais.

— Vous avez donc une clé de chez lui ?

— Oh, oui, ainsi que le code ! Quelque chose vous tracasse, n'est-ce pas ? Vous voulez que je vous y conduise ?

Une fois de plus, Eve montra son badge.

— Oui, quelque chose nous tracasse. La fiancée de M. Byson a été assassinée cette nuit.

— Oh, non ! Oh, non, c'est impossible. Pas ça ! Pas Natalie, s'écria-t-elle.

Aussitôt, le marmot lâcha son pouce et se mit à hurler.

— Vous la connaissiez, murmura Eve en s'écartant subtilement du bébé.

— Bien sûr. Elle venait souvent. Ils allaient se marier dans quelques mois… Je l'appréciais énormément. Nous étions si contents qu'ils deviennent nos voisins. Bick et Nat, mon mari et moi. Nous… Je n'en reviens pas. Comment est-ce arrivé ?

— Nous devons absolument parler avec M. Byson.

— Mon Dieu ! Bien sûr. D'accord, d'accord… Oh ! la la, il ne s'en remettra jamais ! Chut, Crissy, chut, ajouta-t-elle en tapotant son enfant dans le dos, tandis qu'elles pénétraient dans l'ascenseur.

« Ils étaient fous l'un de l'autre – sans que cela soit gênant pour l'entourage, si vous voyez ce que je veux dire. Je l'adorais. Peut-être que c'est une erreur ?

— Je suis désolée, se contenta de répondre Eve. Savez-vous si elle avait des soucis, ces temps-ci ?

— Rien de particulier. Bien sûr, elle stressait un peu à l'approche du mariage. La cérémonie devait avoir lieu à Cleveland, où elle a grandi. Hunt et moi avions prévu de nous y rendre – notre premier voyage depuis la naissance de Crissy. Hunt, c'est mon mari. Je vais chercher la clé… Sa porte est là-bas. Nous partageons l'étage.

— Il n'y a que deux appartements ?

— Oui. Beaux volumes, bonne lumière. Hunt et moi avons acheté le nôtre au début de ma grossesse. C'est un quartier agréable, et nous avons trois chambres à coucher… Tenez, voici le trousseau…

— Nous n'avons pas retenu votre nom.

— Oh, pardon ! Gracie. Gracie York.

Elle tourna la clé dans la serrure, composa le code sur le clavier miniature.

— Bick avait peut-être des courses à faire ? Il a dû partir très tôt, car je n'ai rien entendu. Crissy a passé une mauvaise nuit, alors je me suis réveillée un peu tard ce matin. Elle fait ses dents.

Gracie s'apprêtait à pousser la porte. D'un geste, Eve l'en empêcha.

— Un instant.

Eve frappa.

— Monsieur Byson ! Nous sommes de la police. Ouvrez-nous, je vous prie.

— Je suis presque sûre qu'il n'est pas là.

— Quand bien même, nous allons patienter.

Eve frappa de nouveau.

— Monsieur Byson, je suis le lieutenant Dallas, du NYPSD. Nous allons entrer.

Dès l'instant où elle franchit le seuil, Eve sut que Byson était chez lui. La mort de Natalie Copperfield l'avait achevé. Ou plutôt, Eve en mettrait sa main à couper, son assassin.

— Ô mon Dieu, mon Dieu, mon Dieu ! hurla Gracie en pressant le visage de sa fille contre son cœur et en reculant brusquement.

— Madame York, rentrez chez vous, ordonna Eve. Enfermez-vous à clé. Ma partenaire ou moi-même vous rejoindrons dans un moment.

— C'est Bick. C'est bien Bick, n'est-ce pas ? Notre voisin d'en face ! Sur le même palier !

Sur un signe discret d'Eve, Peabody saisit Gracie par le bras.

— Ramenez Crissy chez vous. Il ne lui arrivera rien. Allez-y et attendez-nous.

— Je ne comprends pas. Il doit être mort. À quelques mètres à peine de...

Peabody se débarrassa de la voisine hystérique et se retourna vers Eve, l'air résigné.

— Je suppose que vous voulez que je m'en occupe.
— Exactement. Commencez par signaler l'incident au Central, Peabody. Ensuite, vous prendrez la déposition de Mme York. Quant à moi, je descends chercher mon kit de terrain et je me mets au boulot.

# 3

Ayant récupéré son matériel, Eve se protégea les mains d'une couche de Seal-It, avant d'en asperger ses bottines. Elle mit son magnétophone en marche et entama son inspection de la scène du crime.

Elle remarqua tout d'abord la fenêtre donnant sur l'immeuble voisin, équipée d'un étroit balcon.

— La fenêtre côté sud est ouverte, annonça-t-elle en s'en approchant. Elle semble avoir été forcée de l'extérieur. L'accès a été possible grâce à l'escalier de secours. Probablement aussi la sortie.

« C'était le meilleur moyen de passer inaperçu », songea Eve.

Elle se détourna de l'endroit par où le meurtrier était sans doute entré.

— Le cadavre est sur le dos, mains et pieds liés avec du ruban adhésif, comme la précédente victime. Il s'agit d'un homme de race mixte, la vingtaine avancée, vêtu d'un caleçon blanc. Tu t'es réveillé, n'est-ce pas, Bick, tu as entendu quelqu'un. Tu t'es débattu. Signes apparents de bagarre : table renversée, lampe cassée. Un point positif pour nous : tout ce sang n'est pas forcément celui de la victime. Hématomes et lacérations au visage et au corps.

Elle s'accroupit près du défunt.

— Quelques traces de brûlures, aussi, mais qui ressemblent à l'impact d'un laser paralysant, en pleine poitrine. Ils se battent, l'assassin neutralise Byson, le ligote, le frappe. Est-ce qu'il l'interroge ? Strangulation effectuée à l'aide d'une sorte de ruban en plastique bleu.

Sans changer de position, elle scruta la pièce.

— Je remarque des matériaux de construction dans le coin nord, ficelés avec du plastique bleu, comme celui trouvé autour du cou de la victime.

Elle releva les empreintes pour confirmer l'identification.

— Heure du décès, deux heures quarante-cinq du matin. Le tueur est venu ici après avoir éliminé Copperfield... Restes d'adhésif autour de la bouche, comme pour la victime précédente. Pourquoi l'enlever ? Il voulait que tu lui dises quelque chose ? Il voulait t'entendre t'étouffer pendant qu'il t'étranglait ? Un peu des deux, peut-être.

Elle se redressa et s'aventura un peu plus loin dans le loft. Apparemment, c'était ici que Byson avait décidé de dormir, le temps des travaux de rénovation. Un matelas posé sur une palette en bois, la sœur jumelle de la lampe brisée sur l'une des deux tables flanquant le lit. Des vêtements jetés négligemment ici et là. Signature d'un célibataire désordonné.

— Il se réveille. Il saisit l'une des lampes, en guise d'arme. La femme, elle, s'était emparée de son communicateur et avait tenté de fuir. Lui réagit différemment. Il veut protéger le fort. Il affronte le tueur, le surprend. Une lutte acharnée s'ensuit. D'après les hématomes sur les phalanges de la victime, celle-ci a réussi à porter quelques coups avant de tomber, neutralisée par le laser paralysant.

Elle revint sur ses pas.

— Le meurtrier lui attache les chevilles et les poignets, le bâillonne. Il ne le tue pas immédiatement. Pourquoi le bâillonner, s'il est neutralisé ? Il a quelque chose à dire ou à faire avant. Des questions à poser. Tu lui as raconté ce que tu avais infligé à Natalie, mon salaud ? Je parie que oui.

Elle effectua une visite rapide de l'appartement. Trois chambres à coucher, dont la plus grande ne contenait que des matériaux de construction. La troisième faisait office de bureau. Eve repéra tout de suite l'endroit où avait dû se trouver l'ordinateur, sur la table pliante couverte de poussière.

Elle était de retour dans la salle de séjour, quand Peabody apparut.

— La voisine est ébranlée, mais solide. Je l'ai autorisée à contacter son mari. Il va rentrer au plus vite. Il est parti aux alentours de sept heures ce matin. D'après le témoin, son mari et la victime se rendent souvent ensemble à la salle de gym avant de partir travailler. De toute évidence, ils n'avaient pas rendez-vous ce matin.

— Il est mort une heure environ après Copperfield. Même mode opératoire. Ordinateur volatilisé, pas un disque en vue.

— Ils avaient des informations sur quelqu'un, conclut Peabody. Un collègue, sans doute. Quelqu'un qui avait entendu quelque chose ou œuvrait sur un projet en particulier. C'est par là qu'il est entré ? ajouta-t-elle en désignant d'un signe de tête la fenêtre ouverte.

— Vraisemblablement. Il faudra demander aux techniciens de relever les empreintes sur les boutons de contrôle de l'escalier de secours. Ils ne trouveront rien, mais ça les occupera.

Elle résuma ce qui s'était passé, selon elle.

— Il y a peut-être des traces d'ADN sur les bouts de lampe ou les poings de la victime, murmura Peabody en contemplant le cadavre. Il était en bonne forme. Il a dû donner du fil à retordre à son attaquant.

— Pas suffisamment.

Elles laissèrent la scène du crime aux mains de leurs collègues de la police scientifique et foncèrent jusqu'au cabinet d'expertise comptable.

— Au fait, quand j'ai vu ce bébé… comment s'est passée la séance, hier soir ? demanda soudain Peabody.

— Je n'en parlerai pas. Jamais.

— Vous n'êtes pas drôle !

— Jamais.

Dissimulant un sourire ironique, Peabody fixa avec envie le glissagril qu'elles s'apprêtaient à croiser au coin de la rue.

— La fête pour le futur bébé va avoir lieu bientôt. Vous êtes prête ?

— Ouais, ouais.

— Pendant les vacances, j'ai tissé une ravissante petite couverture. J'ai pris toutes les couleurs de l'arc-en-ciel. Je suis en train de tricoter un bonnet et des chaussons. Qu'allez-vous lui offrir ?

— Aucune idée.

— Vous n'avez pas encore acheté votre cadeau ? Vous prenez des risques.

— Il me reste quelques jours. Vous pourriez peut-être vous en charger. Je vous rembourserai.

— Certainement pas, protesta Peabody en croisant les bras. Mavis est votre plus vieille amie, votre meilleure copine, et c'est son premier bébé. Vous devez choisir le cadeau vous-même.

— Merde, merde, merde.

— En revanche, je veux bien vous accompagner. On pourrait faire un saut dans une boutique qu'elle adore, après notre visite. On pourrait aussi en profiter pour manger.

À la perspective d'une séance de shopping dans un magasin entièrement consacré aux nouveau-nés, Eve eut un frisson d'horreur.

— Je vous donne cent dollars pour y aller toute seule.

— Vous frappez en bas de la ceinture, rétorqua Peabody. Je ne suis pas du genre à me laisser embobiner. C'est à vous de jouer, Dallas. Il s'agit de Mavis.

— Les stages de préparation à l'accouchement, les fêtes, et maintenant, le shopping. Quand est-ce que tout cela finira ?

Eve décida de penser à autre chose, alors qu'elles pénétraient dans le hall de réception de la firme Sloan, Myers et Kraus.

En parfait accord avec sa clientèle huppée, le décor en était luxueux, tout en panneaux de verre et plantes luxuriantes. Un immense comptoir en granit gris servait de poste de travail aux trois réceptionnistes pourvus de casques et tapotant furieusement sur leur clavier. Devant eux, s'étalaient en éventail trois espaces d'attente équipés de fauteuils confortables, d'écrans de divertissement et d'une sélection de disques.

Eve déposa son badge sous le nez d'un homme en costume trois pièces, aux cheveux blonds et bouclés.

— J'aimerais voir un responsable.

Il la gratifia d'un sourire enjoué.

— Ce n'est sûrement pas moi. Un responsable d'un département en particulier ?

— Je souhaite rencontrer les supérieurs de Natalie Copperfield et de Bick Byson.

— Voyons... Copperfield, manager senior, entreprises nationales et internationales. C'est à cet étage. Cara Greene pourra vous renseigner. Bick. Byson, Byson, Byson... Bick ! chantonna-t-il presque en consultant son écran... Vice-président, finances particuliers. C'est au-dessus, et il faudra vous adresser à Myra Lovitz.

— Commençons par Greene.

— Elle est en réunion.

Eve pianota sur son badge.

— Plus maintenant.

— Personnellement, ça ne me dérange pas. Je l'appelle. Voulez-vous vous asseoir ?

— Non, merci.

« Très chic », constata Eve en patientant. Ici, l'argent coulait à flots. Et pour un meurtrier, rien de plus tentant que le fric.

Cara Greene portait un tailleur rouge foncé, boutonné jusqu'au menton, coupé de manière à mettre en valeur une paire de seins impertinents. Son visage au teint caramel arborait une expression exaspérée.

— Vous êtes de la police ? s'enquit-elle en pointant un doigt accusateur sur Eve.

— Lieutenant Dallas, inspecteur Peabody. Vous êtes Greene ?

— Parfaitement, et vous venez de m'interrompre en plein milieu d'une réunion importante. Si mon fils a encore fait l'école buissonnière, je m'en charge. Je n'apprécie pas que les flics déboulent dans mon bureau.

— Nous ne sommes pas là pour votre fils, mais pour Natalie Copperfield. Si vous préférez, vous pouvez venir à mon bureau. Maintenant.

Aussitôt, l'irritation de Greene se transforma en méfiance.

— Quoi, Natalie ? Ne me dites pas qu'elle a commis un délit. Elle serait bien incapable d'enfreindre la loi.

— Pouvons-nous discuter en privé, madame Greene ?

Cette fois, une lueur de peur vacilla dans ses yeux verts.

— Il lui est arrivé quelque chose ? Elle a eu un accident ? Comment va-t-elle ? Suivez-moi.

D'un pas rapide, Cara contourna le comptoir de réception et les entraîna au-delà d'une porte en verre qui s'ouvrit à son approche. Sans ralentir, elle passa devant une succession de boxes où s'affairait le petit personnel, puis de cellules occupées par des comptables, pour gagner le bureau en coin correspondant à son rang.

Fermant la porte derrière elle, elle se tourna vers Eve.

— Dites-moi tout, je vous en prie.

— Mlle Copperfield a été assassinée tôt ce matin.

Greene aspira une bouffée d'air, leva la main. D'une démarche incertaine, elle se dirigea vers le réfrigérateur encastré dans le mur, en sortit une bouteille d'eau glacée. Puis elle s'effondra sur un fauteuil, sans l'ouvrir.

— Je ne comprends pas. J'aurais dû me douter de quelque chose, quand elle a téléphoné hier pour dire qu'elle était malade et ne pourrait pas assister à la réunion de ce matin. J'aurais dû m'en douter. J'étais furieuse contre elle. Vous comprenez, c'est… Excusez-moi. Je suis désolée, c'est un tel choc.

Avant qu'Eve ne puisse intervenir, elle se releva d'un bond.

— Ô mon Dieu ! Bick ! Son fiancé ! Il est au courant ? Elle doit épouser l'un de nos meilleurs cadres. Il travaille à l'étage supérieur. Ils se marient au mois de mai.

— Elle était sous vos ordres ?

— C'est une de mes meilleures employées. Je veux dire… c'était… Efficace. Agréable, intelligente, sérieuse. J'avais l'intention de lui proposer une promotion.

— Vous étiez amies, devina Peabody.

— Oui. Enfin, pas trop proches non plus. Étant sa patronne, je suis obligée de garder une certaine distance, mais… oui.

Paupières closes, elle pressa la bouteille froide sur son front.

— Nous nous entendions bien. Je ne peux pas le croire.

— Pouvez-vous nous dire où vous étiez entre minuit et quatre heures ce matin ?

— Vous n'imaginez tout de même pas que…

Cara se rassit. Cette fois, elle ouvrit sa bouteille et but.

— J'étais chez moi, avec mon mari et notre fils de douze ans. Nous nous sommes couchés juste après minuit. Comment a-t-elle été tuée ?

— Pour l'heure, nous ne divulguons aucun détail. Dans la mesure où vous étiez amies, et où vous êtes sa supérieure hiérarchique, vous a-t-elle dit si elle était inquiète ou préoccupée ces temps-ci ? Voire menacée ?

— Non, non, non. Certes, elle ne semblait pas dans son assiette depuis deux semaines, mais j'ai mis cela sur le compte de l'énervement à l'approche du mariage. Elle en aurait parlé à Bick. Elle lui racontait tout.

« C'est vraisemblable », songea Eve. Cela expliquait qu'il soit mort, lui aussi.

— Sur quoi travaillait-elle ?

— Elle gérait plusieurs grands comptes, en tant que responsable ou membre d'équipe.

— Il faudrait que vous nous en fournissiez la liste, ainsi que ses dossiers.

— C'est impossible. Nous devons protéger nos clients. Si je remettais des documents confidentiels à la police, on nous traînerait devant les tribunaux.

— Nous obtiendrons un mandat.

— Je vous en prie. Sincèrement. Je me ferai un plaisir de vous procurer tous les fichiers exigés par la loi. Je dois contacter M. Kraus, enchaîna-t-elle en se relevant. Je dois le mettre au courant. Et Bick.

— Bick Byson a lui aussi été assassiné tôt ce matin.

Mme Greene blêmit.

— Je… C'est incroyable. Je ne sais pas quoi dire. Tout cela est abominable.

— Je suis navrée. Je comprends que vous soyez en état de choc. Nous souhaiterions rencontrer le patron de M. Byson.

— Euh, c'est… Ô mon Dieu, j'en perds la tête. Myra. Myra Lovitz. Je la préviens, si vous voulez.

— Je préfère que vous attendiez que nous l'ayons vue pour discuter avec elle. Qui sont les collègues de Mlle Copperfield ?

— Je vais vous donner leurs noms.

Elle regagna son bureau, ouvrit un tiroir, en sortit un mouchoir en papier.

— Pardonnez-moi, je suis très émue. Voulez-vous que j'avertisse l'assistante de Myra de votre visite imminente ?

— Excellente idée. Merci de votre coopération. Nous reviendrons avec un mandat chercher les dossiers.

À l'étage au-dessus, Eve et Peabody furent accueillies par l'assistante de Myra Lovitz et escortées jusqu'à un bureau semblable en tout point à celui de Cara.

Myra Lovitz trônait derrière des piles de papiers, disques et autres bloc-notes. Ses cheveux gris seyaient à son visage anguleux. Elle portait un tailleur sombre. Elle gratifia Dallas et Peabody d'un sourire amer.

— Bon, de quoi s'agit-il ? D'une descente ?

— Nous sommes ici au sujet de Bick Byson.

Son sourire s'estompa.

— Il lui est arrivé quelque chose ? Nous avons cherché à le joindre toute la matinée.

— Il est mort. Assassiné dans la nuit.

Elle pinça les lèvres, croisa les mains devant elle.

— Cette putain de ville. Nom de Dieu ! Agressé en pleine rue, je parie ?

— Non.

Eve laissa Peabody prendre la relève. Elles eurent droit à une répétition presque mot pour mot de l'entretien précédent, le style acerbe de Myra en plus.

— C'est un garçon épatant. Brillant. On peut compter sur lui. Il sait s'adapter aux clients. Il a cette faculté de cerner parfaitement les gens. Lui et cette adorable jeune femme à l'étage en dessous ? Tous les deux. Mon Dieu, dans quel monde vivons-nous ?

— Sur quoi travaillaient-ils ? demanda Peabody.

— Ils ? Bick et Natalie ne géraient pas du tout les mêmes dossiers. Il s'occupait des particuliers, elle, des grands comptes d'entreprises, notamment internationales.

— Comment l'avez-vous trouvé, ces deux dernières semaines ?

— Assez nerveux, maintenant que vous m'y faites penser. Mais ils étaient en pleins préparatifs de leur mariage, ils venaient d'acquérir un loft à Tribeca. Vous savez ce que c'est, les travaux de rénovation, la décoration, les meubles à choisir.

— Il n'a pas évoqué un souci en particulier ?

— Non.

Le regard de Myra s'aiguisa.

— Ce ne sont pas des meurtres commis au hasard, n'est-ce pas ? Vous êtes en train de me dire que quelqu'un a délibérément assassiné ces pauvres petits ?

— Non, madame, intervint sèchement Eve. Nous ne disons rien du tout pour l'instant.

Une fois lancée la requête pour un mandat, Eve n'avait plus qu'une envie : se précipiter au Central rédiger ses rapports et plancher sur son enquête.

C'était compter sans l'obstination de Peabody.

— Si vous repoussez cela à plus tard, vous le regretterez, car vous serez obligée d'aller toute seule chercher votre cadeau pour le bébé.

— Il n'est pas question que je fasse du shopping, avec ou sans vous. Je veux bien acheter un truc, à condition que cela ne me prenne pas plus de dix minutes.

— Ensuite, on pourra manger un morceau ?

— Décidément, il vous en faut toujours plus. Nous ne pourrons probablement pas nous garer. Je ferais aussi bien de choisir mon cadeau en ligne. Vous pourrez me conseiller, et je le commanderai. Cela devrait suffire, non ?

— Non... Au fait, quelle sorte de gâteau allez-vous servir ?

— Aucune idée.

— Vous n'avez pas pensé au gâteau ! s'exclama Peabody, sincèrement choquée.

— Je n'en sais rien. Peut-être que si... Bon, écoutez... J'ai appelé le traiteur, d'accord ? Je l'ai fait moi-même. Je n'ai pas délégué cette corvée à Connors. Encore moins à Summerset.

— Qu'avez-vous commandé ? Quel thème avez-vous choisi ?

— Comment ça, quel thème ?

— Vous n'avez pas choisi un *thème* ? Comment voulez-vous organiser une fête en l'honneur d'un futur bébé, sans thème ?

— Doux Jésus, je ne sais même pas ce que c'est ! J'ai prévenu le traiteur, j'ai fait mon boulot. J'ai expliqué de quoi il s'agissait. J'ai précisé le nombre d'invités, plus ou moins. Je lui ai donné le lieu et l'horaire. La dame a commencé à me poser toutes sortes de questions à me filer la migraine, et je lui ai répondu que, si elle continuait, je la virais. Pourquoi n'est-ce pas suffisant ?

Peabody poussa un profond soupir.

— Donnez-moi les coordonnées du traiteur, je lui passerai un coup de fil. Ils prennent en charge la déco, aussi ?

— Parce qu'il faut de la déco ?

— Je vais vous aider, Dallas. Je ferai l'interface avec le traiteur. Le jour J, j'arriverai plus tôt, de façon à tout mettre en place.

Eve s'efforça d'ignorer le sentiment de soulagement qui la submergeait.

— Combien cela me coûtera-t-il ?

— Rien. J'adore ça.

— Vous êtes complètement cinglée.

— Regardez ! Regardez ! Cette voiture s'en va. Vite ! Garez-vous. Nous sommes presque à la porte. C'est sûrement un signe de la déesse de la fertilité !

— Vous et votre philo New Age, marmonna Eve en s'empressant de dépasser une Minespace pour piquer la place la première.

Eve, qui se connaissait comme sa poche, devinait d'avance le supplice qui l'attendait.

Partout, des peluches. Une ambiance musicale gnangnan à vous paralyser le cerveau. Meubles miniatures, étoiles scintillantes suspendues au plafond, rayons croulant sous d'étranges collections de tenues minuscules. Chaussures pas plus grandes que le pouce. Boîtes à musique, chevaux à bascule, jouets qui tintinnabulaient… Eve en avait le vertige.

Quant aux clientes, certaines étaient en gestation, d'autres baladaient le fruit de leur matrice dans un porte-bébé de couleur vive ou un drôle de siège matelassé qui s'accrochait dans le dos. L'un des fruits en question hurlait.

Il y avait aussi des enfants plus grands, harnachés dans leur poussette ou libres d'errer à leur guise, de déchiqueter les peluches et de grimper sur tout ce qu'ils voyaient.

— Courage, murmura Peabody en serrant le bras d'Eve.

— Montrez-moi ce que je dois acheter. Peu importe le prix.

— Ce n'est pas comme cela que ça marche. On commence par se poster devant un écran. Voilà… Mavis est inscrite. On découvre ce qu'elle a sélectionné dans la boutique et ce que les autres ont déjà pris.

— Comment une créature qui ne sait ni marcher, ni parler, ni se nourrir elle-même peut-elle avoir besoin d'autant de choses ?

— Précisément pour ces raisons. De plus, les bébés ont besoin d'être stimulés et réconfortés. Voyons…

Peabody appuya sur une touche. Aussitôt, une jeune femme au sourire éclatant apparut.

— Bienvenue à *La Cigogne blanche* ! En quoi pouvons-nous vous aider ?

— Nous cherchons la liste de Mavis Freestone, s'il vous plaît.

— Tout de suite ! Vous la voulez en entier, ou juste ce qui reste ?

— Le reste, répliqua précipitamment Eve.

— Un instant !

— Pourquoi nous parle-t-elle comme si nous étions complètement idiotes ?

— Elle ne…

— Dallas ?

Eve sursauta violemment. Se retournant, elle aperçut Tandy Willowby, qui venait vers elle.

— Et Peabody, c'est bien cela ? Nous nous sommes rencontrées une fois chez Mavis.

— En effet, je m'en souviens. Comment allez-vous ?

— Très bien, assura Tandy en se tapotant le ventre. On entame la dernière ligne droite. Vous êtes là pour choisir un cadeau pour Mavis ?

— Dites-moi ce que je dois acheter, dit Eve, d'un ton presque suppliant. Je suis très pressée.

— Aucun problème, je sais exactement ce qu'il vous faut. Annulez la recherche, commanda-t-elle… C'est peut-être un peu plus cher que ce que vous escomptiez…

— Je m'en fiche. Faites-moi un paquet cadeau.

— C'est un peu encombrant. J'ai eu un mal fou à convaincre Mavis de ne pas vider la boutique avant la fête. Elle s'est entichée d'une sorte de rocking-chair.

Tandy se faufila dans les allées, les entraînant à travers un labyrinthe d'accessoires, ses longs cheveux blonds se balançant dans son dos.

— J'ai réussi à persuader ma patronne d'en commander un dans les couleurs préférées de Mavis. Je savais que, si elle ne le recevait pas à la fête, elle viendrait l'acheter par la suite. Je vais vous montrer le modèle en exposition. Ensuite, vous pourrez voir à l'écran celui fabriqué sur mesure pour Mavis. Il est encore à l'entrepôt.

— C'est parfait, épatant. Je passe à la caisse. Aïe ! s'écria Eve, tandis que Peabody lui donnait un coup dans les côtes.

— Venez au moins voir de quoi il s'agit.

— Oh, oui ! acquiesça Tandy, les yeux brillants d'excitation. C'est géant.

Eve se retrouva devant un objet bizarre vert menthe en forme de S allongé qui, pour des raisons incompréhensibles, provoqua l'extase de Peabody.

— Il s'incline, berce, oscille, vibre et émet de la musique. Le logiciel comprend vingt mélodies par défaut, mais on peut en enregistrer ou en télécharger d'autres, ou encore la voix du père, de la mère… Le matériau est résistant aux taches, imperméable et d'une douceur inouïe. Tâtez, vous constaterez.

Eve s'exécuta docilement.

— Sympa. Je le prends.

— Asseyez-vous dedans ! insista Tandy.

— Je ne…

— Allez, Dallas… Essayez-le.

— Nom de nom ! D'accord, d'accord… Hé ! Il a bougé !

— Les coussins de gélatine se moulent à votre corps, expliqua fièrement Tandy. Le fauteuil s'ajuste à vous, mais vous pouvez aussi le programmer manuellement ou par contrôle vocal… il suffit de manipuler les touches, ici… Le modèle de luxe qui a émerveillé Mavis est doté de quelques nouveautés. Bébé dort et maman est fatiguée ?

Tandy effectua une manœuvre. Un ronronnement discret jaillit d'un côté de l'engin, et une petite boîte matelassée apparut.

— Vous vous tournez, vous déposez le petit dans le berceau, et c'est parti pour une bonne sieste.

— Génial ! approuva Peabody.

— L'annexe supporte un poids de dix kilos et peut se bercer indépendamment du fauteuil. De l'autre côté, vous avez un compartiment de rangement…

— Parfait, souffla Eve en se levant.

— Tous les magazines spécialisés en parlent. L'an dernier, la chaîne *Mamans chéries* l'a élu produit de l'année.

— Vendu.

— Vraiment ? Je suis si contente !

— Vous pouvez me le livrer à la maison pour la fête ?

— Absolument.

— C'est combien ?

Quand Tandy annonça le prix, Peabody réprima un petit cri. Eve écarquilla les yeux.

— Nom de Dieu !

— Je sais, c'est très cher, mais le jeu en vaut la chandelle. Et si vous ouvrez un compte à *La Cigogne blanche* aujourd'hui, je vous accorderai une remise de dix pour cent.

— Non, non merci, marmonna Eve en se frottant le visage. Je paie cash.

— C'est un cadeau somptueux, Dallas, dit Peabody.

— Oui, superbe, renchérit Tandy, les yeux humides. Quelle chance elle a d'avoir une amie comme vous !

— Je ne vous le fais pas dire.

Ce n'est que du fric, se rassura Eve, après avoir complété la transaction. Peabody et Tandy parlaient bébés, fête, gadgets divers. Quand elles abordèrent le sujet de l'allaitement, Eve décida qu'elle en avait assez.

— Il faut qu'on y aille. On a des crimes à résoudre.

— Je suis très heureuse que vous soyez passée. J'attends samedi avec impatience. Ma vie sociale est réduite à une peau de chagrin, ces temps-ci… La livraison sera effectuée la veille, à midi. Si vous avez le moindre problème, n'hésitez pas à me contacter.

— Entendu. Merci, Tandy.

— À bientôt !

Quittant avec soulagement le cocon musical, chaleureux et parfumé, Eve émergea dans l'air glacial et bruyant de la ville.

— Quelle heure est-il, Peabody ?

— Quinze heures trente.

— Je n'ai qu'une envie : m'allonger dans le noir.

— Eh bien…

— En service, pas de repos pour les traumatisés. Une platée de frites au soja devra suffire.

— Donc, on va manger ? On devrait aller faire des courses plus souvent.

— Mordez-vous la langue.

# 4

Eve se demanda quelle sorte de femme elle était, pour se sentir plus à l'aise dans une morgue que dans un magasin de puériculture. En fait, elle s'en fichait. Les murs d'un blanc glacial et l'odeur de la mort, à peine masquée par les parfums épicés des produits nettoyants, lui étaient familiers.

Elle poussa l'épaisse porte de la salle d'autopsie à l'instant précis où Morris, le médecin légiste en chef, extirpait la cervelle de Bick Byson de son crâne pour la déposer sur la balance.

— Si je comprends bien, vous en avez eu deux pour le prix d'un, constata-t-il en marquant une pause pour entrer les données dans l'ordinateur.

Il n'était pas grand, mais son costume chocolat et son tee-shirt or brossé mettaient en valeur la perfection de sa silhouette. Il était étrangement sexy, avec ses yeux légèrement bridés et ses cheveux noir de jais, rassemblés en une tresse serrée.

— En effet, concéda Eve. Même méthode, même tueur ?

— Brutalités physiques, traumatismes. Il s'est défoulé sur eux. Bâillon, chevilles et poignets ligotés. Je serais très étonné si les tests de labo révélaient que la colle du ruban adhésif ne provenait pas du même rouleau pour les deux victimes. Mort par strangulation. L'homme a été neutralisé par un pistolet laser juste au-dessus du sternum. Comme vous l'avez noté sur le terrain, il présente des brûlures et des lacérations sur les phalanges. Il s'est débattu. J'ai extirpé quelques bouts de céramique de son dos et de ses fesses.

— Une lampe cassée. Il semble qu'il l'ait saisie sur la table de chevet dans la chambre et s'en soit servi comme arme.

— Pas de traces de cruautés post mortem. L'assassin ne s'est pas attardé. Pas d'agression sexuelle. En ce qui concerne la jeune femme…

Morris essuya ses mains, puis se dirigea vers la table où gisait Natalie, nue, nettoyée, étiquetée.

— Ce n'est pas vous qui avez effectué l'incision en Y, remarqua Eve en fronçant les sourcils.

— Vous avez l'œil, Dallas… C'est exact, j'ai supervisé un petit nouveau. Ici, notre devise, c'est : « Mourir pour apprendre. » La jeune femme, donc, a été préalablement torturée. Doigts fracturés. L'angle et la position des fractures indiquent un mouvement sec vers l'arrière.

Morris illustra son propos en tirant sur son auriculaire.

— Efficace et douloureux. Brûlures à l'épaule, sur le ventre, sur les plantes des pieds. On dirait des brûlures d'un laser. Vous voyez cette forme circulaire ? Il a fallu qu'il appuie fort pour laisser de telles marques.

Eve chaussa une paire de microlunettes.

— Elle avait les pieds attachés, mais elle a dû sursauter, quand il l'a brûlée. Ce qui signifie qu'il l'a maintenue avec sa main. Il est méticuleux.

Elle retira les lunettes.

— Son nez est cassé.

— Oui, mais au microscope on distingue parfaitement les bleus, de part et d'autre des narines.

Morris ramassa les lunettes qu'Eve venait d'ôter et les offrit à Peabody.

— Je vois… Il avait recouvert sa bouche d'un papier collant, puis il lui a pincé le nez – très fort. Coupant toute arrivée d'air.

— Elle devait déjà avoir du mal à respirer. Il a poussé le supplice au maximum.

— Parce qu'il voulait qu'elle lui révèle quelque chose, dit Eve à Morris. Sans quoi, il ne se serait pas arrêté là. Il l'aurait sans doute violée.

— Je suis d'accord avec vous. Il cherchait seulement à la faire souffrir. Pour l'autre, il a carrément sauté l'étape de l'interrogatoire.

— Parce que la femme lui avait fourni les informations qu'il recherchait, conclut Peabody.

— La deuxième victime est morte parce que la première avait révélé à l'assassin que son petit ami savait ce qu'elle savait, ou avait vu ce qu'elle avait vu. Le mobile, c'est à partir d'elle qu'il faut le chercher, murmura Eve.

De retour au Central, Eve s'installa à son bureau et entreprit de compléter ses notes. Elle appela le bureau du procureur pour voir où en était son mandat de perquisition. Comme d'habitude, elle eut droit à une dérobade.

« Ces avocats, tous les mêmes ! » songea-t-elle. Les représentants du cabinet d'expertise comptable avaient déposé une motion pour bloquer la procédure. Ce n'était pas tout à fait inattendu – mais Eve savait qu'elle parviendrait à ses fins, même si ce n'était pas pour aujourd'hui.

Elle décida de harceler le laboratoire. Les pièces étaient en cours d'analyse. On ne pouvait pas faire de miracles et bla-bla-bla.

Elle avait donc deux cadavres – un couple – tués dans leurs demeures respectives, à quelques centaines de mètres de distance seulement, à une heure d'intervalle. La femme d'abord. Même employeur, services différents. Morts violentes, ordinateurs et disques volatilisés.

Pas d'ennemis connus.

L'assassin devait avoir un véhicule, pour transporter les machines.

Sourcils froncés, elle vérifia ses messages pour savoir si Peabody avait réussi à déterminer le type d'ordi-nateur des victimes. À son immense satisfaction, elle constata que sa très efficace collègue lui avait transféré une liste de tous leurs appareils déclarés à la CompuGuard. Deux ordinateurs fixes et deux portables.

Oui, l'assassin avait forcément prévu un véhicule pour les transporter.

Où s'était-il garé ? Habitait-il près de l'une ou l'autre des victimes ? Avait-il œuvré seul ?

Il avait dû emporter le rouleau de ruban adhésif, un pistolet paralysant et un laser. Conclusion : il avait tout planifié. Pour commettre les meurtres, il s'était contenté des outils qu'il avait sous la main. C'était un opportuniste.

Il savait que l'immeuble de la première victime était mal sécurisé, que celui de Tribeca l'était davantage. Là encore, il s'était préparé.

Avait-il pénétré dans les appartements avant cette nuit fatidique ?

Avait-il eu des contacts préalables avec ses proies ?

Eve se leva, plaça les photos de Natalie et de Bick sur son tableau récapitulatif, puis se rassit pour les examiner attentivement.

— Que saviez-vous, Natalie ? Que possédiez-vous ? Qu'aviez-vous compris ? Ce qui est sûr, c'est que cela vous inquiétait.

Le matin précédant sa mort, elle s'était fait porter pâle au travail. Elle avait fait installer une nouvelle serrure sur sa porte, alors qu'elle s'apprêtait à déménager. Oui, elle était inquiète. Pas suffisamment, cependant, pour en parler à sa sœur ou à sa patronne, avec laquelle elle entretenait des relations amicales, ni pour demander à son fiancé de venir dormir chez elle ce soir-là. Eve en déduisit que Natalie n'avait pas craint pour sa vie, malgré le couteau sous le lit. Elle était préoccupée, inquiète, angoissée – prudente. Probablement se sentait-elle même un peu ridicule de prendre tant de précautions. En tout cas, elle n'avait pas jugé utile de s'adresser aux flics.

Pour se rafraîchir les idées, Eve décida de réécouter sur le communicateur de poche de Palma la dernière transmission entre les deux sœurs.

*— Salut, Nat !*

*— Palma ! Où es-tu ?*

*— Quelque part au-dessus du Montana. Je fais la navette Vegas-New York, rappelle-toi. Aujourd'hui, c'est l'enfer. Aller, retour, aller, retour. J'arriverai tard. Tu m'attends toujours ?*

*— Bien sûr. Je meurs d'impatience de te voir. Tu m'as manqué.*

*— Toi aussi. Quelque chose ne va pas ?*

*— Non, non. Je suis juste un peu surmenée.*

*— Tu t'es disputée avec Bick.*

*— Non, non, tout va bien. Je suis simplement... il se passe tant de choses, c'est... tu es libre demain soir ?*

*— Il y a intérêt ! Tu veux sécher le bureau, qu'on s'offre une journée entre filles ?*

*— Avec plaisir. On pourrait faire un peu de shopping.*

*— Pour le mariage. Oui. Ça me détendrait. Et je pourrais te parler d'un truc.*

*— Tu n'as pas décidé de changer les couleurs, j'espère ?*

*— Non, non. Ça n'a rien à voir. C'est à propos de...*

*— Merde ! Le Cinq A me bipe une fois de plus.*

*— Vas-y. On en discutera demain matin. Tu as bien reçu la clé et le nouveau code que je t'ai envoyés ?*

*— Tout est là. Ma chérie, tu as une voix épuisée. Qu'est-ce qui... Pour l'amour du ciel ! Bip, bip, bip toi-même. Désolée, Nat, il faut que j'y aille.*

*— Pas de problème. À bientôt. Je suis vraiment heureuse qu'on puisse passer un moment ensemble.*

— *Moi aussi. Pancakes pour le petit-déjeuner ?*
— *Absolument.*
— *Salut !*

La victime était anxieuse, constata Eve. Inutile de procéder à une analyse vocale. Sa voix comme son regard trahissaient non pas la peur, mais la fatigue et la tension.

Elle avait l'intention de confier à sa sœur ce qui la tracassait. Tout lui raconter, comme elle avait très certainement déjà tout raconté à son fiancé. Palma avait eu de la chance d'ignorer les faits au moment des meurtres.

Paupières closes, Eve revisita l'appartement de Natalie. Féminin, ordonné, couleurs et accessoires assortis. Eve avait eu la même impression en inspectant son armoire. Du style. Une comptable acharnée au travail. Pragmatique et organisée. Un système de sécurité tout neuf. Attentive, prudente.

Quelle que soit l'information dont elle avait disposé, elle n'était pas au courant depuis longtemps. Selon Eve, Natalie Copperfield avait la tête sur les épaules.

Peut-être avait-elle partagé ses découvertes avec quelqu'un d'autre que son fiancé. Dans ce cas, elle avait choisi la mauvaise personne.

S'emparant de la liste qu'on lui avait fournie, Eve s'attaqua à la lecture des biographies des collègues, supérieurs et dirigeants de la firme. Puis elle pista Peabody par le biais du communicateur interdépartemental.

— Documentez-vous sur les autres locataires de l'immeuble de Copperfield. Peut-être a-t-elle vu quelque chose chez elle, ou dans son quartier.

— Justement, je suis en route. Je viens de relire les déclarations des voisins de Copperfield et du fiancé. Rien ne m'a sauté aux yeux.

— Il faut donc creuser. Je vais me pencher sur les comptes des victimes.

— J'ai du mal à imaginer qu'ils aient pu exercer de quelconques chantages.

— Cela ne nous empêche pas d'approfondir.

Eve afficha les données de Natalie. Le résultat ne la surprit guère de la part d'une croqueuse de chiffres. Les comptes étaient organisés, simples, équilibrés. Une dépense un peu exubérante de temps en temps, et un important virement, trois mois auparavant, à la boutique *Mariage blanc* où elle avait acheté une robe, un voile et des sous-vêtements.

Eve n'avait pourtant pas repéré la moindre robe de mariée dans l'appartement. Elle en fit part à Peabody.

— Elle avait sûrement besoin de retouches. Elle devait être entreposée au magasin, le temps des différents essayages, jusqu'à la veille du jour J.

— Ah, d'accord. Vérifions tout de même.

— Le locataire du rez-de-chaussée de la première scène a un petit casier pour possession de substances illégales. Pauli, Michael. Le dernier délit remonte à trois ans. Sur la deuxième scène, j'ai un coupable de vol à l'étalage – mais c'est de l'histoire ancienne.

— J'ai lancé une recherche sur les collègues de travail. Je vous transfère les fichiers. Je vais à la DDE, voir ce qu'ils ont pu récupérer sur son communicateur de poche.

— Je peux y aller.

— Je ne vous envoie pas là-bas pour peloter McNab. Mettez-vous au boulot, Peabody. S'il y a du nouveau, contactez-moi. Sinon, envoyez-moi les résultats, au Central et à la maison. Quand vous aurez terminé, vous pourrez rentrer chez vous palper les fesses de McNab.

— Ce n'est pas qu'il y ait grand-chose à se mettre sous la dent…

Eve coupa la communication et fonça aux bureaux de la DDE. S'engageant dans le dernier couloir, elle fut quasiment aveuglée par la chemise de McNab, un méli-mélo de dessins d'éclairs bleu roi sur fond rose bonbon.

— Je veux savoir où vous faites vos courses, marmonna-t-elle.

— Hein ? Salut, Dallas !

— Parce que je veux être certaine de ne jamais commettre l'erreur fatale d'y mettre les pieds.

Elle sortit une poignée de crédits de sa poche.

— Tenez, enchaîna-t-elle, allez soutirer un tube de Pepsi à ce machin sadique que les gens s'obstinent à appeler un distributeur.

Peabody avait raison : il était mince comme un haricot. C'était aussi un dingue de l'informatique, déguisé en vedette de cirque.

Il avait rassemblé ses cheveux blonds en un catogan, dégageant un visage aux traits fins. Il avait accroché un assortiment considérable d'anneaux en argent à son oreille gauche. Eve se demanda comment il arrivait à se déplacer sans que sa tête penche de ce côté.

— Justement, j'allais tenter de vous joindre, annonça-t-il en revenant avec la boisson d'Eve.

— Vous avez du nouveau ?

— On a réussi à récupérer les transmissions de la victime sur sept jours. On peut pousser encore un peu. Voyez-vous, même quand on fait le ménage dans son portable, les communications restent sur le disque dur pendant…

— Épargnez-moi vos explications vaseuses. C'est le résultat qui m'intéresse.

— Suivez-moi.

Si, à la brigade Homicide, on avait un faible pour le style « tenue de bureau décontractée », la DDE était haute couture. Les éclairs de McNab frétillèrent littéralement dans un véritable ouragan de couleurs clinquantes, de matériaux scintillants et de kilos de bijoux. Quand la brigade Homicide fredonnait, la DDE chantait. À tue-tête. Bips, ronronnements, éclats de voix, musique et sifflements électroniques jaillissaient de partout.

Eve n'aurait pas tenu plus d'une heure dans une ambiance pareille. Elle se demandait souvent comment son ancien partenaire, Feeney, capitaine de la division, y survivait. « Idiote », se réprimanda-t-elle. Feeney s'était totalement épanoui dans cet univers de paons et de fleurs de la passion.

McNab saisit un disque sur son bureau.

— On va s'installer dans un box.

Il se faufila à travers la jungle des postes de travail. La plupart des membres de l'équipe déambulaient, un casque sur la tête. Eve et McNab franchirent une grande porte vitrée, derrière laquelle étaient alignés une douzaine de boxes transparents. Plus de la moitié d'entre eux étaient occupés.

McNab en choisit un et inséra le disque dans la fente d'un superbe engin compact.

— La plupart des transmissions s'adressent à la seconde victime. Elle a eu des échanges avec sa mère, sa sœur, le bureau. Quelques boutiques, aussi – elle allait se marier, n'est-ce pas ?

— En effet.

— La robe, le traiteur, les fleurs…

— On peut peut-être sauter celles-là ?

— C'est ce que j'ai pensé, je vous ai donc préparé deux fichiers distincts. Ici, vous avez toutes les communications avec le fiancé. Démarrage, ordonna-t-il.

L'ordinateur récita la date, l'heure, les codes transmis. Byson apparut à l'écran, comme il l'aurait fait sur le communicateur de poche de Natalie.

« Bel homme, songea Eve. Avant qu'on lui défonce la figure. »

— *Salut, Nat.*

— *Bick. Tu es seul ?*

— *Oui, je m'apprête à entrer en réunion. Quoi de neuf ?*

*— Il faut que je te parle de… de ce que j'ai trouvé. On peut déjeuner ensemble ?*

*— Impossible, j'ai un rendez-vous. De quoi s'agit-il ?*

*— Je ne pense pas qu'il soit prudent d'en parler comme ça. On se retrouvera chez moi après le boulot. J'ai quelque chose à te montrer. Il me semble que c'est important.*

*— Entendu. À plus.*

L'ordinateur annonça la fin de la transmission et le temps écoulé.

— Un peu stressée, un peu nerveuse, mais excitée, aussi. Du genre : « Tu ne devineras jamais ce que j'ai découvert ! » murmura Eve.

Un jour plus tard, un appel entrant :

*— Salut, bébé. Ce dîner n'en finit pas, malheureusement. Veux-tu que je passe chez toi ensuite ?*

*— Non, non, ça va aller. Je travaille. Bick, plus j'avance, plus j'en apprends. Je te mettrai au courant demain. On pourrait prendre le petit-déjeuner ensemble ? À notre endroit préféré.*

*— Excellente idée. Sept heures trente ?*

*— Parfait. Mon Dieu, Bick, je n'en reviens pas ! Nous devons mettre un terme à tout cela.*

*— On pourrait alerter les flics.*

*— Pas encore. Pas avant d'être absolument sûrs de nous. Nous ne savons pas précisément qui est impliqué. Nous devons faire attention. Je t'en parle demain matin.*

*— Bonne nuit. Je t'aime.*

*— Moi aussi, je t'aime.*

Il y avait eu d'autres conversations de plus en plus tendues, toutes aussi mystérieuses, jusqu'à la dernière, aux alentours de minuit, deux heures à peine avant le premier meurtre.

*— J'avais juste envie de te parler, de voir ton visage.*

*— Nat, si tu veux, je peux venir.*

*— Il est tard et tu as eu une dure journée. Je vais bien, je t'assure. Je suis simplement sur les nerfs. Palma va arriver un peu plus tard. Je suis toujours mal à l'aise quand tu dors ici et qu'elle est là.*

*— Espèce de puritaine.*

*— Oui, je l'avoue.*

Un petit rire.

*— Je vais lui en parler, Bick.*

*— Je n'apprécie pas la manière dont on t'a approchée, Nat. Ils ont essayé de te soudoyer.*

*— Pour l'heure, ils pensent que j'y réfléchis. C'était davantage un ultimatum qu'une proposition.*

*— Ils pourraient te faire du mal.*

*— J'ai demandé un délai de réflexion de quarante-huit heures. Il n'y a aucune raison pour qu'ils s'en prennent à moi avant d'avoir eu ma réponse. J'ai fait poser un nouveau système de sécurité, Palma ne va pas tarder. Je suis mêlée à cette affaire, Bick. Je veux aller jusqu'au bout. Je vais en discuter avec ma sœur. Demain, nous nous adresserons aux autorités compétentes.*

*— Je passerai te chercher. Nous irons ensemble.*

*— N'apporte pas tes sauvegardes. Je préfère qu'on assure nos arrières, tu comprends. Si les flics nous envoient balader, on se tournera vers les médias. Il faut impérativement que ce soit rendu public.*

*— D'une façon ou d'une autre, Nat, on les coincera.*

*— Et on pourra reprendre nos vies d'avant. Je meurs d'impatience de t'épouser.*

*— Je suis fou de toi. Dors bien, mon bébé. Tout ça sera terminé demain.*

*— Vivement demain, alors. Je t'aime. Bonne nuit.*

— Des civils qui s'amusent à jouer les détectives, grommela Eve, partagée entre la colère et la pitié. S'ils s'étaient adressés tout de suite à la police, ils seraient encore vivants.

— Ils étaient sur un coup fumant, intervint McNab. Propositions malhonnêtes, menaces, le tout s'achevant dans le sang. Je vais remonter plus loin. Elle a peut-être lâché des indices un peu plus tôt. Il semble à peu près certain que ce qu'elle a découvert avait un rapport avec son boulot.

— J'attends toujours ces putains de mandats pour avoir accès à ses dossiers. Ces avocats, je les hais. Si quelqu'un a quelque chose à cacher, il ou elle aura eu tout le temps de dissimuler le pot aux roses.

— On laisse toujours des traces. Les limiers de la DDE finiront bien par les flairer. Tenez, je vous confie le disque. C'est vraiment triste pour eux. De toute évidence, ils étaient faits l'un pour l'autre.

— S'ils s'étaient contentés de faire leurs additions, ce serait toujours le cas.

Eve se leva, le cœur lourd.

— Remontez, ordonna-t-elle à McNab. Le plus loin possible. Si elle a eu un contact, il est forcément quelque part.

Ou était quelque part, songea Eve en quittant avec soulagement le Club DDE. Elle avait sûrement révélé à l'assassin tout ce qu'il voulait savoir avant qu'il ne l'achève.

Sur le chemin du retour, Eve appela le laboratoire. Son but était de convaincre Dick Berenski, le responsable, de lui transmettre tout ce qu'il avait à ce stade. Mais en se faufilant à travers les tunnels, boxes et autres labos aux murs de verre, elle aperçut Harvo, une technicienne avec laquelle elle avait déjà travaillé.

Harvo avait recouvert ses courts cheveux rouges d'un bonnet de protection orné d'hommes nus.

— Sympa, le chapeau.

— C'est surtout l'endroit où on l'achète qui est sympa.

Harvo claqua une bulle de chewing-gum rose vif.

— Si c'est Dick que vous cherchez, il est en congé. Il est parti passer quelques jours dans le Sud. Il est probablement déjà bien imbibé et en train d'importuner une pauvre femme qui ne rêve que de siroter sa Piña Colada en paix.

— Qui dirige l'asile ?

— Yon, pour cette fois, mais il est sur le terrain. On vient de repêcher un noyé dans l'East River. Vu que c'est son domaine de prédilection, il s'est précipité sur le lieu. Si vous voulez, je peux vous dire ce que nous avons sur votre double homicide.

— Avec plaisir.

— À votre service.

Au lieu d'emmener Eve dans l'antre de Berenski, Harvo l'entraîna jusqu'à son propre poste de travail.

— Vous aimeriez travailler sur le terrain, Harvo ?

— Non. Je suis bien dans ma ruche.

Elle se jucha sur son tabouret, accrocha ses baskets montantes noir et vert au barreau.

— Les cadavres, ce n'est pas trop mon truc.

Elle se dandina sur son siège, ses longs doigts aux ongles vernis courant sur le clavier.

— Ce n'est pas moi qui ai analysé le ruban adhésif. Le technicien qui s'en est chargé vient de s'en aller. J'imagine qu'il vous a transféré son rapport, mais puisque vous êtes là...

— Puisque je suis là.

— Le papier collant provient du même rouleau pour les deux meurtres. Vous voyez, là ? C'est le bout qui ligotait les chevilles de la jeune femme. Rigoureusement le même que celui trouvé autour des poignets du jeune homme. Il s'agit de ruban adhésif à usage jardinier.

— Vous n'avez pas, par miracle, relevé des empreintes ?

— Pas une. En revanche, on a de l'ADN. Rien sur le cadavre de la femme, rien sous ses ongles. Les empreintes sur la scène – meurtre numéro un – sont celles de la victime, de la deuxième victime et de la sœur de la première. Les éclaboussures de sang appartiennent toutes à la victime. En ce qui concerne l'homme, c'est différent.

— C'est de là que provient l'ADN.

— Sur la deuxième scène, on a prélevé des échantillons sur les phalanges du macchabée. Il s'est battu comme un beau diable. Si vous attrapez l'agresseur, on n'aura aucun mal à l'authentifier... On va vous donner des noms et des lieux. On a également trouvé de la salive – pas celle de la victime. Le cordon qui a servi à l'étrangler a été coupé à partir d'un lien, sur place... Autre détail. Les serrures de l'entrée de l'immeuble de la jeune femme n'étaient pas de bonne qualité. L'assassin a utilisé un objet contondant pour les casser. À l'étage, le système était plus sûr. Il a eu besoin d'outils spécifiques.

Eve l'avait constaté elle-même, mais elle opina.

— Il avait tout préparé. Il était au courant.

— Bref, dès qu'on aura identifié les empreintes sur la deuxième scène, on vous les enverra.

— Entendu. Merci.

Eve n'avait plus qu'à subir les embouteillages jusqu'à son domicile. Elle en profita pour ruminer. Il l'avait filée, se dit-elle. Il avait commencé par la soudoyer – tout en ayant l'intention de la tuer, quoi qu'il arrive. Copperfield pensait gagner du temps en demandant un délai de réflexion. Elle avait surtout laissé à son meurtrier le temps de préparer son coup.

L'information qu'elle détenait avait forcément un rapport avec son travail. Quand aurait-elle ce fichu mandat ? Elle décida de joindre Cher Reo, l'assistante du procureur.

— Je suis sur le point de partir. J'ai un rendez-vous galant et je n'ai pas l'intention de le rater.

— Et moi, j'ai deux cadavres à la morgue. Je veux mon mandat.

— Savez-vous combien de paperasses un avocat peut générer en quelques heures ?

— C'est une question du genre : savez-vous combien d'anges peuvent danser sur une tête d'épingle ?

Reo eut un sourire amer.

— C'est de la même veine.

— Bon, ça suffit pour la philo. Je veux savoir où en est mon mandat.

— Je vais vous l'obtenir, Dallas, mais pas avant demain matin. Nous avons affaire à des avocats très riches qui prennent des honoraires exorbitants et sont entourés de juristes pointilleux chargés de trouver une aiguille dans une botte de foin.

— Une botte de foin ? Qu'est-ce que c'est ?

— Peu importe, soupira Reo. J'ai passé une mauvaise journée. J'ai un juge sur le coup en ce moment. S'il accepte de sauter un repas, il pourrait peut-être se prononcer dans deux heures, auquel cas, je vous en avertirai immédiatement.

— Très bien.

Eve raccrocha.

« Trop de temps gaspillé », songea-t-elle. Celui qui avait assassiné Natalie et Bick – ou commandité leur meurtre – avait déjà commencé à effacer ou à trafiquer les fichiers.

Pourvu que McNab ait raison, et que les limiers de la DDE flairent très vite la piste que le coupable était en train de dissimuler pendant que les avocats exploraient leur botte de foin !

Si les gars de la DDE la décevaient, tant pis, se rassura-t-elle en franchissant le portail. Elle avait un chien très malin à la maison.

# 5

Comme elle avait l'esprit ailleurs, Eve fut prise de court quand Summerset surgit devant elle à son arrivée.

— Avez-vous besoin de formulaires de changement d'adresse ?

— Hein ? Quoi ?

Elle s'obligea à revenir sur terre, le regretta aussitôt. Le majordome émacié en costume noir était son cauchemar.

— Vous ne pouvez pas hanter d'autres lieux ? J'ai entendu parler d'un local disponible du côté de la Douzième Avenue Est.

Il pinça les lèvres.

— Dans la mesure où vous ne semblez plus habiter ici, j'ai pensé que vous voudriez signaler vos nouvelles coordonnées.

Elle ôta son manteau et le jeta sur le pilastre.

— Oui, trouvez-m'en quelques-uns, je les remplirai, lança-t-elle en entamant l'ascension de l'escalier. Au fait, combien y a-t-il de *m* dans Summerset ?

Elle le laissa derrière elle dans l'immense vestibule. Connors était probablement là, mais elle décida d'attendre d'être hors de portée de ces oreilles diaboliques pour le rechercher sur l'un des scanners.

Elle se serait volontiers précipitée dans sa chambre et jetée sur son lit pour une sieste d'une vingtaine de minutes. Mais cette affaire lui pesait, aussi poursuivit-elle jusqu'à son bureau.

Connors y était, en train de verser du vin.
— Dure journée, lieutenant. Un petit remontant ?
— Pourquoi pas ?
Soit cet homme avait un don de télépathie, soit elle était vraiment trop prévisible.
— Tu es rentré depuis longtemps ?
— Deux heures environ.
Elle fronça les sourcils, vérifia sa montre.
— Je suis désolée, il est plus tard que je ne l'imaginais. J'aurais dû te prévenir, sans doute.
— C'eût été appréciable.
Cependant, il vint vers elle, lui tendit un verre. Puis, de sa main libre, il lui souleva le menton et examina longuement son visage, avant de déposer un baiser délicat sur sa bouche.
— Dure, dure journée, devina-t-il.
— J'ai connu plus court et plus agréable.
— D'après ton air, ce n'est pas fini. Viande rouge ?
— Pourquoi tout le monde s'obstine-t-il à parler en langage codé, dans cette baraque ?
Il sourit.
— Tu devrais manger un steak. Oui, je sais, une pizza, c'est plus facile à grignoter devant ton ordinateur, enchaîna-t-il, anticipant ses protestations. Disons qu'un repas assis avec des couverts appropriés compensera ta négligence à mon égard.
— Cela me paraît juste, concéda-t-elle.
— Nous dînerons dans le jardin d'hiver, annonça-t-il en la prenant par le bras et en l'entraînant vers l'ascenseur. Cela te permettra de t'éclaircir les idées.
Il avait probablement raison et, dans l'univers de Connors, il était facile de commander un repas gastronomique aux chandelles, dans un décor luxueux avec vue sur les lumières de la ville, devant un feu de cheminée.
— Joli, commenta-t-elle en s'efforçant d'adapter son humeur à l'ambiance.

— Parle-moi de la victime.

— Les victimes. Ça peut attendre.

— Elles sont dans ta tête. Nous nous porterions mieux l'un et l'autre si tu exprimais tes impressions.

— Tu ne préfères pas discuter politique, météo ou scandales people ?

En guise de réponse, il sourit et s'assit. Eve lui exposa soigneusement la situation : plages horaires des deux meurtres, méthode employée, détails personnels sur les victimes.

— À écouter leurs échanges, j'ai compris qu'ils étaient follement amoureux. C'était palpable…

— Ils avaient tout pour eux. À tes yeux, il ne s'agit pas uniquement de l'élimination de deux êtres humains, mais de ce qu'ils auraient pu vivre ensemble.

— Oui, ce doit être cela, murmura-t-elle en admirant le panorama. Ça m'énerve.

— Tous les assassinats t'énervent.

— Forcément. En fait, ce sont les victimes qui m'énervent. Quelle mouche les a piquées ? Pourquoi ne se sont-elles pas adressées tout de suite aux flics ? Elles sont mortes non seulement parce que quelqu'un a voulu se débarrasser d'elles, mais aussi parce qu'elles s'étaient catapultées dans un jeu qu'elles ne pouvaient pas gagner.

— Nombre d'entre nous redoutons de recourir aux services de la police.

— Certains d'entre vous la fuient, répliqua-t-elle sèchement. Deux jours avant de mourir, elle avait fait installer un nouveau système de sécurité. J'en déduis qu'elle avait des inquiétudes. Elle avait aussi pris la peine de cacher un couteau de cuisine sous son lit – du moins, c'est ce que j'ai conclu en examinant la scène. J'en déduis qu'elle avait peur. Pourtant…

Eve piqua furieusement sa fourchette dans sa viande.

— Elle aurait pu mettre en garde sa pauvre sœur sans défense, qui allait loger chez elle. Elle aurait pour le moins pu se réfugier chez son fiancé.

« Tu souffres, se dit Connors, parce que ce drame aurait pu être évité si elle s'était tournée vers quelqu'un comme toi. »

— Elle avait donc un esprit indépendant et la certitude d'être en mesure de maîtriser la situation.

Eve hocha la tête.

— C'est cette attitude du « ça n'arrive qu'aux autres ». La même qui pousse les gens à se balader dans un quartier mal famé ou à débrancher leur système de sécurité. Et tu sais quoi d'autre ? s'enquit-elle en agitant sa fourchette. Ils étaient à fond dedans. Super ! Voyez un peu ce qu'on a découvert ! On va révéler ça au grand public, répondre aux interviews, devenir importants.

— Deux personnages ordinaires, qui mènent une vie sans histoire, jusqu'au jour où tout bascule. Ce cabinet financier jouit d'une excellente réputation.

— Mais tu ne traites pas avec eux. J'ai vérifié. Surtout parce que je craignais le pire dans le cas contraire.

— J'ai envisagé une collaboration, à une époque, mais Sloan me paraissait trop rigide, trop étriqué.

— N'est-ce pas le propre de tout comptable digne de ce nom ?

— Honte à toi ! s'esclaffa-t-il. Quel cliché ! Ma chère Eve, figure-toi qu'il existe des gens remarquablement doués pour manier les chiffres sans pour autant être rigides et étriqués.

— Et moi qui te croyais l'exception à la règle ! Non, je suis de mauvaise foi, avoua-t-elle. De mauvais poil. La société a mis tous ses avocats sur le coup pour m'empêcher d'obtenir un mandat aujourd'hui. Deux de leurs employés viennent d'être assassinés, et ils m'empêchent de faire mon boulot.

— En faisant le leur, rétorqua Connors. Navré, lieutenant, s'ils étaient incapables de protéger la vie privée de leurs clients, l'entreprise n'aurait pas la même réputation.

— Quelqu'un à l'intérieur sait ce que Copperfield et Byson savaient. Ils n'étaient que des rouages. Un de leurs supérieurs devait être au courant.

— Un spécialiste du piratage informatique pourrait accéder aux fichiers de Copperfield.

Eve resta silencieuse un instant, car elle avait tenu le même raisonnement.

— Impossible.

— Je m'en doutais. C'est normal. À ce stade, tu ignores si d'autres vies sont en péril. Tu ne peux pas justifier le court-circuit.

— C'est exact.

— Je suppose que tu t'es entretenue avec la supérieure immédiate de Copperfield ?

— Je l'ai interrogée. Je ne l'élimine pas d'emblée de la liste des suspects mais, si elle n'était pas sincèrement bouleversée par la nouvelle de la mort de Copperfield, c'est qu'elle a raté sa carrière. Cela ne signifie pas qu'elle n'ait aucune connaissance des découvertes de Copperfield. Elles avaient une relation amicale. Je suis obligée de supposer que Greene, la chef, avait eu vent du secret ou s'en doutait.

— Tu sembles convaincue que c'est au sein du cabinet que cela se passe.

— Tout me porte à le croire. Blanchiment d'argent, fraude fiscale, détournement de fonds ? Une façade légitime pour dissimuler une activité qui l'est nettement moins ? Ce pourrait être n'importe quoi, ajouta-t-elle en haussant les épaules. Tu connais certainement quelques-uns de leurs clients.

— Évidemment.

— Je suis persuadée que c'était quelque chose de grave. Quelque chose qui a engendré une proposition malhonnête et qui s'est terminé par deux décès.

Connors faillit remplir leurs verres, puis se ravisa. Ce serait du gaspillage. Son flic dévoué ne le boirait pas, car elle était pressée de se remettre au travail.

— Tu penses que les meurtres ont été perpétrés par un tueur à gages ?

— Je n'en ai pas l'impression, mais ce n'était pas l'œuvre d'un amateur.

Elle regagna son bureau et prépara son tableau récapitulatif, comme elle l'avait fait au Central. Le chat serpentant entre ses jambes, Connors l'observa.

— Coléreux et lâche.

Elle s'arrêta, pivota vers lui.

— Pourquoi dis-tu cela ?

— Regarde le visage de cette jeune femme. Il l'a frappée à plusieurs reprises. Ce n'était pas indispensable.

— Non, en effet. Continue.

Connors haussa une épaule.

— Il a tellement serré les liens que ses chevilles et ses poignets sont couverts d'hématomes. Pour moi, c'est un signe de colère. Les brûlures sur les plantes des pieds trahissent une certaine cruauté. C'est terriblement lâche de l'étrangler alors qu'elle était ligotée. De même avec le fiancé, qu'il a neutralisé au laser.

— Je suis d'accord avec toi. À un détail près ; il y a pris du plaisir. Il a arraché le ruban adhésif de leur bouche avant de les achever. C'est un détail important.

Elle étudia consciencieusement les photos qu'elle venait d'accrocher.

— Il a pris son pied à les voir, à les entendre mourir. C'est quelqu'un qui aime dominer.

Elle s'installa à son bureau, sans se soucier de voir le chat ressortir avec Connors – il lui accorderait sans doute beaucoup plus d'attention qu'elle dans les deux heures à venir.

Elle lut attentivement les fichiers que Peabody lui avait transmis. Les voisins de Copperfield figuraient tout en bas de la liste. Pourquoi prendre la peine de faire installer un nouveau système de sécurité, quand il suffisait à l'agresseur de vous sauter dessus dans le couloir ou dans l'ascenseur ? De même, pour Byson. La source, c'était Copperfield, pas son fiancé.

Grands comptes internationaux. Une société vitrine, dissimulant un trafic d'armes, de drogues, d'êtres humains ?

Elle réécouta les conversations entre les deux jeunes gens, surveilla leurs expressions, leurs voix. Émus, décida-t-elle. Un peu choqués, excités, mais ni horrifiés ni franchement terrorisés.

N'aurait-ce pas été le contraire, si ce qu'ils avaient découvert impliquait une mort ?

Tout laissait entendre qu'il s'agissait d'un crime de col blanc.

À cette idée, Eve se leva et se dirigea vers la porte menant au bureau attenant de Connors. Il ne s'y trouvait pas. Comme elle fronçait les sourcils, elle l'entendit derrière elle.

— Tu me cherchais ?

— Seigneur ! Tu te déplaces plus silencieusement que ce putain de chat.

— Viens te coucher.

— J'allais juste...

— Vingt heures, ça suffit... Tu as eu ton mandat ? ajouta-t-il en lui prenant le bras.

— Il y a environ trente minutes. J'allais juste...

— Tu verras cela demain.

— D'accord, d'accord, marmonna-t-elle. Je me posais simplement la question de savoir combien d'étapes tes pions devaient franchir pour avoir accès au grand patron que tu es ?

— Tout dépend du pion et de la raison pour laquelle il ou elle cherche à me joindre.

— Quoi qu'il en soit, il ou elle devrait forcément passer par Caro, n'est-ce pas ?

— Vraisemblablement.

— Quand bien même le pion inventerait un prétexte fallacieux, Caro serait au courant d'un rendez-vous, d'une réunion.

— Certainement.

— Or, tous les grands dirigeants du cabinet financier ont leur Caro.

— Il n'existe qu'une seule Caro au monde, et elle est à moi. Mais oui, ils ont sûrement tous une assistante efficace et discrète.

Dans la chambre, Eve entreprit de se déshabiller.

— J'irai demain à la première heure, décréta-t-elle. Je veux récupérer ces fichus fichiers. Ces imbéciles d'avocats m'ont coûté une journée entière. Je leur botterais volontiers les fesses.

— Bien sûr, ma chérie.

— Tu te moques de moi, grommela-t-elle en se glissant entre les draps… Au fait, j'ai acheté le cadeau pour le bébé, aujourd'hui.

— Excellent.

— Si Mavis accouche pendant mon enquête, c'est toi qui devras la conduire à la clinique.

Il y eut un long silence.

— Tu veux me donner des cauchemars ? C'est mesquin de ta part. Tiens ! Tiens ! Regarde ce que je viens de trouver, ajouta-t-il en insinuant une main sous sa chemise de nuit et en la posant sur son sein.

— Je dors.

— Ce n'est pas mon impression.

Il lui caressa le mamelon et lui mordilla le cou.

— Enfin, endors-toi s'il le faut. Je me contenterai de mes cauchemars.

Ses mains et sa bouche s'activèrent. Malgré elle, Eve sentit les vagues de plaisir l'envahir. Son esprit se calma, son sang se mit à bouillir.

Elle se tourna vers lui, s'accrocha à ses épaules, chercha ses lèvres.

Se pressant contre lui, elle se noya dans les vertiges de leurs baisers. Connors savoura le velouté de sa peau, les courbes de ses hanches. Elle retint son souffle, poussa un gémissement, s'arqua vers lui.

« Oui, pensa-t-elle. Maintenant. »

La foudre la frappa, tandis qu'il plongeait en elle. Elle s'abandonna au bonheur de se laisser prendre.

— Avec moi, chuchota-t-elle. Viens avec moi.

Quand il atteignit le paroxysme du plaisir, elle s'envola avec lui. Le souffle court, elle contempla le ciel étoilé à travers le Vélux au plafond. Connors s'affaissa sur elle, le cœur battant la chamade.

Assouvie, languissante, elle s'endormit dans ses bras.

Quand elle se réveilla, Connors était installé dans le coin-salon. Comme à son habitude, il étudiait les journaux matinaux. Une alléchante odeur de café lui titilla les narines, mais elle décida de prendre sa douche d'abord.

Lorsqu'elle en émergea, les arômes lui revinrent. Reniflant comme un chien, elle se retourna et découvrit une tasse posée près du lavabo.

Elle esquissa un sourire, touchée. Elle avala sa première gorgée de caféine entièrement nue, puis se glissa dans la cabine de séchage.

Vêtue d'un peignoir, sa tasse à la main, elle retrouva son mari, se pencha vers lui et l'embrassa.

— Merci.

— De rien. J'avais très envie de te rejoindre, histoire de te réveiller à ma manière, mais j'étais déjà habillé. Tu sembles reposée. Assieds-toi et prends ton petit-déjeuner. Je vais te dire ce que j'ai appris sur tes experts-comptables par l'intermédiaire d'un associé.

— Quel associé ? Quand ?

— Tu ne le connais pas et il y a quelques minutes.

— Raconte-moi tout pendant que je m'habille.

— Mange.

Elle poussa un profond soupir, mais s'exécuta.

— Accouche.

— Jacob Sloan a fondé l'entreprise avec Carl Myers, le père de l'actuel Carl Myers dont le nom apparaît sur leur en-tête de lettres. Sloan gère une poignée de comptes seulement, mais, d'après ma source, il participe activement à la gestion de l'affaire.

— C'est son ballon, il veut en maîtriser tous les rebonds.

— Exactement. Myers, comme son père, est responsable de comptes des particuliers et des industriels. Robert Kraus, partenaire depuis une dizaine d'années, dirige le département juridique et surveille la crème des comptes étrangers et internationaux.

— Ton associé a-t-il une idée de leurs activités au quotidien ?

— Selon lui, ils sont très présents. Une réunion hebdomadaire, un briefing chaque matin, sans compter leur mainmise sur les rapports trimestriels, les évaluations des employés.

— Donc, il est difficile pour l'un d'œuvrer derrière le dos des deux autres.

— Apparemment, mais difficile n'est pas synonyme d'impossible, ni même d'improbable.

— Sloan est le grand chef, marmonna Eve. Il est sans doute le plus inatteignable, pour un jeune cadre. Tout en étant celui que l'on chercherait à voir si l'on tombait sur quelque chose de louche. Du moins, si l'on est convaincu qu'il n'a rien à voir là-dedans.

— Dans le cas contraire, on s'efforce de rassembler le plus de preuves possible avant de s'adresser aux autorités.

— Mouais… D'après sa bio, Sloan est un self-made man. Il est parti du bas de l'échelle, a pris des risques, bâti sa propre entreprise brique par brique. Un mariage – avec une jeune fille de bonne famille, bien nantie –, un fils. Une résidence secondaire dans les îles Caïman.

— Sur le plan fiscal, c'est un excellent choix, dit Connors. Et un bon moyen de dissimuler des revenus. Il connaît sûrement tous les trucs.

— Copperfied gérait les grands comptes internationaux. Elle est peut-être tombée sur une manipulation douteuse. Le type monte une affaire qui acquiert au fil des ans une réputation mondiale, il y consacre tout son temps et tous ses efforts. Il est forcément très fier de son succès – et l'enjeu est énorme.

Eve se leva.

— Je vais voir ce que je pense de lui.

Elle se pencha pour embrasser Connors.

— J'ai besoin d'aide pour interpréter quelques chiffres. Tu te sens d'attaque ?

— Pourquoi ?

— Tant mieux. À plus !

Eve avait donné rendez-vous à Peabody et à McNab dans le hall de l'immeuble abritant le cabinet d'expertise comptable. À sa demande, quatre agents en tenue munis de cartons destinés au transport de documents étaient déjà sur les lieux.

McNab portait un manteau ressemblant à une toile que l'on aurait confiée aux doigts artistiques d'un enfant hyperactif.

— Vous ne pourriez pas vous déguiser en flic, de temps en temps ?

Il sourit.

— Une fois là-haut, j'afficherai une expression sévère.

— Bien sûr. Cela fera toute la différence.

Elle traversa la salle, agita son badge et son mandat sous le nez du gardien de sécurité. L'air sombre, il passa les documents au scanner.

— Vous ne pouvez pas monter sans escorte.

— Vous voyez ceci ? glapit Eve en tapotant le doigt sur les papiers. Peu importent les ordres que vous avez reçus. Si vous voulez nous accompagner dans l'ascenseur, pas de problème. Mais nous y allons maintenant.

Il fit signe à l'un de ses collègues de le remplacer, puis emboîta le pas aux policiers. Quand les portes de la cabine s'ouvrirent, deux costumes, l'un masculin, l'autre féminin, les attendaient.

— Vos papiers d'identité, je vous prie, prononça sèchement la seconde… Bien, tout me paraît en ordre. Mon collègue et moi-même allons vous conduire au bureau de Mlle Copperfield.

— À votre guise.

— M. Kraus ne va pas tarder. Si vous voulez patienter…

— Avez-vous lu ce mandat ? interrompit Eve. Je ne suis pas obligée de patienter.

— C'est une question de courtoisie élémentaire…

— Vous auriez dû y penser avant de bloquer mon enquête pendant plus de vingt-quatre heures.

Eve fonça dans la direction que Peabody avait empruntée la veille.

— La confidentialité, c'est important, protesta la jeune femme en accélérant pour rester à la hauteur de Dallas.

— Le meurtre aussi, figurez-vous. Vous m'avez barré le chemin. Si Kraus veut me parler, il peut le faire pendant que nous rassemblons les fichiers et les ordinateurs.

Elle pénétra dans le bureau de Natalie.

— Ce mandat m'autorise à confisquer les dossiers, les disques, les disques durs, les fichiers, les notes, les affaires personnelles… bref, j'ai le droit d'emporter tout ce que contient cette pièce. Emballez-moi ça ! ajouta-t-elle à l'intention de Peabody et de McNab.

— Nous gérons des dossiers extrêmement sensibles.

Eve se retourna brutalement vers elle.

— Et le corps humain, ça n'a rien de sensible ? Vous voulez voir ce que l'on a infligé à Natalie Copper-field ?

Eve plongea la main dans son sac.

— Non. Nous sommes bouleversés par ce qui est arrivé à Mlle Copperfield et à M. Byson. Nous avons beaucoup de peine pour leurs familles.

— Bien sûr ! Je me suis cogné la tête contre votre détresse et votre sympathie à plusieurs reprises, hier, rétorqua Eve en ouvrant un tiroir.

— Lieutenant Dallas.

L'homme qui venait de surgir était bien bâti, âgé d'une cinquantaine d'années, vêtu d'un costume gris et d'une chemise d'une blancheur aveuglante. Il avait un nez imposant, des yeux foncés, un visage aux traits volontaires et le teint basané. Ses cheveux noirs comme l'encre, peignés vers l'arrière, révélaient des tempes argentées – naturelles ou teintées.

— Monsieur Kraus.

— Puis-je me permettre de solliciter quelques minutes de votre temps ? Vos partenaires peuvent poursuivre, mais mes associés et moi-même souhaitons vous parler dans la salle de conférences.

— Nous devrons ensuite fouiller le bureau de Byson.

Il parut affligé, mais opina.

— Entendu. Ce ne sera pas long.

Eve s'adressa à Peabody.

— Prenez tout. Si vous avez terminé avant mon retour, demandez aux agents en tenue d'assurer le transport.

— Tout d'abord, je vous prie d'accepter nos excuses pour le délai, déclara Kraus en s'effaçant pour laisser passer Eve. D'un point de vue éthique et légal, nous sommes dans l'obligation de protéger nos clients.

— D'un point de vue éthique et légal, je suis dans l'obligation de protéger les droits des victimes.

— Soit.

Il l'invita d'un geste à s'engouffrer dans un ascenseur privé.

— Je connaissais à la fois Natalie et Bick. Je les respectais tous deux sur le plan personnel et professionnel.

— L'un ou l'autre vous a-t-il parlé d'un problème potentiel, personnel ou professionnel ?

— Non. Mais c'eût été très surprenant de leur part, surtout s'il s'agissait d'un souci d'ordre personnel. Concernant les questions professionnelles, ils se seraient adressés à leur chef de service qui – si nécessaire – nous aurait relayé l'information. Quoi qu'il en soit, mes associés et moi-même nous serions attendus à recevoir un rapport ou un mémo, même s'ils avaient réussi à trouver une solution.

— Avez-vous reçu un rapport ou un mémo ?

— Non. Je suis étonné que vous croyiez ou suspectiez un quelconque rapport entre cette tragédie et notre société.

— Je ne vous ai pas dit ce que je croyais ou suspectais. Pour l'heure, nous nous contentons d'enquêter sur tous les aspects de leurs vies, leurs allées et venues, leurs communications. C'est la procédure de routine.

— Naturellement.

Les portes s'ouvrirent. Ils avaient atteint le cœur du pouvoir. Comme souvent, le pouvoir – comme la chaleur – se trouvait toujours au sommet.

Un mur de verre teinté dominant la ville laissait filtrer une lumière tamisée. Tout, ici, respirait le luxe et la richesse. Moquette épaisse, rouge bordeaux, cloisons lambrissées. Pas de salle d'attente. Un client digne d'accéder à cet étage était considéré comme un invité que l'on recevait avec tous les égards.

Canapés et fauteuils confortables étaient disposés autour de tables basses en bois de chêne. Un bar trônait dans un coin.

Beaux volumes, silence. Bureaux espacés, parfaitement isolés les uns des autres. Kraus agita discrètement la main devant une caméra de sécurité. Une porte en verre s'ouvrit sur la salle de conférences.

Les deux autres associés étaient assis à l'immense table.

Carl Myers, le plus jeune, se leva. Son costume noir était adouci par de fines rayures gris clair. Il portait un bandeau noir autour du bras gauche. Ses cheveux châtain clair, crantés, étaient dégagés de son front. Son regard noisette croisa celui d'Eve, tandis qu'il se dirigeait vers elle, la main tendue.

— Lieutenant Dallas, je suis Carl Myers. Nous sommes navrés de vous rencontrer en des circonstances aussi dramatiques.

— En ce qui me concerne, c'est souvent le cas.

— Bien sûr… Je vous en prie, asseyez-vous. Pouvons-nous vous offrir à boire ?

— Non, merci.

— Jacob Sloan, lieutenant Dallas.

— Le flic de Connors.

Eve avait fini par s'habituer à ce genre de réflexion, empreinte de dérision. Elle tapota son badge, qu'elle avait accroché à sa ceinture.

— D'après ceci, je suis un flic du NYPSD.

Il haussa ses sourcils gris, assortis à la couleur de ses yeux. Très mince, le visage émacié, il dégageait une impression de pouvoir absolu.

— En tant que représentante du département de police de New York, vous empiétez sur les droits de nos clients.

— Ce qui est sûr, c'est que quelqu'un a empiété sur ceux de Natalie Copperfield et de Bick Byson.

Il pinça les lèvres, mais ne cilla pas.

— Notre entreprise prend cette affaire très au sérieux. Le décès de deux de nos employés…

— L'assassinat, rectifia Eve.

— L'assassinat, convint-il, de deux de nos employés est une tragédie choquante, et nous sommes décidés à coopérer avec vous au pied de la lettre de la loi.

— Vous n'avez pas vraiment le choix, monsieur Sloan. Et l'esprit de la loi, qu'en faites-vous ?

— Laissez-moi vous préparer un café, bredouilla Myers.

— Je ne veux pas de café.

— L'esprit de la loi, c'est plutôt subjectif, non ? reprit Sloan. Votre concept diffère probablement du mien, et très certainement de celui de nos clients, qui exigent la confidentialité. Les conséquences risquent d'ébranler notre société tout entière. En tant qu'épouse d'un homme d'affaires puissant et fortuné, vous pouvez le comprendre.

— Primo, je ne suis pas ici en qualité d'épouse de quiconque, mais de policier en charge d'une enquête sur un double homicide. Deuzio, le mécontentement de vos clients, quels qu'ils soient, n'est pas ma priorité.

— Vous êtes une femme difficile et cynique.

— J'ai deux cadavres sur les bras. Deux êtres humains qui ont été battus, torturés et étranglés. C'est vrai que cela n'arrange pas mon humeur.

— Lieutenant, dit Myers en écartant les bras, nous comprenons parfaitement que vous ayez une tâche à accomplir. Nous aussi. Croyez-moi, tout le monde ici veut que les coupables soient arrêtés et punis. Ce qui nous préoccupe, c'est la réaction de nos clients, qui nous font confiance. Certaines personnes – des concurrents, si vous voulez –, adversaires professionnels, ex-épouses, journalistes véreux, ne reculeraient devant rien pour découvrir le contenu des dossiers que vous confisquez aujourd'hui.

— Sous-entendez-vous que je serais capable de me laisser soudoyer par l'une d'entre elles ?

— Non, non, non, pas du tout ! Mais d'autres, moins intègres que vous, pourraient être tentés.

— Tous ceux qui auront accès à ces fichiers seront sélectionnés soigneusement par moi-même ou mon commandant. Soyez rassurés : ces documents seront en sécurité. Je vous en donne ma parole. À moins qu'un élément ne s'avère être à l'origine des meurtres de Copperfield et de Byson. Je ne peux pas vous promettre davantage.

Elle marqua un temps.

— Puisque nous voilà tous ensemble, éclaircissons quelques points. J'aimerais savoir où vous étiez la nuit des assassinats, entre minuit et quatre heures.

Sloan posa les mains à plat sur la table.

— Vous nous considérez comme des suspects ?

— Je suis difficile et cynique. Répondez-moi, monsieur Sloan.

— Ce soir-là, ma femme et moi-même recevions notre petit-fils et son amie. Ils nous ont quittés aux alentours de minuit trente. Ma femme et moi nous sommes couchés. Je suis resté chez moi jusqu'au lendemain matin, quand je suis parti travailler, à sept heures trente.

— Les noms, s'il vous plaît ? Du petit-fils et de l'amie.

— Il porte le même nom que moi. Son amie s'appelle Rochelle DeLay.

— Merci. Monsieur Myers ?

— Je dînais avec des clients étrangers, M. et Mme Helbringer, de Francfort, leur fils et leur belle-fille. Nous étions au *Rainbow Room* jusqu'à plus d'une heure du matin. Bien entendu, j'ai les fiches. Ma femme et moi sommes rentrés à la maison. Nous nous sommes mis au lit juste avant deux heures. Je suis reparti le lendemain vers huit heures trente.

— Comment puis-je contacter vos clients ?

— Mon Dieu, souffla-t-il en passant la main dans ses cheveux, je suppose que c'est indispensable ! Ils sont descendus au Palace. Un hôtel appartenant à votre mari, je crois.

— Le monde est petit. Monsieur Kraus ?

— Ma femme et moi recevions des clients chez nous. Madeline Bullock et son fils Winfield Chase, de la fondation Bullock. De passage à New York, ils ont séjourné deux ou trois jours à la maison. Nous avons mangé, puis joué aux cartes. Jusqu'à minuit, à peu près.

— Je vais devoir les joindre.

— Ils sont repartis. Je crois savoir qu'ils ont prévu une ou deux étapes avant de regagner Londres, où se trouve le siège de la fondation.

Parfait. Elle les retrouverait.

— M. Kraus a déclaré que ni l'une ni l'autre des victimes ne lui avait parlé d'un problème personnel ou professionnel. L'une d'entre elles vous a-t-elle approchés ?

— Non, répliqua Sloan.

— J'ai discuté avec Byson quelques jours avant le drame, intervint Myers. À propos de l'exécution d'un fidéicommis pour le petit-fils nouveau-né d'un client. Il n'a jamais évoqué le moindre souci.

— Merci. J'aurai peut-être besoin de vous interroger de nouveau. Par ailleurs, je vais devoir interviewer les supérieurs et les collègues des victimes.

— Messieurs, si vous voulez bien nous excuser, dit Sloan en levant la main. J'aimerais bavarder en tête à tête avec le lieutenant Dallas.

— Jacob, murmura Kraus.

— Pour l'amour du ciel, Robert, je n'ai pas besoin d'un conseil juridique. Laissez-nous seuls.

Quand les deux autres furent sortis, Sloan se leva et alla se planter devant la baie vitrée.

— J'aimais bien cette fille.

— Pardon ?

— Natalie. Je l'appréciais beaucoup. Fraîche, intelligente, pétillante. Elle s'était liée d'amitié avec mon petit-fils. Ils travaillaient dans le même service. Natalie était sur le point d'obtenir une promotion. J'ai échangé quelques mots avec ses parents, ce matin. Vous me reprochez de manquer de compassion ? De sympathie ? C'est plus que cela.

Il serra les poings.

— J'enrage, enchaîna-t-il. Cette firme est ma demeure. Je l'ai bâtie, brique par brique. Quelqu'un est entré chez moi et a tué deux des membres de ma famille. Je veux que vous coinciez ce salopard. Néanmoins si, au cours de votre enquête, je constate la moindre fuite concernant les données confidentielles de mes clients, j'aurai votre peau.

— Dans ce cas, nous sommes sur la même longueur d'onde, monsieur Sloan. À condition que vous compreniez une chose : si, au cours de mon enquête, je découvre que vous êtes impliqué, directement ou indirectement, dans ces meurtres, je vous mettrai en cage.

Il vint vers elle, lui tendit la main.

— Nous sommes donc parfaitement d'accord.

# 6

Eve retrouva Peabody et le reste de l'équipe dans le bureau de Byson.

— McNab, je veux que vous accompagniez les officiers jusqu'au Central. Ne quittez pas ces cartons des yeux. Vous les enregistrerez personnellement et vous les enfermerez à clé dans la salle de conférences numéro cinq. Le commandant est au courant. Quant aux appareils électroniques, vous les confierez directement à Feeney.

— Bien, lieutenant.

— Les appareils électroniques devront être enregistrés une deuxième fois auprès de la DDE, avec votre code et celui de Feeney... Peabody, vous et moi allons interroger les collègues. Retournez cuisiner le patron de Byson. Je me charge de l'étage de Copperfield.

Elle se dirigea vers la sortie.

— Ne les quittez pas des yeux, McNab ! insista-t-elle.

Eve savait exactement par où elle allait commencer.

— Je veux voir Jacob Sloan, le petit-fils.

Cette fois, la réceptionniste n'hésita pas. Elle se précipita sur l'interphone.

— Jake ? Un certain lieutenant Dallas souhaite vous rencontrer. Bien sûr... Troisième porte à gauche... Excusez-moi ? Vous... vous ne seriez pas au courant du lieu et de l'heure des obsèques, par hasard ?

— Non, désolée. Je suis certaine que les familles vous transmettront l'information.

Eve trouva Jacob Sloan sur le seuil de son bureau. Il était aussi grand que son grand-père, mais dégingandé. Ses cheveux blond foncé étaient rassemblés en une petite queue de cheval à la base de la nuque. Ses yeux étaient d'un bleu pâle.

— C'est vous qui menez l'enquête sur les meurtres de Natalie et de Bick. Je suis Jake Sloan… Entrez, je vous en prie. Puis-je vous offrir quelque chose à boire ?

— Non, merci.

— Je suis incapable de rester en place.

Il arpenta la petite pièce aux murs tapissés d'affiches représentant des dessins géométriques aux couleurs vives. Sur son bureau, Eve remarqua une collection de jouets. Une balle anti-stress rouge vif, maquillée en diable muni de cornes, un chien de dessin animé monté sur ressort, un tube suspendu à une ficelle qui changeait de couleur à chaque balancement.

Il se dirigea vers un miniréfrigérateur, en sortit une bouteille d'eau.

— J'ai failli ne pas venir aujourd'hui, avoua-t-il. Mais l'idée de rester seul à la maison m'était insupportable.

— Vous connaissiez bien Natalie.

— Nous étions amis, expliqua-t-il en ébauchant un sourire. Nous déjeunions ensemble environ deux fois par semaine, avec Bick quand c'était possible. Nous nous retrouvions pendant les pauses. Une ou deux fois par mois, nous sortions le soir. Nat, Bick, moi et ma fiancée du moment. Au cours des six derniers mois, je n'en ai eu qu'une.

Il s'affaissa sur son siège.

— Je me disperse. Vous n'avez pas besoin de savoir tout cela.

— En fait, si. Savez-vous si quelqu'un en voulait à Natalie ?

— Non.

Les yeux brillants de larmes, il se tourna pour fixer une litho sur le mur : un rond bleu, dans un triangle rouge.

— Tout le monde adorait Nat. Je ne comprends pas comment cela a pu arriver. Bick et elle. Je me dis sans cesse que c'est une erreur, qu'elle va passer la tête par la porte et me proposer d'aller boire un café.

Il se retourna vers Eve, esquissa de nouveau un sourire.

— Avez-vous eu une liaison avec elle ?

— Oh, non ! Ce n'était pas du tout ça ! s'exclama-t-il, les joues écarlates. Désolé, mais j'aurais eu l'impression de sauter ma sœur, vous comprenez ? Non, on s'est bien entendus dès le premier jour. Comme si on s'était toujours connus. De toute façon, Natalie, elle, était à la recherche de Bick. Ils étaient faits l'un pour l'autre. C'était palpable.

Il s'accouda, cacha son visage dans ses mains.

— J'en suis malade.

— Vous a-t-elle parlé d'un souci ? Dans la mesure où vous étiez amis, vous confiait-elle ses préoccupations ?

— J'aurais bien voulu, mais elle ne m'a rien dit. Pourtant, quelque chose la tracassait.

— Comment le savez-vous ?

— Je la connaissais comme ma poche. C'était évident. Elle refusait d'en discuter. Elle ne voulait pas que je m'inquiète, elle gérait la situation. Je l'ai taquinée à propos de son mariage, en lui demandant si elle allait prendre ses jambes à son cou. Elle a fait semblant d'être stressée à cause de ça, pourtant c'était autre chose qui la tracassait. Certes, les préparatifs l'accaparaient, mais elle ne remettait pas du tout en cause sa décision d'épouser Bick.

— De quoi s'agissait-il, alors ?

— J'ai eu l'impression qu'elle avait un problème avec l'un de ses comptes.

— Parce que ?

— Parce que, depuis deux semaines, elle s'enfermait toujours à clé pour travailler. Cela ne lui ressemblait pas.

— Avez-vous une idée du compte en question ?

Il hocha la tête.

— Je n'ai pas insisté. Nous avons tous un ou deux dossiers dont nous ne pouvons rien révéler à nos collègues. Peut-être s'efforçait-elle d'éteindre un feu pour ne pas perdre un gros client. Cela arrive... Nous avions prévu de nous retrouver samedi, tous les quatre. Comment peuvent-ils être morts ?

On frappa à la porte.

— Jake, pardon, je ne voulais pas te déranger.

— Papa !

Jake se leva d'un bond.

— Voici le lieutenant Dallas, de la police de New York. Mon père, Randall Sloan.

— Lieutenant, approuva-t-il en lui serrant vigoureusement la main. Vous êtes là pour Bick et Natalie. Nous sommes tous... abasourdis.

— Vous les connaissiez.

— Très bien, oui. Quelle tragédie ! Je reviendrai plus tard, Jake. Je voulais juste m'assurer que tu allais bien.

— J'ai presque fini, dit Eve... Vous êtes le vice-président de la société, n'est-ce pas ? ajouta-t-elle.

— C'est exact.

« Mais pas un associé, songea Eve, malgré votre beau costume et votre allure impeccable. »

— En tant que tel, aviez-vous de nombreux contacts avec l'une ou l'autre victime ?

— Pas énormément, pas ici. Bien entendu, Nat et Bick étant des amis de mon fils, je les voyais à l'extérieur beaucoup plus souvent que la plupart de mes employés. Ils formaient un couple attendrissant, murmura-t-il en posant la main sur l'épaule de son fils.

— L'un ou l'autre vous a-t-il parlé d'un éventuel problème, ici ou ailleurs ?

Randall fronça les sourcils.

— Non, pourquoi ? Tous deux travaillaient remarquablement bien. Et que je sache, ils étaient heureux.

— Je suis obligée de vous demander – c'est la routine – où vous étiez la nuit des meurtres.

— Je recevais des clientes. Sasha Zinka et Lola Warfield. Nous avons bu des cocktails et dîné à *L'Enchantement*, en ville, puis nous sommes allés écouter du jazz au *Club One*.

— À quelle heure la soirée s'est-elle terminée ?

— Il devait être près de deux heures quand nous avons quitté le club. Nous avons partagé un taxi, je les ai déposées en chemin. Je n'en suis pas absolument sûr, mais j'ai dû rentrer chez moi vers trois heures.

— Merci.

— Mon amie et moi étions chez Papou – mon grand-père, dit Jake, quand Eve posa son regard sur lui. Nous avons dû partir aux alentours de minuit, minuit et demi. Nous sommes allés chez moi. Elle y est restée dormir.

— Merci. Si j'ai d'autres questions, je vous contacterai.

Eve alla de bureau en bureau, interrompant réunions et coups de téléphone, supportant crises de larmes et d'anxiété. Tout le monde aimait Bick et Natalie, personne n'avait flairé le moindre souci. L'assistante que Natalie partageait avec deux autres collègues se montra un peu plus bavarde.

Sarajane Bloomdale était dans la salle de pause, en train de renifler sur une tasse de thé qui empestait la mousse humide. C'était une femme minuscule, aux cheveux courts, coupés à la Louise Brooks. Ses yeux étaient rouges, son nez, écarlate.

— J'ai été absente quelques jours, expliqua-t-elle à Eve. J'avais un rhume. Et puis, hier, Maize – une autre assistante – m'a appelée. Elle était hystérique. Elle m'a annoncé la nouvelle. Je n'en revenais pas. Je n'arrêtais pas de lui répéter : « Tu racontes n'importe quoi, Maize. » Elle me répondait : « Si, si, c'est la vérité », et je...

— Très bien. Depuis combien de temps travailliez-vous avec Natalie ?

— Deux ans. Elle était géniale. Certaines personnes, ici, nous considèrent comme des larbins. Pas Natalie. Elle était très organisée. Et elle se rappelait toujours des détails comme votre date d'anniversaire. De temps en temps, elle nous offrait des pâtisseries. Quand j'ai rompu avec mon petit ami, il y a deux mois, elle m'a invitée à déjeuner.

— Elle était sur un dossier particulier, ces temps-ci ?

— C'est vrai qu'elle s'enfermait à clé assez souvent, ce qui était bizarre. J'ai pensé qu'elle s'occupait de son mariage... Vous comprenez, nous n'avons pas le droit de nous occuper de nos affaires personnelles pendant les heures de service, chuchota-t-elle... Mais bon, un mariage, c'est compliqué et...

— Vous n'avez rien remarqué d'inhabituel dans ses rendez-vous, les courriers qu'elle vous demandait d'envoyer ?

— Non. Cela étant, elle revenait assez souvent après l'heure de la fermeture. Je m'en suis rendu compte en jetant un coup d'œil sur son ordinateur. J'ai constaté qu'elle le rallumait le soir. J'ai dû lui dire un truc du genre : « Vous allez vous épuiser, à ce rythme-là ! » Elle a eu un drôle d'air et m'a priée de n'en parler à personne. Elle avait du retard à rattraper.

— En avez-vous parlé à quelqu'un ?

— C'est possible. En passant.

— Par exemple ?

— Je ne sais pas, moi. Maize, peut-être, ou Ricko, du département juridique. On sort plus ou moins ensemble, Ricko et moi. J'ai très bien pu lui dire qu'elle travaillait trop et que c'était dommage parce qu'elle paraissait surmenée. Je le voyais bien. Je regrettais qu'elle ne passe pas davantage de temps avec son fiancé. Je me disais qu'elle devait se méfier du piranha.

— Quel piranha ?

— Lilah Grove. Quinn, son assistante, m'a confié que Mlle Grove flirtait avec M. Byson à la moindre occasion, cherchait des prétextes pour l'attirer dans son bureau, sollicitait son aide à la pause-café ou au déjeuner.

Sarajane eut une moue de désapprobation.

— Elle avait jeté son dévolu sur lui. Les hommes ont tendance à tomber dans ce genre de piège. J'en ai même touché deux mots à Natalie. Elle était ma patronne, vous comprenez ? Elle a rigolé.

— D'accord. Savez-vous si Natalie avait pris des rendez-vous avec les huiles ? Si elle avait l'intention de les rencontrer ?

— Elle ne m'en a jamais parlé. Euh... vous avez emporté presque toutes mes affaires. Je ne sais pas ce que je dois faire.

— Aucune idée.

Eve décida de revoir Cara Greene. En pénétrant dans la pièce, elle surprit Cara sur le point de gober un minuscule cachet bleu.

— C'est un antalgique. J'ai une migraine épouvantable. Je n'ai jamais passé une aussi mauvaise journée.

— Savez-vous pourquoi Natalie effectuait des heures supplémentaires, ces derniers temps ?

Cara fronça les sourcils.

— Non. Nous mettons tous les bouchées doubles à cette époque de l'année, à cause des déclarations fiscales. Mais... Natalie restait souvent très tard, c'est vrai. Je ne vous parle pas des quatre semaines précédant le 15 avril, où nous vivons pratiquement tous sur place. Elle n'avait pas l'habitude de s'en aller, puis de revenir. Vous ne voulez pas vous asseoir ? Personnellement, je n'en peux plus. Je me sens mal... Filtrer les appels des clients furieux d'apprendre que la police va mettre la main sur leurs comptes est extrêmement désagréable. De plus, je suis obligée de jouer à la maman quand les membres du personnel viennent sangloter sur mon épaule. Et je rumine. Si, comme vous semblez le laisser entendre, le meurtre de Natalie et de Bick a un rapport avec son travail, qu'est-ce que j'ai loupé ? Qu'est-ce que j'aurais dû savoir ?

— Rien ne vous vient à l'esprit ?

— Rien. Je suppose que c'était une affaire d'ordre personnel. Quelqu'un qui voulait leur faire du mal. Quelqu'un de jaloux ou de furieux. Je n'en sais rien.

— Il y a des conflits, au sein de cette entreprise ?

— Un esprit de compétition, certainement. Ce qui ne facilite pas forcément les rapports humains, mais de là à…

— Connaissez-vous Lilah Grove ?

— La femme fatale des comptes individuels, répliqua Cara avec un petit sourire. Oui. Et oui, selon certaines rumeurs, elle aurait flirté outrageusement avec Bick Byson. Cela ne semblait pas inquiéter Natalie, et je ne les ai jamais entendus se disputer à ce sujet.

« Au bureau, peut-être, mais à la fin d'une journée de travail ? » se demanda Eve en descendant rejoindre Peabody.

— Vous avez interrogé Lilah Grove ?

— C'est de la télépathie ou quoi ? J'allais justement vous parler d'elle.

— La reine de beauté de la division. Elle lorgnait sur Byson. Quelle est votre impression ?

— Je l'ai trouvée dure, vaine, ambitieuse. Elle prétend qu'entre Byson et elle, c'était un jeu sans conséquence. Elle s'est déclarée agacée et dégoûtée – sans me convaincre – que quiconque ose propager des ragots sur elle. En évoquant les victimes, elle a eu quelques larmes, qui n'ont toutefois en rien maculé son maquillage. Question produits de beauté, visiblement, elle ne lésine pas. Elle porte *Prends-moi*.

— Pardon ?

— C'est un parfum. J'adore qu'on m'en asperge, quand je vais dans les grands magasins chics.

— C'est donc vous ?
— Moi, quoi ?
— L'unique personne en cet univers qui adore se faire asperger par ces maniaques du vaporisateur.
Peabody se raidit, avança le menton.
— Il n'y a pas que moi. Nous sommes une petite armée délicatement parfumée.
— Mouais, je parie que *Prends-moi* sent la prairie en fleurs. Je vais cuisiner Grove avant qu'on s'en aille.
— Deuxième bureau sur votre droite.
— J'y vais en solo. Voyez où en est McNab.
— Bien, lieutenant. Ah ! Euh... Dallas ? Quand je mets *Prends-moi*, il le fait.
Elle s'éloigna en sifflotant.
— Bien fait pour moi, marmonna Eve.
La porte était ouverte. Eve aperçut une jolie blonde aux longs cheveux, confortablement calée dans un fauteuil en cuir caramel. Un casque sur les oreilles, elle était en train d'examiner ses ongles.
La pièce était fleurie. Un long manteau rouge et une écharpe blanche étaient suspendus au portant en chrome. La tasse de café posée devant elle était rouge et blanche, elle aussi, et ornée d'un *l* alambiqué.
La blonde portait un tailleur bleu avec un jabot en dentelle en guise de chemisier. Le regard qu'elle posa sur Eve était vert.
— Ne quitte pas... En quoi puis-je vous être utile ?
Eve brandit son badge, et Lilah leva les yeux au ciel.
— Je suis désolée, mais je vais devoir te rappeler. Je te communiquerai l'information avant quatorze heures. Entendu. Au revoir.
Elle enleva son casque.
— J'ai déjà répondu aux questions de votre collègue.
— Et maintenant, c'est mon tour. Lieutenant Dallas.
— Au moins, je gravis les échelons. Je suis vraiment désolée pour Bick et Natalie. C'est un choc pour tous ceux qui les connaissaient. J'ai du boulot et...

— C'est curieux, moi aussi. Bick et vous aviez une petite aventure clandestine ?

— Vous êtes plus directe que votre partenaire. Un simple flirt de bureau. Rien de sérieux.

— Et en dehors ?

Elle haussa les épaules.

— Nous ne sommes jamais allés jusque-là. Avec le temps, peut-être...

— Cela ne vous causait aucun scrupule.

Lilah contempla ses ongles en souriant.

— Ils n'étaient pas encore mariés.

— Quel est votre problème, Lilah ? Vous avez du mal à vous trouver un homme ?

Une lueur de colère dansa dans ses prunelles.

— Je peux avoir tous ceux que je veux.

— Sauf Bick.

— Vous êtes têtue.

— Oh, oui ! Pourquoi Bick ?

— Il était beau, il était sur la pente ascendante, il avait un corps magnifique. Ce devait être un amant exceptionnel.

— Cela a dû vous irriter qu'il ne morde pas à l'appât.

— S'il n'avait pas envie de me sauter, tant pis pour lui ; il ne saura jamais ce qu'il a perdu. Si vous vous imaginez que je les ai tués, lui et sa chérie, à cause de cela, consultez votre inspecteur. J'ai deux alibis. Des jumeaux. Un mètre quatre-vingt-cinq, cent dix kilos et bêtes comme leurs pieds. Je les ai tous deux épuisés, mais j'y ai mis le temps : jusqu'à trois heures du matin.

— Quel était le compte le plus important de Bick ?

— Wendall James, LLC, répondit-elle, sans l'ombre d'une hésitation.

— Qui va reprendre le dossier, maintenant qu'il est mort ?

Lilah inclina la tête.

— Officiellement ? Cela n'a pas encore été décidé. Officieusement ? Je m'arrangerai pour l'avoir. Mais je n'ai pas besoin de commettre des meurtres pour obtenir des comptes, ma chère. Il me suffit d'être bonne dans ce que je fais.

— Je n'en doute pas une seconde.

Eve sortit.

— Elle est ce que ma grand-mère appelait une « dure à cuire ». Vous croyez qu'elle est impliquée ?

— Possible. Mais cette sorte de personne n'a pas besoin de recourir à l'assassinat pour obtenir ce qu'elle veut. Elle est du genre à utiliser sa tête, son corps, à tricher, voire à voler. Elle a pu convaincre quelqu'un d'autre de faire son sale boulot, mais à quoi bon ? Exit Byson : elle va probablement récupérer quelques-uns de ses comptes et bénéficier plus vite d'une promotion. Mais Copperfield ? Car c'était elle, la cible principale. Qu'avez-vous de nouveau concernant les alibis ?

— Pour Jake Sloan, nous avons DeLay, Rochelle. Vingt-cinq ans, célibataire, travaille au *Palace*, dans la restauration.

— C'est une employée de Connors ?

— Plus ou moins. Son père est le chef du *Palace*. Elle y est employée depuis environ deux ans. Casier judiciaire vierge.

— Nous passerons la voir pour confirmation en face à face. Ensuite ?

— Randall Sloan : Sasha Zinka et Lola Warfield. Respectivement quarante-huit et quarante-deux ans. Mariées depuis douze ans. Grosse fortune. Elles sont propriétaires de *Femme*.

— C'est-à-dire ?

— Des produits cosmétiques haut de gamme. Une entreprise fondée par le grand-père de Zinka, l'une des rares de cette taille et de cette réputation à avoir maintenu son indépendance. Elles sont propriétaires d'une chaîne de spas où leurs produits sont utilisés et vendus.

Zinka a quelques délits mineurs à son actif : agression, dégâts matériels. Elle a assommé un flic.

— Vraiment ?

— Elle n'a effectué aucune peine de prison. Elle a écopé d'une flopée d'amendes et de procès. Du côté de Kraus, nous avons Madeline Bullock et Winfield Chase. Là encore, on parle gros sous. La mère et le fils. Bullock, Sam, était son second mari – ils n'ont pas eu d'enfants. Il est mort à l'âge de cent douze ans. Ils étaient mariés depuis cinq ans. Elle en avait quarante-six.

— Comme c'est romantique !

— Ça vous arrache le cœur. Le premier mari était plus jeune. Soixante-treize ans contre vingt-deux pour elle.

— Fortuné ?

— Moins que Sam Bullock, mais tout de même. Il a été dévoré par un requin.

— C'est une blague !

— Pas du tout. Il faisait de la plongée au large de la Grande Barrière. Il avait quatre-vingt-huit ans. Le requin est arrivé et l'a croqué.

Elle contempla Eve d'un air songeur.

— Finir comme en-cas d'un requin ne figure pas sur mon hit-parade des dix meilleures façons de crever. Et vous ?

— Maintenant que j'y pense... Le dossier a été clôturé ?

— Ils n'ont malheureusement pas pu interroger le requin, aussi le pauvre homme a-t-il été déclaré « décédé par accident ».

— D'accord.

— Si les activités de l'entreprise Bullock sont diverses et variées, elles étaient à l'origine essentiellement consacrées aux produits pharmaceutiques. La fondation, que la veuve préside depuis la mort de son mari il y a huit ans, débourse plusieurs millions de dollars chaque année pour toute une série d'œuvres. La santé des enfants semble passer en priorité. Casier vierge pour elle, un dossier scellé de délit commis par un mineur pour le fiston, qui a aujourd'hui trente-trois ans.

— Ils habitent à Londres, n'est-ce pas ?

— En effet. Ils possèdent plusieurs résidences, mais aucune aux États-Unis. La mère et le fils partagent la même adresse. Il est vice-président de la fondation.

— Il a pourtant les moyens de s'offrir son propre domicile.

— Enfin, j'en viens à Myers. Nous avons Karl et Elise Helbringer, nationalité allemande. Mariés depuis trente-cinq ans, trois enfants. Karl et Elise ont monté leur propre affaire quand ils avaient une vingtaine d'années. Ils ont commencé par fabriquer des bottes, puis des chaussures et autres accessoires. Ils se sont bâti un joli petit empire… D'ailleurs, vous portez en ce moment même un échantillon de leur fabrication.

— Hein ?

— Vos boots. Ce sont des Helbringer. D'une sobriété exemplaire. Bref, je n'ai rien relevé de particulier à leur sujet.

— Nous vérifierons tout cela au Central.

Eve ralentit devant l'imposante entrée du *Palace* de Connors. Le portier se précipita aussitôt vers sa voiture. Une lueur de reconnaissance, puis de résignation, vacilla dans ses yeux.

— Bonjour, lieutenant. Souhaitez-vous que je fasse garer votre véhicule ?

— À votre avis ?

— Vous préférez qu'il reste là où il est.

— Vous avez tout compris ! lança-t-elle en gravissant les marches.

Elles pénétrèrent dans le gigantesque hall, tout en marbre étincelant, bouquets gigantesques et fontaines scintillantes.

Eve se faufila sous une cascade de chandeliers en cristal jusqu'au comptoir de réception. Une fois de plus, elle eut la nette impression d'avoir été reconnue. Connors avait dû faire passer sa photo parmi tous les membres du personnel. Malgré cela, elle présenta son badge.

— J'aimerais parler à Rochelle DeLay.

— Bien sûr, lieutenant. Je la contacte immédiatement. Si vous voulez bien vous asseoir.

Eve réfléchit. Dans la mesure où tout le monde semblait prêt à coopérer, elle pouvait leur rendre la pareille.

— Avec plaisir, merci.

Elle choisit l'un des fauteuils en velours rouge foncé disposés autour d'un élégant arrangement floral.

— Si ma grand-mère vient un jour, je l'amènerai prendre un thé au *Palace*, annonça Peabody en s'installant à son tour. Elle sera époustouflée. Pendant qu'on attend, si on en profitait pour discuter de la fête ?

— Vous plaisantez, j'espère ?

— Voyons, Dallas, le compte à rebours a commencé. Bon, j'ai trouvé un thème. Pensant à Mavis et au cadeau que vous lui offrez, j'ai opté pour l'arc-en-ciel. En rentrant chez moi hier soir, je suis tombée sur un magasin spécialisé où j'ai acheté une tonne de trucs épatants.

— Génial !

— Alors, les fleurs : je connais l'endroit idéal, mais je euh… le problème, c'est que… pour payer…

— Enfin, Peabody, il n'y a aucune raison pour que vous payiez quoi que ce soit !

— C'est un plaisir pour moi de vous rendre service, cependant…

— Vous avez raison. Occupez-vous des achats, je vous subventionne.

— Excellent. Je… De quel budget puis-je disposer, à votre avis ?

Eve poussa un profond soupir.

— Je vous laisse carte blanche.

— Youpi ! Super !

Eve se leva.

— Réintégrez votre peau de flic.

Eve repéra une ravissante créature qui se dirigeait vers elles, mince, élancée, moulée dans un tailleur de style quasi militaire vert feuille, en parfaite harmonie avec son teint café au lait et ses cheveux châtain foncé.

Elle ébaucha un sourire qui n'atteignit pas tout à fait son regard.

— Lieutenant Dallas et...

— ... Peabody. Inspecteur, répondit cette dernière.

— Je suis Rochelle DeLay. Je suppose que vous êtes venues à propos de Natalie. Pouvons-nous rester ici ? Mon bureau est une véritable boîte à chaussures et pour l'heure, il est encombré de fournitures en vue d'un banquet.

— Ici, ce sera parfait.

— Je viens de parler avec Jake.

— Vous étiez amies.

— Oui. Nous nous sommes rencontrées à l'époque où Jake et moi avons commencé à sortir ensemble. Mais Nat et Jake... ils étaient comme frère et sœur.

— Cela ne vous ennuyait pas que votre petit ami ait une relation aussi intime avec une autre femme ?

— Si j'avais soupçonné la moindre étincelle romantique, peut-être, mais ce n'était pas le cas. Et Natalie n'en avait que pour Bick. Je l'appréciais tellement. Nous nous amusions énormément, tous les quatre. Je ne sais pas quoi faire pour Jake.

— Mademoiselle DeLay, intervint Peabody, parfois, les femmes se confient des secrets qu'elles n'osent pas partager avec un homme. Natalie vous a-t-elle jamais fait part d'un souci ?

— Rien ne me vient à l'esprit. Cependant, nous devions déjeuner ensemble la veille de... la veille. Elle m'a appelée pour me dire qu'elle ne se sentait pas en forme et qu'elle restait à la maison se reposer. Un rhume. J'étais débordée. Débordée, répéta Rochelle, sa voix se brisant. Cela m'a donc vaguement soulagée. À présent, quand j'y repense, elle semblait… nerveuse. Sur l'instant, je n'y ai pas prêté attention. J'aurais pu aller la voir, lui apporter quelque chose à manger. J'y ai renoncé, parce que j'avais trop à faire. Elle m'aurait peut-être parlé.

— Avec des « si », murmura Eve… Tâchez de ne pas culpabiliser. Dites-moi où vous étiez la nuit du décès de Natalie et de Bick.

— Nous avons dîné chez les grands-parents de Jake. Ensuite, nous avons joué au bridge. Enfin, ils ont joué. Ils essaient de m'apprendre, mais je suis nulle. Nous les avons quittés aux alentours de minuit et nous sommes allés chez Jake. Nous cohabitons plus ou moins – ça n'a rien d'officiel encore, mais… J'étais dans la Salle de Bal Est.

— Pardon ?

— Le lendemain matin, j'aidais aux préparatifs d'un banquet dans la Salle de Bal Est, quand Jake est arrivé, en larmes. Je ne l'avais encore jamais vu pleurer. Il m'a annoncé l'horrible nouvelle. Nous nous sommes assis par terre, en plein milieu de la salle.

## 7

À la vue de la table croulant sous les cartons dans la salle de conférences qu'elle avait réquisitionnée, Eve sentit la venue imminente d'une migraine.

— Bon, on attaque ! Nous allons éplucher disques, disques durs, agendas, agendas électroniques, etc., sur une durée de deux semaines – pour l'instant. Selon les premiers témoignages, Copperfield a commencé à montrer des signes de nervosité entre dix et quinze jours avant la transmission dans laquelle elle avoue à Byson avoir quelque chose d'important à lui dire.

— Pour les comptes, on aurait peut-être intérêt à solliciter l'aide d'un spécialiste, suggéra Peabody.

— Sans doute, pour l'heure, cela reste entre vous et moi. Nous devons rechercher un fichier ou un compte sur lequel elle est revenue de façon répétée au cours de la période délimitée.

Eve jeta un coup d'œil vers l'autochef, se rembrunit, sachant pertinemment qu'il ne lui fournirait qu'un café médiocre.

— Nous devons aussi être à l'affût de toute requête de rendez-vous avec l'un des dirigeants du cabinet ou avec les avocats des clients.

— On en a pour un bout de temps, commenta Peabody. Je devrais peut-être commander des sandwichs.

— Comme vous voudrez. Son assistante affirme qu'à plusieurs reprises, ces derniers temps, elle a rebranché son ordinateur après les heures ouvrables. Tâchons de découvrir quels dossiers elle consultait.

La porte s'ouvrit, et Eve se retourna.

— Alors ? demanda Baxter.

— Il semble qu'elle soit tombée sur un os au boulot, qu'elle ait tenté d'en savoir plus et qu'elle ait partagé ses préoccupations avec son fiancé. Nous creusons.

— Vous voulez une pelle de plus ?

Eve fourra les mains dans ses poches.

— Qu'est-ce que vous avez sur votre bureau ?

— Surtout de la paperasserie. J'ai des congés à prendre. Je peux les poser maintenant et vous donner un coup de main.

— Si vous faites équipe avec nous, je veux que ce soit officiel. Si, de votre côté, ça chauffe, vous repartez aussitôt dans vos murs.

— Entendu.

Le communicateur d'Eve bipa. Elle consulta son écran.

— Peabody, mettez Baxter au courant. Whitney veut me voir.

Le commandant Whitney lui parut fatigué, ou plus exactement, préoccupé. Ses larges épaules semblaient supporter une charge trop lourde pour lui.

Ses cheveux noirs parsemés de gris, coupés très court, encadraient un visage large au teint mat. Sans un mot, il écouta le rapport de Dallas.

— Les données confisquées sont sécurisées ?

— Oui, commandant. Les inspecteurs Peabody et Baxter entament les analyses. Le capitaine Feeney supervise la partie informatique avec l'aide de l'inspecteur McNab.

— Vous avez d'autres pistes ?

— Commandant ?

— Vous avez pensé à une vengeance personnelle ? Un ex jaloux, par exemple ?

— Je n'ai pas éliminé cette possibilité, commandant, mais rien ne l'indique. Alors que tout porte à croire que ce double meurtre a été motivé par une anomalie que la première victime avait découverte sur son lieu de travail.

Il opina.

— Vous êtes consciente de l'importance des documents désormais en possession de notre département ?

— Oui, commandant.

Il la fixa.

— Avez-vous envisagé les risques que vous encourez en accédant personnellement à ces documents ?

— Personnellement, commandant ?

— Vous êtes mariée avec un puissant homme d'affaires dont les innombrables intérêts dans les domaines de l'industrie et de la finance pourraient concurrencer ou provoquer des conflits avec certaines des parties dont vous détenez actuellement les données.

L'estomac d'Eve se noua.

— Ce que je détiens, ce sont des preuves potentielles.

— Ne soyez pas naïve, Dallas.

— Je ne l'ai jamais été. Je suis chargée d'une enquête. Deux personnes ont été assassinées, je suis à la recherche d'un mobile et d'un coupable. Hormis cela, je me fiche totalement de tout ce qui peut avoir rapport avec les concurrents de mon époux.

— D'aucuns craignent que, dans le cas où certaines de ces données se trouveraient entre ses mains, il s'en serve à leur encontre.

— Il n'a pas besoin de mon aide. Et jamais il ne piétinerait deux cadavres pour gagner quelques dollars de plus. Sauf votre respect, commandant… ce que vous sous-entendez là est insultant pour moi et pour lui.

— Il ne s'agit pas de quelques dollars, mais de plusieurs milliards. Je vous l'accorde, c'est insultant. Il faut aussi que cela soit compris. Si les informations à votre disposition étaient utilisées à des fins autres que votre enquête, vous-même et le département tout entier en seraient responsables.

— Je suis parfaitement au courant de mes responsabilités vis-à-vis des victimes, de mes concitoyens et du département. Si vous avez le moindre doute quant à mon intégrité, vous devez non seulement me retirer l'enquête, mais aussi mon badge.

— Vous voulez vous mettre en colère, mettez-vous en colère, lieutenant. À présent, au travail.

Elle tourna les talons en ravalant sa fureur, mais sur le seuil elle ne put s'empêcher d'ouvrir la porte d'un geste rageur.

— Je ne suis pas le putain de larbin de Connors, lâcha-t-elle.

En chemin pour la salle de conférences, elle s'efforça de reprendre son calme. À la vue de son expression, Peabody perdit son enthousiasme.

— Lieutenant, Baxter est sur les dossiers de Byson. Jusqu'ici, nous n'avons trouvé aucune trace de transfert de dossiers de Copperfield.

— Poursuivez.

— Côté informatique, McNab annonce que certains fichiers ont été supprimés du disque dur de Copperfield.

— Depuis quand l'inspecteur McNab s'adresse-t-il directement à vous ? Y aurait-il eu un changement de commandement au cours des vingt dernières minutes ?

Peabody adopta un ton neutre.

— L'inspecteur McNab pensait que nous étions ensemble, lieutenant, ici ou sur le terrain. Sachant que vous aviez les commandes, j'ai pris son rapport, et je vous le transmets.

— Je vais à la DDE.

Baxter et Peabody échangèrent un regard dans son dos. Heureusement pour eux, ils eurent la présence d'esprit de se reconcentrer sur leurs écrans respectifs avant qu'elle ne pivote vers eux.

— Personne ne pénètre dans cette pièce et ne touche au moindre fichier sans mon autorisation. Est-ce clair ?

— Oui, lieutenant !

La porte claqua violemment. Peabody poussa un soupir.

— Whitney l'a énervée.

Eve fonça à travers la DDE jusqu'au laboratoire où McNab s'affairait devant l'ordinateur de Copperfield. Une poignée de techniciens travaillaient sur d'autres appareils dans le même secteur.

— Pour cette affaire, vous vous isolerez systématiquement dans un box, lança-t-elle.

— Hein ? Quoi ?

Il ôta son casque.

— Nous sommes en code Bleu. Boxes privés, rapports verbaux uniquement.

— D'accord, souffla-t-il en s'écartant légèrement, comme s'il craignait qu'elle ne le brûle. J'ai noté des suppressions de fichiers. Ils…

— Le box, ordonna-t-elle. Tout de suite.

— Oui, lieutenant. Je vais avoir besoin de quelques minutes pour préparer l'installation.

— Qu'est-ce que vous attendez ?

Elle sortit au pas de charge et se propulsa dans le bureau de Feeney, qui pianotait furieusement sur son clavier en fredonnant. De temps en temps, il interrompait sa chanson pour marmonner : « Je suis sur le point de te coincer, mon salaud. »

— Vos hommes ont-ils du mal à respecter les ordres directs et la chaîne de commandement ?

Il poussa un juron, leva les yeux.

— Si vous fermiez la porte ? proposa-t-il.

Elle la claqua.

— Quand je suis chargée d'enquête, les membres affectés à l'équipe, qu'ils soient de la DDE ou de la brigade Homicide, doivent s'adresser à moi.

— Vous avez une plainte à formuler au sujet d'un de mes gars ?

Pour Feeney, ils étaient tous des « gars », quel que soit leur sexe.

— Je suis sur une enquête délicate.

— Je suis au courant. Mes gars me relaient les infos, et j'ai enregistré les appareils électroniques, comme vous l'exigiez. Alors ?

— Il s'agit d'une affaire de gros sous. Connors serait-il capable de piétiner mes victimes et de détourner ces données sécurisées pour déstabiliser un concurrent ? Aurait-il le culot d'exploiter mes éventuelles découvertes à son profit ?

— Qu'est-ce que vous racontez ? Encore une réflexion idiote de McNab ?

— Non. Whitney.

Feeney pinça les lèvres, souffla, passa la main dans sa tignasse de cheveux roux et gris.

— Il me reste un peu du café que vous m'avez offert pour Noël. Vous en voulez ?

— Non. Non, répéta-t-elle en allant se planter devant la fenêtre. Nom de Dieu, Feeney ! Qu'il me tape sur les doigts pour avoir commis une erreur professionnelle, aucun problème. Mais qu'il sous-entende que Connors veuille se servir de moi et que je ferme les yeux… il exagère.

— Prenez donc quelques amandes.

Elle refusa d'un signe. Feeney plongea la main dans la coupelle d'amandes caramélisées sur son bureau.

— Vous voulez mon avis ?

— Je suppose que oui. Je déboule ici en sachant pertinemment que vous êtes débordé, c'est sans doute que j'ai besoin de votre opinion.

— Je vais vous la donner. Je présume que quelques gros bonnets – et les avocats qui les vénèrent – ont tapé des pieds et claqué des mâchoires. Ils ont dû se plaindre au maire, au préfet. Le maire et le chef ont passé le mot à Whitney, qui a été obligé de vous mettre en garde. Voulez-vous savoir ce qu'il en pense personnellement, selon moi ?

— Oui.

— Je le connais depuis longtemps. S'il avait le moindre doute, il vous retirerait l'enquête. Point final. Cela lui aurait permis de se couvrir. Au lieu de quoi, il vous a transmis le message, et il prend des risques.

— Possible.

— Dallas ?

Il attendit qu'elle se retourne.

— Vous avez des inquiétudes vis-à-vis de Connors ?

— Certainement pas !

— Vous croyez que moi ou l'un des membres de l'équipe actuellement sur le dossier a des doutes ?

L'étau autour de sa poitrine se desserra légèrement.

— Non. Cependant, je vais devoir en parler avec Connors – quand bien même je ne lui transmettrais pas un byte de données. J'avais peut-être l'air énervé en arrivant, mais ce n'est rien en comparaison de ce que je ressens maintenant.

Il poussa les bonbons dans sa direction, et une lueur d'amusement dansa dans ses prunelles.

— Le mariage est un putain de champ de mines.

— Vous l'avez dit.

Toutefois, elle se décontracta un peu, suffisamment pour se percher sur le coin du bureau et grappiller quelques amandes.

— Ne vous en faites pas. Nous aussi, nous nous connaissons depuis longtemps.

— Je ne sais pas si vous croulez sous le boulot, mais j'apprécierais votre aide.

— J'adore crouler sous le boulot.

— Merci pour tout.

Calmée, Eve regagna la salle de conférences où elle retrouva Peabody et Baxter, noyés dans les recherches et une montagne de sandwichs. Lorsqu'elle entra, Baxter garda les yeux rivés sur son écran, mais Peabody l'observa à la dérobée. Visiblement encouragée, elle désigna les victuailles d'un signe de tête.

— Je me suis dit qu'on aurait besoin d'un peu de carburant, histoire de tenir le coup.

— Très bien.

Si la colère d'Eve s'était atténuée, son appétit s'était complètement envolé. Elle s'empara d'une pile de disques et s'installa devant un poste de travail. Quelques instants plus tard, une tasse de café apparut à son côté.

— Euh… j'ai pensé aussi que vous préfériez avoir votre mélange perso, histoire de tenir le coup.

— Merci. Pensant que je le partagerais avec vous, vous en avez généreusement abreuvé l'autochef, j'imagine ?

— Aurais-je eu tort ? s'enquit Peabody, avec un sourire enjôleur.

— Je parie que vous en avez déjà lapé des litres.

— Baxter lape. Moi, en revanche, je déguste.

Eve aspira une grande bouffée d'air.

— Le commandant voulait davantage qu'un simple compte rendu. Il craint – ou un imbécile dans son entourage – que Connors ait vent de certaines de ces données confidentielles par mon intermédiaire et qu'il les utilise contre ses concurrents.

— Je comprends pourquoi vous étiez dans cet état, murmura Peabody.

— Eh bien ! lança Baxter, en marquant une pause, le temps de se gratter la joue. Je suppose que Whitney a dit ce qu'il avait à dire, sachant parfaitement que c'est du délire. Ce ne doit pas être drôle tous les jours, de faire partie des ronds-de-cuir.

Cette fois, la mauvaise humeur d'Eve s'évapora totalement.

— En effet. Plongeons-nous dans ce bourbier et trouvons des putains de pépites d'or.

Ils s'acharnèrent pendant des heures. Les archives de Natalie Copperfield étaient organisées et efficaces, mais ne révélaient rien.

— McNab m'a signalé qu'il y avait eu des suppressions, déclara Eve en s'écartant de sa table. Je tombe régulièrement sur ce que l'on pourrait interpréter comme du temps perdu, ou des suppressions au sein de certains fichiers. De tout petits trous, ici et là. Une vraie fourmi.

— Oui, concéda Peabody. Ça me donne l'impression d'être une fainéante. Ce que je ne suis pas, bien sûr, puisque je suis inspecteur, membre dévoué du NYPSD, formé par le meilleur flic du département.

— Lèche-cul ! lança Baxter, avec un sourire.

— J'ai trois étoiles d'or pour le lèche-cul.

— Fascinant, railla Eve. Mais le point que je voulais souligner, c'est que Copperfield était particulièrement méticuleuse. Or, je vois des vides, qui remontent sur une durée de cinq ou six mois.

— Moi aussi, je l'ai remarqué, répondit Peabody. C'est peut-être à cause du mariage. Elle aura consacré un peu de son temps de travail aux préparatifs. Cela arrive aux meilleurs.

— Peut-être. C'est peut-être aussi un compte qui lui a été confié à cette époque. Les accrocs semblent se multiplier une dizaine de jours avant son décès. C'est-à-dire la période à laquelle elle a commencé à se poser sérieusement des questions.

— Si l'assassin a effacé les fichiers de ces clients, intervint Baxter, c'est qu'il ou elle avait accès à son ordinateur, à ses archives. Je n'ai pas l'impression qu'un client pourrait y parvenir.

— À moins d'avoir pu accéder au réseau à distance, ou payé un hacker pour le faire, répliqua Eve, ce pourrait parfaitement être un collègue. Voire les deux. Ce que nous ne retrouvons pas dans ses fichiers prouve qu'ils contenaient quelque chose que le meurtrier voulait cacher.

— Sa chef doit connaître tous ses comptes par cœur, dit Peabody.

— Justement, je vais retourner bavarder avec elle avant de rentrer à la maison. Peabody, veillez à ce que toutes ces données soient sécurisées. Baxter, si vous voulez nous filer un coup de main, vous pouvez interroger la sœur de la victime. Tâchez de savoir si Copperfield lui a parlé d'un nouveau client au cours des six derniers mois. Un gros.

— Entendu.

— Jetez un coup d'œil sur Trueheart et vos hommes. Si vous avez besoin d'heures supplémentaires, parlez-m'en. Je donnerai le feu vert.

— Merci.

— Peabody, si McNab a quoi que ce soit, contactez-moi. Peu importe l'heure. Je suis sur le terrain.

La multitude des embouteillages lui rappela l'heure. Le cabinet financier était sûrement fermé. Elle rechercha les coordonnées personnelles de Cara Greene, puis tenta de la joindre. Elle laissa un message sur sa boîte vocale, lui demandant de la rappeler au plus vite. Au cas où Greene aurait décidé de rester plus tard à son bureau, Eve laissa le même message sur sa boîte vocale professionnelle.

Inutile de perdre son temps à frapper à la porte d'un appartement vide, décida-t-elle. Elle attendrait le coup de fil de Greene ou patienterait jusqu'au lendemain pour insister.

À présent, restait à réfléchir au meilleur moyen d'aborder Connors.

Se taire n'était pas la solution. Il pressentirait quelque chose. Cet homme avait les sens aiguisés d'un aigle. Se dérober entraînerait inévitablement une succession de mensonges. Mentir serait mal.

La méthode la plus efficace était sans aucun doute l'attaque directe. Tant pis s'il sautait au plafond. C'était son droit.

Le problème, c'était qu'il allait s'en prendre à elle. Elle garderait la tête haute, se comporterait en épouse modèle, encaisserait les coups. Ensuite, il serait bien obligé de s'excuser.

Lorsqu'elle franchit les grilles du portail, elle était à peu près sûre de sa stratégie.

Jonglant avec diverses introductions possibles, elle pénétra dans la douce chaleur de la demeure. La silhouette noire de Summerset gâcha momentanément le plaisir des lumières tamisées et de l'atmosphère légèrement épicée.

— Je ne savais pas que vous preniez des vacances, attaqua-t-il, tandis que le chat, assis à ses côtés, bondissait vers Eve.

— De quoi parlez-vous ?

— Vos vêtements n'étant ni maculés de sang ni déchirés, j'en déduis que vous avez passé votre journée à vous prélasser.

— Elle n'est pas terminée.

Eve jeta sa veste sur le pilastre.

— Je pourrais l'achever en vous bottant les fesses, mais c'est vous qui finiriez en sang et déchiré.

Elle ramassa le félin et le serra contre son cœur en montant à l'étage. Il se mit à ronronner comme un hélicoptère, tandis qu'elle lui caressait distraitement les oreilles, avant de le déposer sur le canapé de la chambre. Puis elle interrogea le scanner de la maison.

— *Connors n'est pas encore de retour*.

« Tant mieux, cela lui permet de gagner un peu de temps », songea-t-elle en se mettant en tenue de sport. Rien de tel qu'une bonne séance de gym pour s'éclaircir les idées.

Pour éviter Summerset, elle prit l'ascenseur jusqu'à la salle, puis programma une randonnée en montagne sur le tapis roulant. Elle s'acharna pendant vingt minutes, jusqu'à ce que ses quadriceps commencent à brûler, puis se remit en terrain plat pour piquer un sprint.

Elle effectuait une série d'exercices avec les poids, quand Connors arriva.

— Longue journée ? souffla-t-elle.

— Assez.

Il se pencha, l'embrassa sur les lèvres.

— Tu commences ou tu finis ?

— Je finis. Mais je veux bien continuer encore un peu, si tu te joins à moi.

— Je me suis entraîné ce matin. Je meurs d'envie d'un grand verre de vin et d'un repas.

Elle examina son visage.

— Tu as eu des soucis ?

— Plutôt des contrariétés, que j'ai éliminées pour la plupart. Maintenant que tu m'y fais penser, je ferais volontiers un petit plongeon avant le verre de vin. En ta compagnie.

— Avec plaisir !

Elle s'empara d'une serviette, s'épongea la figure. « Aborder le sujet maintenant, ou attendre qu'il se soit détendu ? » se demanda-t-elle. Pour s'octroyer un instant de réflexion supplémentaire, elle alla chercher une bouteille d'eau dans le réfrigérateur.

— Euh... juste une chose... Le double meurtre sur lequel j'enquête. Le cabinet d'expertise comptable.

— Tu as obtenu ton mandat ?

— Oui. D'ailleurs, c'est de cela que je veux te parler.

— Je t'écoute.

— Voilà... D'aucuns, dans les hautes sphères, s'inquiètent de ce que le département détienne désormais un certain nombre de données confidentielles et que la chargée d'enquête... moi, en l'occurrence, soit mariée avec toi.

— D'aucuns, dans les hautes sphères, s'interrogent sur ta capacité à gérer des données confidentielles ? s'enquit-il d'un ton posé et même aimable.

— D'aucuns, dans les hautes sphères, se posent des problèmes d'ordre éthique, dans la mesure où tu pourrais éventuellement avoir accès à des informations financières d'ordre privé concernant des concurrents actuels ou futurs. Je tiens à ce que tu saches que…

— D'aucuns en déduisent donc, interrompit-il, imperturbable, que je serais capable de me servir de ma femme et de l'enquête qu'elle mène sur un double homicide, pour non seulement me renseigner sur la situation financière de mes concurrents – actuels ou futurs – mais en plus les exploiter à mon profit. Ai-je bien compris ?

— En un mot, oui. Écoute, Connors…

— Je n'ai pas fini, trancha-t-il. Les *hautes sphères* ne savent-elles pas que je n'ai besoin ni de ma femme ni de son enquête pour abattre un adversaire si je décide de le faire ? Et que j'ai réussi à en évincer plus d'un tout seul, bien avant de rencontrer la chargée de l'enquête ?

— Je ne veux pas parler de…

— Nom de Dieu, Eve ! Crois-tu que je me servirais de toi juste pour gagner du fric ?

— Pas une seconde ! Regarde-moi. Pas une seule seconde.

— Que je ramperais sur des cadavres ensanglantés, que je risquerais ta réputation et la mienne, dans le seul but de remporter un marché ?

— Je viens de te dire que je…

— Je t'ai entendue ! rétorqua-t-il, ses yeux lançant des flammes. Le sous-entendu est clair. Escroc une fois, escroc toujours. J'ai travaillé main dans la main avec la police de New York, je lui ai consacré du temps, souvent au péril de ma vie, et maintenant on remet en cause mon intégrité ? Qu'ils aillent au diable ! Je veux que tu renonces à cette enquête.

— Tu veux… Attends une seconde.

— Je veux que tu renonces à cette enquête, répéta-t-il. Je ne veux pas un byte de ces données confidentielles chez moi, dans la tête de ma femme ou ailleurs, si l'on me soupçonne de vouloir l'utiliser à des fins personnelles. Merde ! C'est inadmissible !

— D'accord, d'accord. Essayons de rester calmes… Tu ne peux pas me demander de renoncer à cette enquête.

— C'est précisément ce que je te demande. Si je ne m'abuse, je n'interviens que très rarement lorsqu'il s'agit de ton travail. Tu n'es pas la seule qualifiée pour ce job. Retire-toi, et vite, avant que je me sente insulté. Bande de salauds, qui font passer le message par ma femme, parce qu'ils n'ont pas le courage de me le dire en face ! C'est intolérable.

Clouée sur place, sans voix, Eve le regarda tourner les talons et disparaître.

# 8

Rongé par la colère, il fonça dans son bureau et ferma toutes les portes. S'il ne lui avait pas tourné le dos, il l'aurait littéralement dévorée.

« Fichu boulot », songea-t-il. Putains de flics. Comment diable avait-il pu s'imaginer qu'ils l'accepteraient tel qu'il était ?

Il n'avait rien d'un saint. Il ne prétendait pas le contraire.

Avait-il volé ? Fréquemment. Avait-il triché ? Très certainement. Avait-il rusé, utilisé ce qu'il avait sous la main pour sortir du caniveau ? Pas qu'un peu, et il n'hésiterait pas à recommencer, sans remords et sans regrets.

Il ne demandait pas qu'on le mette sur un piédestal. Il avait appartenu à la racaille de Dublin. Doué de certains talents et d'ambitions spécifiques, il s'était servi des uns pour atteindre les autres. Pourquoi pas ?

Il était né d'un homme qui avait tué de sang-froid et, oui, il avait tué aussi.

Il avait changé. Lorsqu'il était tombé amoureux d'une femme flic, une femme qu'il estimait en tout point, il avait renoncé à toutes sortes de choses. Aujourd'hui, toutes ses entreprises étaient légitimes. On avait beau le considérer comme un requin dans le monde des affaires, il respectait la loi à la lettre.

Il avait travaillé pour les flics, l'ennemi d'autrefois. À d'innombrables reprises, il avait offert ses services au département de police de New York. Certes, cela l'amusait, l'intriguait, le satisfaisait, mais ça ne changeait rien au principe.

Exaspérant. Insultant. Inacceptable.

Les mains fourrées dans ses poches, il se posta devant la fenêtre et contempla les lumières scintillantes de la ville qui s'étalait à ses pieds.

Il avait bâti son empire tout seul. Il s'était construit une vie, et il aimait sa femme par-dessus tout. Que quiconque le soupçonne de vouloir se servir d'elle – pire, qu'elle l'accepte ! – était inadmissible.

Qu'ils en trouvent une autre pour résoudre leur double homicide. Et s'ils s'imaginaient qu'un de ces jours ils pourraient de nouveau solliciter son aide en qualité d'expert consultant civil, qu'ils aillent se faire cuire un œuf !

Il entendit la porte entre son bureau et celui d'Eve s'ouvrir, mais il ne se retourna pas.

— J'ai dit tout ce que j'avais à dire.

— Parfait, dans ce cas, tu vas m'écouter. Je comprends parfaitement ton émotion.

— Mon émotion ?

— Bon, d'accord, ta fureur. J'ai réagi de la même manière.

— Épatant. Nous sommes sur la même longueur d'onde.

— Ce n'est pas mon impression. Connors…

— Si tu crois que c'est un simple caprice, tu te plantes. C'est ma ligne de conduite.

Cette fois, il se retourna.

— J'attends que tu respectes ma position concernant cette affaire. J'attends que tu me fasses passer en priorité, c'est tout.

— Va pour les deux. Mais laisse-moi t'expliquer une chose. Ligne de conduite ou pas, tu n'as pas à me donner des ordres de cette manière.

— C'était une déclaration.

— Laisse tomber, Connors. Je suis furieuse, tu es furieux. Si on continue comme ça, on va bientôt s'en prendre l'un à l'autre, au risque de franchir une autre ligne sans pouvoir revenir en arrière, alors que nous sommes malmenés par une partie extérieure.

— Depuis quand le NYSPD est-il une partie extérieure pour toi ?

— C'est à moi de te prouver quelque chose maintenant ? hurla-t-elle, blessée. À toi ? Qu'est-ce que je dois te prouver ? Ma loyauté ? La hiérarchie de ma loyauté ?

— Peut-être, rétorqua-t-il en penchant la tête, le ton glacial. Je me demande quelle est ma place au sein de cette hiérarchie.

— Mouais, tu es vraiment en colère.

Cependant, elle reprit son souffle.

— J'ai des choses à te dire, et je vais te les dire. Quand j'aurai terminé, si tu tiens toujours à ce que je renonce à cette enquête, je m'inclinerai.

Le cœur de Connors se serra, mais il se contenta de hausser les épaules.

— Je t'écoute.

— Tu ne me crois pas, murmura-t-elle. Je le vois bien. Tu es convaincu, ou en tout cas, tu te demandes si je ne te mène pas en bateau dans le seul but d'avoir le dernier mot. C'est offensant, et j'ai déjà été suffisamment blessée aujourd'hui. Alors ouvre grand tes oreilles. Quand quelqu'un s'attaque à toi, je prends les coups au passage. C'est ainsi. Ce n'est pas uniquement parce que je suis *ta femme*, c'est aussi parce que je ne suis pas une écervelée débile qui obéit aux ordres de son *mari*.

— Je ne crois pas t'avoir traitée d'écervelée débile.

— Parfois, quand tu dis « ma femme », c'est l'impression que cela me donne.

— N'importe quoi !

— Bref, si on te frappe, on me frappe, parce que nous formons un couple. Parce que j'ai beau ne rien comprendre au mariage, je suis mariée avec toi. Tu peux donc me croire quand je te dis que le département connaît exactement mon sentiment sur cette affaire.

— Très bien, alors...

— Je n'ai pas terminé ! Tu veux de l'huile sur le feu ? Quand j'en ai parlé à Feeney, puis à Baxter et à Peabody, ils ont tous eu la même réaction : c'est un coup bas. C'est révoltant. Plutôt mourir, Connors, que me laisser faire. Pas seulement pour les victimes – qui comptent énormément pour moi. Pour ma fierté, pour la tienne. Je rectifie : la *nôtre*. Je ne vais pas me dérober, sous prétexte que le maire, le préfet ou le commandant essaient de protéger leurs fesses de lâches, à cause d'une bande d'imbéciles qui geignent parce que tu es plus malin qu'eux !

Elle gratifia son bureau d'un coup de pied magistral.

— Je suis hors de moi ! Je ne supporte pas qu'on me manque de respect, qu'on me soupçonne de compromettre une enquête dans le seul but d'en faire profiter mon époux, qu'on s'imagine que mon homme est une ordure minable. Ils ne l'emporteront pas au paradis. On ne va pas les laisser nous reléguer à l'arrière-plan. On ne va pas les laisser salir la mémoire de deux innocents, morts d'avoir essayé – stupidement, je te l'accorde – d'agir pour le bien.

De nouveau, elle s'en prit au bureau. Le geste la soulagea.

— Tu m'as plus que soutenue dans mon boulot. Tu mérites mieux de la part du département. En conséquence, je te soutiendrai à mon tour et, si tu penses que la meilleure solution, c'est que je me retire, je me retirerai.

Elle reprit son souffle.

— Je me retirerai, parce que si tu ne sais pas encore que tu passes avant tout dans ma vie, tu es un crétin. Simplement, il me semble que ce n'est pas le meilleur moyen de les remettre à leur place. Au contraire, on a tout intérêt à s'incruster, en t'imposant comme consultant officiel, à retrouver le coupable et à clôturer cette affaire. Ensemble. C'est à toi d'en décider.

Elle se tut, épuisée.

— La balle est dans ton camp, conclut-elle enfin.

Il ne dit rien pendant un long moment.

— Tu envisagerais de te retirer, parce que je te le demande ?

— Non, je le ferais parce que, au vu des circonstances, je pense que tu es en droit de me le demander. Je ne me jette pas dans le ravin quand tu me dis de sauter, et réciproquement. Mais quand c'est important, c'est important. Est-ce ce que tu veux que je fasse ?

— Ce l'était, avant ta tirade, avoua-t-il en s'approchant d'elle et en encadrant son visage des deux mains. Ce l'était, je l'avoue, quand j'étais à peu près sûr que tu m'enverrais balader, ce qui m'aurait permis de te mettre tout ça sur le dos. Ensuite, j'aurais pu me défouler avec une bonne bagarre bien saignante.

Il embrassa son front, son nez, ses lèvres.

— Tu ne m'as pas envoyé balader, donc tant pis pour la bonne bagarre bien sanglante.

— Je suis toujours prête.

Cette fois, il sourit.

— Ce serait d'autant plus difficile que je suis obligé d'admettre que tu as raison. Ça m'agace, d'ailleurs. Tu as parfaitement cerné le problème. Les victimes ont besoin de toi, et il n'est pas question qu'on te retire ce dossier à cause de moi.

— Nous sommes d'accord ?

Il lui serra brièvement les épaules avant de s'écarter.

— Apparemment, oui. Un détail, cependant, « ma femme » n'est pas synonyme d'écervelée débile. J'aime ma femme. Les écervelées débiles, je me suis contenté de coucher avec elles de temps en temps. Autrefois.

— Je meurs d'envie de prendre une douche.

Elle fonça vers la sortie, se retourna et lui lança :
— Ta compagnie me serait agréable.

Elle commanda les jets à pleine puissance, une température de trente-neuf degrés, et laissa la chaleur la pénétrer jusqu'aux os. Paupières closes, savourant la sensation de l'eau sur son corps, elle sentit que sa migraine s'estompait.

Quand une paire de bras l'enveloppa, toutes ses crispations se dissipèrent.

— Désolée, murmura-t-elle, paupières closes. Il va falloir faire la queue. J'attends quelqu'un.

Deux mains se plaquèrent sur ses seins. Il lui mordilla l'épaule.

— Bon, d'accord… je peux peut-être faire un effort.

Elle voulut pivoter, mais il la maintint face au mur, tandis que sa bouche entamait une exquise exploration de sa nuque et de son dos.

Un bras autour de sa taille, il laissa couler du savon liquide parfumé dans sa paume. Il l'étala sur sa poitrine, son ventre, effectuant des cercles lents. Les battements de cœur d'Eve s'accélérèrent.

Tout son être se contracta, puis se relâcha. La chaleur moite, le velouté des caresses de Connors taquinaient ses sens, la noyant de sensations.

Elle s'accrocha à son cou, s'abandonnant au plaisir. Les mains de Connors s'aventurèrent plus bas, entre ses cuisses. Elle se ploya, laissant échapper un gémissement.

Grisée de désir, elle s'arqua vers lui.

« Un couple », songea-t-il. Deux âmes perdues, imprégnées de leurs malheurs, qui s'étaient rencontrées. Il n'aurait jamais dû l'oublier – même dans son accès de colère.

Lorsqu'il la tourna face à lui, elle avait les joues écarlates, le regard fatigué. Elle ébaucha un sourire.

— Ah, c'est toi ! Je n'en étais pas sûre… Quoique, enchaîna-t-elle en prenant son membre rigide et brûlant… Oui, je reconnais bien ceci.

Les yeux grands ouverts, elle s'abandonna totalement. Son plaisir était si intense qu'elle avait du mal à respirer. Puis, soudain, elle eut l'impression que ses jambes allaient se dérober sous elle.

— *Ta cion agam ort*, murmura-t-il, pressé contre elle.

*Je t'aime,* en gaélique. Eve sourit, conquise.

Détendue, d'humeur complaisante, elle l'autorisa à sélectionner le menu et se retrouva à déguster un succulent poisson grillé, accompagné d'une poêlée de légumes avec du riz aux épices. Elle aurait probablement préféré un hamburger et des frites bien salées, mais elle n'allait pas se plaindre.

D'autant que le vin italien était délicieux.

— Avant de poursuivre, dit Connors, j'ai été profondément vexé par cette histoire.

— J'en suis navrée.

— Ce n'est pas ta faute. À vrai dire, j'étais tout aussi furieux contre moi-même. J'aurais dû m'en douter.

— Pourquoi ?

— Un des meilleurs cabinets d'expertise comptable, avec une clientèle réputée, répliqua-t-il en haussant les épaules. Il est assez normal qu'on ait craint que j'accède aux données financières de certains concurrents. D'où le tumulte qui s'en est suivi.

— Dis donc, protesta-t-elle en pointant sa fourchette sur lui, tu ne vas tout de même pas les défendre ?

— Pas du tout. Je pense simplement que tout cela était fort maladroit. Néanmoins, j'aurais dû m'y attendre et m'y préparer.

— Ils nous ont insultés tous les deux. Je ne l'oublierai pas.

— Moi non plus. Si tu me mettais au courant de l'avancement de ton enquête ?

— Volontiers.

Il l'écouta attentivement.

— Donc, quelqu'un a accédé à ses fichiers et supprimé les informations qui lui posaient problème. Du beau boulot, selon McNab. La DDE continue à creuser.

— Ils auraient été plus malins d'emporter carrément les ordinateurs. Ils ont bien pris cette précaution sur les scènes des crimes.

— Exact. À mon avis, l'assassin n'était pas certain qu'on arrive à établir un lien avec un compte et qu'on commence par là. Tant que je n'aurai pas discuté avec la chef de Copperfield, rien ne me permettra d'affirmer que c'est bien ce dont il s'agit. Quand on analyse son disque dur, même attentivement, rien ne saute aux yeux. Les trous n'apparaissent que si on les cherche : les dates, les heures spécifiques.

— Les comptes internationaux, murmura Connors. C'est vraisemblablement une société, ou les individus qui s'y rattachent, ayant des intérêts ici aussi. À New York. La DDE a-t-elle réussi à déterminer si les opérations ont été exécutées à distance ou sur le site ?

— Pas encore. Mon instinct me souffle que cela s'est passé sur le site. Le tueur a emporté les ordinateurs personnels. Si c'est un hacker chevronné, pourquoi ne pas avoir tout bêtement supprimé les fichiers sur ces machines ? Ou mieux, l'avoir fait à distance, avant ou après les meurtres ? S'il a pris la peine de les emporter, c'est parce qu'il voulait s'en débarrasser. Pas facile de s'éclipser discrètement avec du matériel de bureau.

— La sécurité est bonne ?

— Redoutable. Je ne pense pas que quiconque ait pu se balader dans l'immeuble après les heures ouvrables sans être repéré par une des caméras. On peut supposer qu'il a obtenu les codes secrets et œuvré depuis un autre poste à l'intérieur du bâtiment. Ou qu'il a pénétré dans le bureau de Copperfield pendant que son assistante était occupée ailleurs. Il en avait largement le temps, vu le délai d'obtention du mandat. L'assassin ou le complice appartiennent donc à la firme.

Connors but une gorgée de vin.

— Ta première victime avait-elle récupéré des nouveaux comptes, ces dernières semaines ?

— Je me suis posé la question. La réponse est non. C'est donc une mauvaise piste. Si elle est tombée sur quelque chose de louche, ça s'est volatilisé. On peut imaginer qu'elle ait repéré une anomalie sur un compte et qu'elle se soit penchée de plus près dessus. Ou qu'un client ait changé d'attitude récemment. À moins qu'il n'ait été négligent. Cela peut arriver. Toutefois, elle n'en a pas fait part à sa hiérarchie, ni à sa secrétaire.

— Elle ne s'est confiée qu'à son fiancé. En qui elle avait une confiance absolue.

— Je peux le concevoir. Ce qui m'étonne, c'est qu'elle n'en ait pas au moins touché deux mots à l'un de ses collègues ou à sa supérieure. C'était une fille méticuleuse. Tu le constateras toi-même, quand tu mettras le nez dans ses dossiers.

— Pour l'heure, sur ce point, je m'en tiens à ta parole.

Elle posa son verre.

— Il me semblait que c'était réglé, et que tu acceptais de t'intégrer dans l'équipe – du moins quand tu en aurais le temps.

— Pour le moment, insista-t-il, je préfère attendre un peu. Par « méticuleuse », tu entends que tout était parfaitement organisé.

Eve ravala un sursaut d'irritation.

— Oui, mais je pense aussi à son bureau, à son appartement, à son armoire. Ses évaluations étaient excellentes. Elle entretenait de bonnes relations avec sa chef, ainsi qu'avec tous ses collègues. Elle était très amie avec le petit-fils de l'un des associés.

— Un lien romantique ?

— Non. C'était une relation purement amicale. Le petit-fils a une copine, et les quatre sortaient ensemble régulièrement. Pourtant, elle ne lui en a pas parlé.

Eve s'écarta légèrement de la petite table autour de laquelle ils s'étaient installés, avant de poursuivre :

— Cela ne colle pas avec sa personnalité. Elle avait un esprit d'équipe, elle respectait les règles à la lettre. Elle a consulté quelqu'un dans l'entreprise, Connors, malheureusement, elle a mal choisi son interlocuteur.

— Elle devait traiter directement avec un certain nombre de ses clients.

— Au cabinet, ou dans leurs locaux – lorsqu'ils étaient basés à New York. Bien entendu, elle se déplaçait de temps en temps à l'extérieur de la ville. Mais je n'ai rien remarqué de spécial. Son assistante m'affirme qu'elle n'a pas eu de rendez-vous de dernière minute, ni effectué un voyage imprévu. Son bureau était nickel. Repartir de chez elle avec son ordinateur personnel, sans maquiller la scène en cambriolage bâclé, était une erreur.

— Je ne sais pas… C'était sans doute plus simple que de le tripatouiller sur place. D'autant que le tueur avait une deuxième mission à accomplir dans la foulée. C'est peut-être simplement un signe de confiance : « Allez-y, consultez ses archives, je m'en suis occupé. Les traces sont couvertes. »

— Personne ne les couvre totalement. D'accord, d'accord, sauf exception en ce qui te concerne, ajouta-t-elle précipitamment, quand il haussa les sourcils. S'il était aussi doué que toi et aussi, disons, méticuleux, il aurait trouvé un meilleur moyen d'éliminer Copperfield et Byson.

— Par exemple ?

— Organiser une rencontre, les attirer hors de chez eux. S'arranger pour que cela ressemble à une agression sauvage, un meurtre au hasard. Violer la femme, ou l'homme, voire les deux. Envoyer des signaux brouillés aux enquêteurs. Je pense que je suis à la recherche d'une personne entièrement concentrée sur sa tâche –

anéantir la menace, effacer les preuves. C'est quelqu'un qui va droit au but.

— La seule façon pour lui de tuer était peut-être de se focaliser sur la cible. Atteindre le but sans s'attarder sur l'énormité de l'acte nécessaire.

— Je ne suis pas tout à fait d'accord. Certes, il y a un but à atteindre. Mais s'il avait éprouvé le besoin de se distancier psychologiquement de l'acte, il aurait opté pour une autre méthode que la strangulation. Étrangler quelqu'un, c'est un geste intime. Il les a exécutés en les regardant dans les yeux.

Eve se remémora les scènes des crimes et les cadavres.

— Il a pris son pied. Il les a regardés souffrir... Ce n'est pas là-dessus que j'ai besoin de ton aide, ajouta-t-elle d'un ton sec. Je saurai très bien me glisser dans sa tête. Sinon, je peux demander à Mira de m'établir un profil, en discuter avec elle. Non, j'ai besoin d'un homme d'affaires, un vrai. Grosses entreprises, gros risques, gros bénéfices. J'aimerais que tu examines attentivement ces dossiers. Tu sauras les analyser mieux que moi.

— Entendu. Mais pour ce soir, je préfère me contenter de généralités. Si tu veux, je peux parcourir sa liste de clients et te signaler ce que je sais qui ne figure pas dans leurs bios.

— Pourquoi ce soir ?

Il réfléchit. Il aurait préféré éluder la question, mais Eve s'était montrée honnête avec lui. Elle en méritait autant.

— Je vais demander à mes avocats de rédiger une sorte de contrat m'interdisant formellement de me servir des données auxquelles je pourrais avoir accès durant cette enquête.

— Non.

— Cela nous permettra de nous couvrir respectivement. Il sera stipulé aussi que ni les membres de ton équipe ni toi ne seront autorisés à divulguer le nom des associations, corporations ou sociétés dont j'aurai à analyser les données. Je peux travailler sur des chiffres exclusivement.

— C'est grotesque ! Ta parole suffit.

— Pour toi, oui, et je t'en remercie. Mais il est plus que probable que je sois en concurrence avec un ou plusieurs clients de la liste. À un moment ou à un autre, bien que je te promette de ne pas me servir des informa...

— Je n'ai rien à fiche de ta putain de promesse ! explosa-t-elle.

Sa colère le toucha profondément.

— N'en parlons plus. Mais gardons l'esprit pratique. On pourrait prétendre que je m'en suis servi ou que j'en ai l'intention. Remarque, ça ne changerait pas grand-chose, mais au moins, de cette manière, nous montrons notre bonne foi.

— C'est insultant pour toi.

— Pas si c'est moi qui l'exige. Je ne lirai aucun de ces documents si tu refuses cette clause. Nous pouvons nous disputer si cela t'amuse, mais c'est mon dernier mot. Dès que j'aurai réglé la question, nous pourrons avancer.

— Si ça peut te faire plaisir.

Elle dut se retenir pour ne pas donner un coup de pied dans la table.

— Parfaitement. D'ici là, c'est très volontiers que je parcourrai la liste des clients.

Elle se déplaça jusqu'à son bureau, sortit un disque de son sac.

— Tiens. Pendant ce temps, je vais lancer quelques recherches.

« Et bouder dans ton coin », ajouta silencieusement Connors.

— Je suis à côté.

Elle bouda dans son coin tout en travaillant.

Elle calcula des probabilités et fut satisfaite de constater que l'ordinateur était d'accord à 93,4 % avec elle : quelqu'un au sein du cabinet d'expertise comptable était impliqué dans ce double meurtre.

Elle étudia ses notes, les rapports de Peabody, ceux du labo, du médecin légiste, des officiers. Puis elle prépara un deuxième tableau récapitulatif.

Nouveau système de sécurité sur la porte, se rappela-t-elle. Couteau de cuisine sous le lit. Mais Natalie n'avait pas eu suffisamment peur pour se réfugier chez son fiancé ou dans un hôtel. Ni pour demander à sa sœur de loger ailleurs, exceptionnellement.

— Elle connaissait l'assassin, prononça Eve, à voix haute. Ou les intermédiaires. Nerveuse, excitée, prudente, mais pas vraiment inquiète pour sa vie. Le couteau sous le lit, c'est un truc de fille.

Elle effectua quelques allers et retours devant son tableau. Un attaquant sérieux n'aurait eu aucun mal à désarmer une jeune femme de la taille de Copperfield. Mais elle est seule, elle panique. Elle brandit le couteau comme si elle n'hésiterait pas à s'en servir, le cas échéant.

— Pas stupide, mais incroyablement naïve, déclara Eve. Décidée à surmonter le problème uniquement avec l'aide de son homme. Histoire de pimenter un peu leur existence. Mais à qui d'autre s'est-elle confiée ?

Quand son communicateur bipa, elle répondit distraitement.

— Dallas.

— Je sais qu'il est tard, mais je viens d'avoir une idée, annonça Peabody. Vous êtes encore au boulot ?

— À qui en a-t-elle parlé ?

— À qui, de quoi ?

« De toute évidence, songea Eve en s'efforçant de se concentrer sur l'écran, Peabody a mis un terme à sa journée de travail. »

— Quelle idée ?

— À propos de la fête.

— Ô mon Dieu !

— C'est après-demain.

— Pas du tout. C'est samedi.

— Demain étant vendredi, c'est après-demain. Du moins, dans mon univers ensoleillé.

— Merde, merde, merde !

— Bref, j'ai trouvé un thème et j'ai acheté des accessoires sur le chemin du retour. Je me suis dit que je pourrais dormir chez vous demain soir, afin qu'on puisse tout mettre en place dès potron-minet.

— Comment ça, tout mettre en place ?

— Ben, les décorations, les fleurs et... le reste. D'autre part, en ce qui concerne le rocking-chair que vous lui offrez, j'ai imaginé de le déguiser en une sorte de trône jusqu'...

— Je vous en supplie, pour l'amour du ciel, n'en dites pas plus.

— Donc, ça ne vous ennuie pas si McNab et moi, on crèche chez vous demain soir ?

— Bien sûr, amenez vos amis, les membres de vos familles, les inconnus que vous aurez ramassés dans la rue. Ils sont tous les bienvenus.

— Génial ! À demain.

Eve raccrocha, puis se jucha sur le coin de son bureau en fixant le vide. Une fête pour un futur bébé, un double homicide. Était-elle la seule à se rendre compte que l'un n'allait pas avec l'autre ? Organiser un rendez-vous mondain, ce n'était vraiment pas son truc.

Pourtant, elle avait essayé, non ? Elle avait contacté le traiteur, elle avait laissé Mavis convier une horde d'invités. Ça ne suffisait pas.

— Pourquoi faut-il que je décore ? s'exclama-t-elle, quand Connors apparut sur le seuil.

— Rien ne t'y oblige. Au contraire. Notre maison me plaît telle qu'elle est.

— Tu vois ? Moi aussi !

Elle écarta les bras.

— Tout ça pour une fête...

— Ah ! C'est donc cela. Euh... franchement, je n'en ai aucune idée. En général, je choisis d'ignorer les règles d'or des coutumes sociétales.

— Peabody affirme qu'il faut choisir un thème.

Il parut stupéfait.

— Une chanson ?

— Je n'en sais rien, marmonna Eve en se frottant les yeux. Et il va y avoir un trône.

— Pour le bébé ?

— Je n'en sais rien.

Cette fois, elle tira sur ses cheveux.

— Je ne veux pas y penser. C'est complètement déstabilisant. J'étais en train de plancher sur un meurtre, et j'étais en pleine forme. Maintenant, j'ai la tête farcie de thèmes et de trônes, et j'ai la nausée.

Eve reprit son souffle.

— Qui a-t-elle mis au courant ?

— Peabody ? Je croyais qu'elle venait de te le dire.

— Mais non, pas Peabody, Natalie Copperfield. Qui lui inspirait suffisamment de confiance ou de respect pour qu'elle lui révèle sa découverte ? Qui, parmi ses clients, a-t-elle pu soupçonner d'avoir transgressé la loi ou enfreint les codes de l'éthique ? Il a peut-être tenté de la corrompre, mais elle ne le craignait pas plus que cela. Si elle s'était sentie vraiment en danger, elle aurait découragé sa sœur de venir la voir, encore moins évoqué un petit-déjeuner de pancakes.

— Primo, selon moi, tout dépend de l'importance de ce qu'elle avait repéré. Il n'est pas impossible qu'elle se soit adressée directement au client ou à son représentant légal. Cependant, je pencherais plutôt pour l'hypothèse du supérieur hiérarchique.

— Retour à la case départ. Je tourne en rond. Impossible de mettre le doigt sur un autre confident que le fiancé.

— Quant à la liste des clients, elle comporte plusieurs entreprises de grande envergure. Toutes ont pu commettre des erreurs. On ne peut pas gérer une société importante sans déraper de temps en temps. Ensuite, on paie des avocats pour être disculpé, ou des amendes ; on négocie à l'amiable. Toutefois, à ma connaissance, aucune de celles-ci n'a fait l'objet d'un scandale majeur. Et je n'ai entendu aucune rumeur d'activités illégales. Si tu le souhaites, je peux tendre l'oreille.

— Ce serait bien.

Elle contempla son tableau récapitulatif, le front plissé.

— Attends. Et si le client n'était pas le problème ? Si quelqu'un au sein de la firme avait commis un délit comme celui qu'a évoqué Whitney ?

Connors inclina la tête, opina.

— Transmission d'informations confidentielles à un concurrent… Intéressant.

— Cela permet d'exiger un pourcentage, un renvoi d'ascenseur, pourquoi pas une rente mensuelle ? Un client est sur le point de signer un énorme contrat. Il accède aux fichiers des concurrents représentés par la firme. Il transmet les renseignements en échange d'un pactole. Copperfield flaire le coup – un client qui double systématiquement ses adversaires. Elle s'interroge, fouille un peu.

— Ce qui expliquerait qu'elle n'en ait pas parlé à un supérieur – si c'est le cas.

— Elle peut difficilement accuser quelqu'un, sans être sûre de son coup. Je vais procéder à une étude comparative des opérations effectuées au cours des douze derniers mois, mettre en évidence les clients qui se détachent du lot.

— Je peux le faire.

— C'est vrai ?

Cette proposition éclaira la journée d'Eve.

— S'il y a quelque chose de pas très net, tu le verras sans doute plus vite que moi. Je vais me pencher de plus près sur les rétributions, les investissements des associés.

— N'oublie pas que ce sont des comptables. Ils sont habiles à dissimuler leurs revenus.

— Il faut bien commencer quelque part.

# 9

Le lendemain matin, aux aurores, Eve attaqua sa deuxième tasse de café, les yeux rougis de fatigue. Ah, ces chiffres !

Connors posa une omelette devant elle.

— Mange. Tu en as besoin.

Elle y jeta un coup d'œil, puis le regarda s'asseoir en face d'elle.

— J'ai l'impression que mes yeux saignent.

— Pas encore.

— Je ne sais pas comment tu fais, jour après jour.

Elle commit l'erreur de tourner la tête vers l'écran mural où s'affichaient les premiers indices boursiers de la journée.

— Pitié !

Il ricana, mais changea de chaîne pour obtenir les informations.

— J'ai vu des chiffres toute la nuit, avoua-t-elle. Ils dansaient. Certains chantaient. D'autres avaient des dents, j'en suis sûre. Je préférerais m'allonger toute nue sur le trottoir et me laisser piétiner par les touristes, plutôt que d'être comptable. Mais toi, ajouta-t-elle en pointant sa fourchette sur lui, tu adores ça : les marges de profits, les découverts, les taux de change, les indices et les machins hors taxes... Tout ce fric qui circule dans tous les sens... Comment suivre le mouvement ? Un type place son argent pendant cinq minutes sur une charcuterie, puis, *vlan !* adieu les cochons, vivent les gadgets publicitaires et, un quart d'heure plus tard, il se découvre une prédilection pour le caramel.

— Il n'est jamais prudent de mettre tous ses œufs dans le même panier.

Eve dut se retenir pour ne pas bâiller.

— Qu'importe ! Ces comptables ratissent le fric par tonnes et l'étalent partout.

— L'argent, c'est un peu comme le purin : rien ne poussera, si on ne l'étale pas.

— Je n'ai rien trouvé de louche, mais je pense que c'est parce que mon cerveau a court-circuité au bout d'une heure. Les trains de vie correspondent aux revenus, les revenus aux rémunérations et profits, investissements et bla-bla-bla. Si l'un d'entre eux détourne des fonds, c'est bien caché.

— Je vais voir ce que je peux faire. En attendant, j'ai noté deux clients dont le succès et les profits ont considérablement augmenté ces deux dernières années. C'est peut-être le résultat d'une gestion remarquable, de la chance, ou de sources d'informations fiables.

— Avec les filiales de New York ?

— Oui.

— Excellent. Donne-moi quelqu'un à harceler et à intimider, ça me consolera après la nuit que je viens de passer.

Du coup, elle retrouva son appétit.

— Connors, imagine que tu agisses en douce, ou aux frontières de la légalité.

— Moi ? s'exclama-t-il en feignant la stupéfaction. Quelle idée !

— Bien sûr. Mais si c'était le cas, et qu'un de tes employés découvre le pot aux roses, comment réagirais-tu ?

— Je nierais. Fermement. Tout en me précipitant pour dissimuler, effacer toute donnée compromettante, refaire des calculs, modifier des fichiers. En fonction de la situation, je proposerais à l'employé une augmentation ou une mutation.

— En d'autres termes, il existe toutes sortes de moyens de se protéger, si c'est une histoire de gros sous. Tuer deux personnes, c'est pousser jusqu'à l'extrême. Les flics s'en mêlent.

— C'est idiot, en effet. Il ne s'agissait que de business, mais quelqu'un l'a pris personnellement.

— C'est exactement ce que je pense.

Eve ayant décidé de consulter Mira, elle commença par lui transmettre une copie des dossiers, puis contacta son assistante pour prendre rendez-vous.

En chemin, elle remarqua un dirigeable publicitaire, annonçant la nouvelle d'un « Déstockage massif ! Festival des prix ! » à *La Grotte d'Aladin* de Union Square.

Elle se demanda qui pouvait bien être intéressé par un déstockage massif et un festival des prix dans un lieu baptisé *La Grotte d'Aladin*. Qu'allait-on y chercher ? Des lampes de génies ? Des tapis volants ?

Les chercheurs de bonnes affaires n'étaient pas encore levés. Seuls, quelques touristes particulièrement déterminés arpentaient les trottoirs, tandis que les New-Yorkais fonçaient à leur travail.

Aux carrefours, les opérateurs de glissagrils se préparaient à vendre leur café imbuvable et leurs petits pains trop durs. Des nuages de vapeur jaillissaient des grils pour se conformer aux goûts de ceux qui avaient assez faim ou étaient assez fous pour se nourrir d'œufs frits déshydratés.

Quelques vendeurs à la sauvette mettaient en place leurs produits d'imitation de grandes marques sur des couvertures ou des étals. « Écharpes, bonnets et gants partiront comme des petits pains », songea Eve. La bise était glaciale, le ciel, plombé.

Quelques minutes avant qu'elle ne s'engouffre dans le parking souterrain du Central, il se mit à neiger.

Dans son bureau, Eve commanda un autre café, s'installa et examina son tableau récapitulatif.

« Pense "personnel" », se dit-elle.

Jake Sloan avait entretenu des relations amicales avec les deux victimes.

Lilah Grove avait tenté d'en développer une avec Byson.

Carla Greene, sa supérieure, était une amie de Copperfield.

Les trois générations de Sloan avaient un lien particulier avec Copperfield.

Tous avaient énormément investi dans la firme, son succès et sa réputation.

Eve inclina la tête, réfléchit. Quel était donc le lien commun entre eux, au sein de l'entreprise ?

Elle afficha les données que lui avait transmises Connors.

Pendant ce temps, Connors franchissait le seuil du bureau du commandant Whitney. Celui-ci se leva, lui tendit la main.

— Je vous remercie de me recevoir.

— Aucun problème. Puis-je vous offrir un café ?

— Non, je ne vous retiendrai pas longtemps.

Connors ouvrit sa mallette, en sortit un dossier. Ses avocats avaient œuvré toute la nuit.

— J'ai cru comprendre que d'aucuns nourrissaient des inquiétudes concernant l'enquête Copperfield-Byson et ma relation avec la responsable de l'enquête.

— Asseyez-vous, je vous en prie.

— Merci. Voici un document rédigé par mes avocats, qui m'interdit formellement d'utiliser les moindres données sur lesquelles la responsable pourrait tomber au cours de son enquête.

Whitney jeta un coup d'œil sur la liasse de papiers, puis dévisagea Connors.

— Je vois.

— Il stipule aussi que, dans l'hypothèse où j'aurais accès à certaines informations, ce serait dans le plus strict anonymat. Les chiffres uniquement, aucun nom. Le document est très détaillé, et les pénalités – dans le cas où j'enfreindrais une clause quelconque – considérables. Naturellement, vous voudrez le soumettre au service juridique du département. Toute modification ou addition pourra être discutée avec mes représentants, jusqu'à ce qu'il convienne aux deux parties.

— Je m'en occupe.

— Parfait.

Connors se leva.

— Bien entendu, les protocoles et les papiers ne prennent pas en compte le fait que je pourrais mentir et contourner les clauses, ou me servir de mon épouse et de deux innocents sauvagement assassinés à mon profit. Toutefois, j'espère que ce département et ce bureau comprennent que la responsable de l'enquête ne le tolérerait pas.

Connors marqua un temps.

— J'aimerais vous entendre dire que vous ne remettez pas en cause l'intégrité du lieutenant. Et même je l'exige.

— L'intégrité du lieutenant Dallas ne fait aucun doute.

— Alors, seulement la mienne ?

— Officiellement, ce département et ce bureau sont dans l'obligation d'assurer la confidentialité des citoyens de New York – de faire en sorte que les données découvertes dans cette affaire ne soient pas utilisées pour léser autrui, à des fins de gains personnels.

— Je croyais que vous me connaissiez mieux que cela, rétorqua Connors, retenant à peine sa colère. Ou du moins, suffisamment pour savoir que je ne ferais jamais rien pour ternir l'image de ma femme et mettre sa carrière en péril.

— C'est le cas. Je vous connais assez pour en avoir la certitude. Donc, entre nous, tout ça, ce sont des conneries, ajouta-t-il en repoussant d'un air dédaigneux le dossier. Des conneries bureaucratiques, politiques et lèche-cul qui me mettent en rage autant que vous. Je vous présente mes excuses.

— C'est auprès d'elle que vous auriez dû le faire.

Whitney haussa les sourcils.

— Le lieutenant Dallas est sous mes ordres. Elle connaît la chanson. Je n'ai pas à me justifier d'avoir informé une subordonnée d'un problème potentiel. À ma place, elle aurait agi de la même manière.

— Elle souhaite m'intégrer officiellement dans l'équipe en tant que consultant civil.

— Cela ne m'étonne pas d'elle, soupira-t-il. Enfin… cela vous mettrait du même coup sous l'autorité du département, ce qui nous couvre. Quant à votre document, je suppose qu'il est aussi compliqué que minutieux, et qu'il devrait suffire. Il faudra peut-être en passer par les médias.

— Je peux m'en charger.

— Très bien. Je fais valider ce document par le service juridique et je le transmets au préfet Tibble.

Whitney se leva à son tour.

— Quand vous verrez le lieutenant, dites-lui que je lui fais confiance pour clôturer ce dossier dans les plus brefs délais.

— Vous pouvez compter sur moi.

Quand Peabody passa la tête dans le bureau d'Eve, celle-ci épinglait des noms sur son tableau récapitulatif.

— Baxter et moi avons épluché les fichiers. Rien ne nous a sauté aux yeux. Copperfield et Byson n'avaient aucun client en commun.

— Il faut creuser, marmonna Eve. Laisser de côté les chiffres et s'intéresser aux noms, aux personnes. De toute façon, les chiffres, ça rend fou.

— Je ne trouve pas, répondit Peabody en se rapprochant.

Eve tapota le doigt sur le tableau.

— On a les trois plus importants : Sloan, Myers, Kraus. Sous Sloan, on a le fils et le petit-fils. On peut relier Copperfield à Jake Sloan, et les placer tous deux sous Cara Greene. Sous Copperfield, on a l'assistante, Sarajane Bloomdale. Rochelle DeLay a un lien avec Jake Sloan, Copperfield ainsi que Byson, qu'on peut caser ici, sous les trois principaux, et sous Myra Lovitz. Sans oublier un autre lien avec Lilah Grove.

— Votre tableau est trop petit.

— Possible. Ensuite, on a les alibis. Myers et Kraus étaient avec des clients.

— Tous vérifiés.

— Jacob Sloan et son épouse recevaient le petit-fils et sa copine. Du coup, il confirme l'alibi du petit-fils. Pratique.

— Mais plausible.

— Randall Sloan avait un repas d'affaires.

— Là encore, vérifié. Aucun des alibis n'était client de Copperfield.

— Non. Cependant, la fondation Bullock est représentée dans le monde juridique par Stuben, Robbins, Cavendish et Mull, dont Copperfield gérait les comptes. D'après Greene, que j'ai contactée ce matin, l'un de ces comptes est tombé sur le bureau de Copperfield en cours d'année.

— Ah !

Elle se voûta sous le regard acéré d'Eve.

— J'avais juste envie de le dire.

— Ce cabinet d'avocats britannique a une filiale à New York, ce qui est aussi très commode. Byson ressurgit alors, dans la mesure où il gérait les comptes de Lordes Cavendish McDermott...

— On dirait un chanteur d'opéra.

— C'est une mondaine, veuve de Miles McDermott, un homme fortuné. Entre-temps, d'autres liens sont apparus. Randall Sloan était avec Sasha Zinka et Lola Warfield. Zinka a une sœur qui vit à Prague et possède, avec deux associés, un hôtel cinq étoiles dont la gestion des comptes est assurée par...

— ... Sloan, Myers et Kraus. J'ai décortiqué les fichiers de Copperfield. Je ne me rappelle pas avoir vu une Zinka. J'aurais tiqué.

— La sœur s'appelle Anna Kerlinko, et le groupe hôtelier était client de Copperfield. Depuis un an.

— Cela fait beaucoup de coïncidences, ou alors beaucoup de liens.

— Les liens m'intéressent. Sortez les archives de ces sociétés et les biographies des employés basés à New York. J'ai rendez-vous avec Mira. Ensuite, nous irons sur le terrain.

En partant, Eve s'arrêta pour grogner devant le distributeur de boissons, avec lequel elle était en guerre constante, mais elle avait envie d'un Pepsi. Si elle en emportait un tube avec elle, la psychiatre hésiterait à lui proposer sa sempiternelle tisane.

Eve agita les crédits dans sa poche. Elle n'allait pas se contenter de taper son code. C'était un appel au crime. Elle sortit les pièces dont elle avait besoin. Elle était sur le point de les insérer elle-même dans la fente – à ses risques et périls – quand elle aperçut deux hommes en uniforme poussant devant eux un grand maigrichon menotté.

Le grand maigrichon criaillait comme un perroquet de la planète Zeus. Tout y passait, le harcèlement, ses droits constitutionnels, et une certaine Shirley.

Eve les intercepta.

— Eh, vous ! précisa-t-elle à l'intention du prisonnier, fermez-la.

Il se calma aussitôt.

— Prenez-moi un Pepsi.

— Volontiers, lieutenant.

L'agent n'ayant pas cillé, Eve en déduisit que le département tout entier était au courant de ses conflits permanents avec le distributeur.

— Qu'est-ce qu'il a fait ? demanda-t-elle en indiquant le perroquet pleurnichard d'un signe de tête.

— Il a poussé une femme dans l'escalier de son immeuble. Elle n'a pas rebondi.

— Glissé. Elle a glissé. J'étais même pas là. Je la connaissais à peine. Les flics m'ont bousculé. J'intenterai un procès.

— Trois témoins oculaires, annonça sèchement l'officier en tendant son tube de Pepsi à Eve. Il a fui, a trébuché au cours de la poursuite.

— Qui est chargé de l'affaire ?

— Carmichael.

— Parfait, acquiesça-t-elle. Merci.

Les braillements reprirent, tandis qu'elle s'éloignait vers les tapis roulants menant au secteur de Mira.

Ici, tout semblait plus civilisé. L'atmosphère était sereine, les couleurs douces, les portes closes.

Celle de Mira était ouverte, et l'assistante chargée de veiller sur le périmètre paraissait décontractée.

Mira l'aperçut depuis son bureau.

— Eve ! Entrez. Je finis de remplir quelques paperasses.

— Merci de m'accorder un moment.

— Il est vrai que je n'en ai pas beaucoup aujourd'hui.

Comme toujours, Mira était impeccable, sans ostentation. Elle avait laissé pousser ses cheveux noirs jusqu'aux épaules. Elle portait un tailleur trois pièces couleur prune, des chaînes en argent autour du cou et des anneaux scintillants aux oreilles.

Un sourire éclaira son ravissant visage et ses yeux bleus.

— Vous avez pu parcourir les rapports ?

— Oui. Asseyez-vous. Quel dommage, n'est-ce pas ? Toute cette jeunesse, tout cet enthousiasme, effacés si brutalement. Leur vie ne faisait que commencer.

— Et maintenant, tout est fini. Pourquoi ?

— Toute la question est là. D'après le profil, enchaîna-t-elle d'un ton brusque, archiprofessionnel, je suis d'accord avec vous et le médecin légiste : vous cherchez un seul assassin. Vraisemblablement de sexe masculin, âgé de trente-cinq à soixante-cinq ans. Ce n'est pas un impulsif. Il n'était pas en quête de frissons. Il n'a violé ni l'une ni l'autre des victimes, ce n'était pas ce qui l'intéressait. Il est peu probable qu'il assimile le sexe au pouvoir et au contrôle. Il vit peut-être une relation dans laquelle il a le rôle du soumis.

— Le viol prend du temps, ajouta Eve. Il avait un emploi du temps à respecter et des priorités.

— Effectivement. Mais les homicides doublés de tortures riment souvent avec agression sexuelle et mutilations. Ici, on ne constate ni viol, ni mutilations, ni vandalisme. Quand il est arrivé, l'assassin avait un but précis. Il l'a atteint par la force et la brutalité physiques et – selon moi – psychologiques.

Mira étala les photos des crimes sur son bureau.

— En ligotant ses proies, il pouvait les dominer totalement. Le fait qu'il ait retiré le ruban adhésif de leur bouche me fait penser qu'il voulait ou avait besoin de voir leur visage pendant qu'il les étranglait.

— Il est fier de son travail.

— Oui. Il a rempli sa mission, prouvé sa suprématie. Pour pouvoir maîtriser un homme comme Byson, jeune et en pleine forme, il doit lui-même être en bonne condition physique. L'utilisation d'armes improvisées sur place – la ceinture du peignoir, le lien des matériaux de construction – démontre sa présence d'esprit et sa lucidité. L'absence d'ADN sur la première scène signifie qu'il a pris des précautions. La présence d'ADN sur la deuxième scène laisse croire qu'il a cédé à un élan de rage.

— Parce qu'il avait reçu un coup.

— Exactement, répliqua Mira, avec une ébauche de sourire. Byson lui a fait mal, et il réagit mal à la douleur. Copperfield était la cible principale. Je ne vous apprends rien que vous ne sachiez déjà.

— Non, mais vous y apportez des confirmations.

— C'est un acte désespéré, commis avec sang-froid. Il les craignait, mais il ne semble pas avoir paniqué une seule seconde. Il était maître de lui et a tenu à illustrer sa domination en les regardant dans les yeux pendant qu'il les tuait.

— « Regardez-moi vous tuer pendant que je vous regarde mourir. »

— Précisément. S'il a ressenti – et c'est probable – un frisson d'excitation, il n'a pas perdu la tête.

— Mais ce n'est pas un pro.

— Je ne le pense pas, non, concéda Mira.

— Plutôt, quelqu'un qui a un bon sens de l'autopréservation.

— C'est possible. En acceptant cette hypothèse, on peut imaginer qu'il tentait de se protéger, de protéger ses propres intérêts ou un proche. Il a procédé avec soin.

— Mais il n'en savait pas assez sur la médecine légale pour prévoir qu'on pourrait prélever son ADN en analysant les égratignures sur les phalanges de Byson.

— Selon moi, c'est un homme charmant, organisé et méthodique. Je serais très étonnée qu'il n'ait pas détruit ou jeté tout ce qu'il a ramassé sur les scènes, de même que les outils utilisés pour pénétrer dans les appartements. Si vous l'interrogez au cours de votre enquête, je pense qu'il coopérera sans difficulté. S'il connaissait les victimes, il assistera aux obsèques et affichera tous les signes de chagrin. Il y a sûrement déjà réfléchi.

— Je parie qu'il a un alibi pour la plage horaire en question.

— Le contraire me surprendrait. Cerains éviteraient délibérément d'en avoir un, histoire de mettre un peu de piment dans leur vie. Par jeu. Votre assassin, lui, aura tout planifié.

Eve opina.

— Merci infiniment.

— J'attends demain avec impatience, dit Mira, tandis qu'Eve se levait.

— Qu'est-ce que… Ah ! Oui, c'est vrai.

En riant, Mira fit pivoter son fauteuil.

— On s'amuse toujours énormément, chez vous. Mavis doit être sur un petit nuage.

— Euh… La vérité, c'est qu'en ce moment j'essaie de l'éviter. Nous avons dû assister à une séance de préparation à l'accouchement… Un cauchemar ! J'ai peur qu'elle ne m'interroge pour être sûre que j'ai bien tout écouté.

— Et alors ?

— Et alors, j'ai eu l'impression de regarder un film d'horreur. C'était atroce.

Eve retint à peine un frémissement.

— Demain, je vais être entourée de femmes qui couvent des bébés. Et si l'un d'entre eux décidait de naître ?

— C'est peu probable. De toute façon, vous aurez quelques médecins sous la main. Je serai là, ainsi que Louise.

— Oui, souffla Eve, soulagée. J'avais oublié. Ouf ! Vous m'ôtez un poids des épaules. J'espère que vous resterez jusqu'à la fin. Au cas où.

— Vous avez passé onze ans dans les forces de la police sans jamais assister à un accouchement ?

— Parfaitement, et je compte bien conserver ce record.

En pénétrant dans le bureau de Sasha Zinka, la première pensée d'Eve fut qu'il pouvait rivaliser avec celui de Connors : un chef-d'œuvre d'espace, de luxe et de bon goût, féminin mais sans chichis.

Sasha s'intégrait à la perfection dans ce décor.

Elle paraissait facilement dix ans de moins que son âge. Ses cheveux blonds étaient relevés, mettant en valeur un visage en forme de cœur, éclairé par d'immenses yeux bleus. Elle portait un tailleur rouille aussi sobre que les bijoux qu'elle y avait assortis. Juchée sur des talons aiguilles, elle s'avança d'une démarche chaloupée, la main tendue.

— Lieutenant Dallas, nous nous sommes croisées lors d'un gala quelconque au printemps dernier.

— Je m'en souviens.

— Je regrette que nous nous revoyions en des circonstances aussi tragiques. Inspecteur Peabody, enchantée, nous nous sommes parlé tout à l'heure.

— Merci de nous recevoir.

— Je vous en prie, asseyez-vous. Dites-moi en quoi je puis vous aider. Vous vouliez voir Lola, aussi. Elle arrive. Puis-je vous offrir à boire en attendant ?

— Non, merci, répondit Eve en choisissant un fauteuil en cuir ambre. Vous connaissiez Natalie Copperfield ?

— Un peu. J'ai surtout beaucoup entendu parler d'elle. C'est affreux, ce qui leur est arrivé. Mais je ne suis pas sûre de comprendre ce que cela a à voir avec Lola et moi.

— Vous avez déclaré que Mme Warfield et vous aviez dîné avec Randall Sloan le soir des meurtres.

— C'est exact. Pour discuter affaires, essentiellement, mais Lola et moi apprécions la compagnie de Randall. Nous sommes sorties jusqu'à deux heures du matin, comme je l'ai expliqué à l'inspecteur. Vous ne suspectez tout de même pas Ran...

Elle s'interrompit, tandis que la porte s'ouvrait et que Lola Warfield faisait irruption dans la pièce, écarlate, ses boucles brunes en désordre.

— Désolée, désolée, j'ai eu un contretemps. Dallas, c'est bien cela ? Au péril de ma vie, je vous ai confisqué votre mari, le temps d'une danse au bal de charité du Marquis, il y a quelques mois. S'il était mon mari, j'assommerais toute femme qui ose le regarder.

— Les cadavres s'entasseraient à travers toute la ville.

— Cela pourrait poser un problème, en effet. Excusez-moi, je ne me rappelle pas votre nom, ajouta-t-elle à l'intention de Peabody.

— Inspecteur Peabody.

— Très heureuse. Enfin, non... c'est épouvantable, mais un peu excitant, aussi.

— Lola raffole des faits divers, dit Sasha.

— Et nous voilà en plein dedans... J'ai eu l'occasion de rencontrer Natalie à plusieurs reprises. Elle était charmante.

Tout en parlant, elle se rapprocha du bar, longeant le mur du fond et sortit une bouteille d'eau du réfrigérateur.

— Quelqu'un en veut ?

— Non, merci, répondit Eve.

Lola alla se percher sur l'accoudoir du fauteuil de Sasha.

— Quand ce dîner avec Randall Sloan a-t-il été organisé ?

— Mmm... murmura Lola en jetant un coup d'œil vers Sasha. Environ deux jours avant, non ? Nous nous voyons une fois par trimestre, en général.

— Oui, confirma Sasha. Nous avions été obligées de repousser notre réunion, car nous étions à l'étranger au début de l'année.

— Qui a pris l'initiative ?

Lola fronça les sourcils.

— Ran, je pense. D'habitude, c'est lui qui s'en charge.

— M. Sloan vous a-t-il fait part d'éventuelles difficultés avec Natalie Copperfield ou Bick Byson ?

Sasha prit le relais.

— Non. Il ne les a pas évoqués. Nous traitons directement avec Randall. Comme je vous l'ai dit, nous l'avons rencontrée, ainsi que son fiancé. Au domicile de Jacob Sloan. Elle – Natalie – était une amie de son petit-fils.

— Mlle Copperfield gérait les comptes de votre sœur.

— Parfaitement. Quand Anna et ses amis ont décidé de monter leur entreprise, je leur ai recommandé le cabinet. J'en ai parlé personnellement avec Randall, qui a confié le dossier à Natalie. Anna et elle se sont tout de suite entendues à merveille.

— Votre sœur était satisfaite du travail de Mlle Copperfield ?

— Elle ne s'en est jamais plainte. Si elle avait été mécontente, je l'aurais su.

— Et pas qu'un peu ! renchérit Lola. Anna ne souffre jamais en silence. Vous cherchez votre suspect au sein de la société ? J'aurais plutôt penché pour la thèse du crime passionnel. Un ex jaloux ou un amoureux éconduit, par exemple.

— Nous cherchons partout, riposta Eve en se levant. Si le moindre détail vous revient à l'esprit, contactez-moi au Central.

— C'est tout ? s'exclama Lola, visiblement déçue. J'espérais que vous alliez nous cuisiner.

— La prochaine fois, peut-être. Merci de nous avoir accordé cet entretien.

Eve attendit de regagner son véhicule pour consulter Peabody.

— Vos impressions ?

— Directes, calmes, assurées. Le dîner avec Sloan n'avait rien d'inhabituel, et elles ne me paraissent pas du genre à couvrir un employé – même si c'est un ami. Certes, il existe un lien entre la sœur de Zinka et la première victime mais, si je me fie à mon instinct, je ne vois ni l'une ni l'autre commettre deux meurtres ou s'y impliquer dans le seul but de sauver la peau de la sœur.

Par ailleurs, elles sont richissimes. Si le mobile est l'argent, elles en ont plus qu'il ne leur en faut.

— Ce n'est pas une question de besoin, mais d'avidité et de pouvoir, rectifia Eve. Cependant, je suis de votre avis. Si c'était le compte de la sœur qui avait éveillé la curiosité de Copperfield, et que l'un ou l'autre était au courant, elles sont étonnamment sereines. Où se trouvait Anna Kerlinko, ce soir-là ?

Peabody sortit son carnet de notes.

— En prenant en compte le décalage horaire, elle petit-déjeunait avec son amant quand Copperfield a été assassinée ; elle est arrivée à son bureau aux alentours de neuf heures, heure locale. Elle n'aurait jamais eu le temps d'effectuer l'aller-retour.

— Au suivant !

Elles n'étaient pas très loin de la filiale du cabinet d'avocats représentant la fondation Bullock. Copperfield était chargée depuis quelques mois de gérer leurs comptes, et Byson, celui d'une nièce de l'un des associés.

Les bureaux étaient situés dans une élégante demeure, restaurée avec soin. À l'accueil, une jeune femme les reçut, nimbée d'une lumière colorée filtrant à travers le vitrail de la fenêtre, côté rue. On se serait cru dans une église.

Eve lui présenta son badge, et elle cligna des yeux.

— Je ne comprends pas.

— C'est un insigne. Nous sommes flics. Prévenez votre patron que nous voulons lui parler.

— Mince ! Je veux dire... Excusez-moi, mais M. Cavendish est en réunion. Si vous le souhaitez, je peux demander à son assistante de vous prévoir un rendez-vous.

— Non, non, vous n'avez pas compris. Je répète : insigne ; flics.

Eve scruta la salle, aperçut un escalier en bois.

— Les bureaux sont par là ?

— Mais... mais... mais...

Eve la laissa bafouiller comme une malheureuse et entraîna Peabody avec elle.

Parvenue à l'étage, Eve eut la sensation d'être passée d'une église à un musée. Ici, les tapis étaient anciens, usés, de belle qualité ; les lambrissages étaient d'origine. Les murs étaient ornés de tableaux représentant des paysages de campagne.

Une porte s'ouvrit sur leur gauche. Une femme surgit. Ses cheveux noirs d'encre étaient coiffés en chignon sévère ; elle avait un visage anguleux et un corps de rêve, parfaitement mis en valeur par un tailleur sombre.

— On a dû vous dire que M. Cavendish était en réunion et donc indisponible pour le moment. En quoi puis-je vous être utile ?

— Vous pouvez le sortir de sa réunion et veiller à ce qu'il soit disponible. Cela nous serait très utile, riposta Eve.

Un frisson d'excitation la parcourut devant l'air ahuri de l'assistante.

— Vous avez un nom ?

— Mlle Ellyn Bruberry. Je suis l'assistante de M. Cavendish.

— Tant mieux pour vous. Nous devons voir M. Cavendish à propos d'une enquête en cours.

— Comme vous le savez déjà, il est indisponible. Vous savez certainement que rien ne l'oblige à vous rencontrer sans demande de rendez-vous préalable.

— Là, vous m'avez eue ! lança Eve d'un ton enjoué. C'est avec grand plaisir que nous vous convoquerons au Central, M. Cavendish, vous-même et tout autre employé ici présent pour des interrogatoires formels. Ce qui, comme vous l'imaginez, pourrait prendre plusieurs heures, voire quelques mois. Sinon, nous pouvons nous entretenir avec lui ici, dans le confort et l'intimité de son bureau, et débarrasser le plancher dans moins de vingt minutes.

Elle marqua une pause.

— Indiquez-moi une porte.

La jeune femme aspira une grande bouffée d'air.

— Vous devez au moins me dire de quoi il s'agit.

— Non. Je vous suggère de demander à votre patron s'il accepte de me parler maintenant, ou s'il préfère se rendre au Central dans le futur immédiat… Vous pouvez aussi prendre la décision à sa place. À votre guise.

— Mais, intervint Peabody en tapotant sa montre, le temps presse.

— Attendez-moi ici.

Elle s'éloigna.

— Le temps presse ? murmura Eve à Peabody.

— C'est sorti malgré moi. Elle est plutôt pincée, non ? Et elle sait parfaitement ce qui nous amène.

— Oh, oui ! Intéressant…

Eve se détourna pour examiner distraitement l'un des tableaux.

— C'est curieux, ces gens qui habitent et travaillent dans un milieu urbain, puis accrochent des paysages de campagne à leurs murs. Ils ne savent donc pas où ils ont envie d'être ?

— Beaucoup de personnes trouvent les paysages champêtres apaisants.

— C'est sûr. Jusqu'à ce qu'on commence à se demander ce qui se cache derrière les troncs d'arbres et rampe dans les herbes.

Peabody se balança d'un pied sur l'autre, mal à l'aise.

— C'est joli, la campagne.

— Bref… en attendant, je vous propose de me sortir la biographie de Bruberry et celle de Cavendish.

— Quoi, c'est vrai ? C'est joli, la campagne, marmonna Peabody en s'attelant à la tâche.

Quelques instants après, Bruberry émergea d'un bureau, le dos droit comme un I, le ton glacial.

— M. Cavendish peut vous recevoir à présent. Dix minutes.

# 10

Walter Cavendish régnait sur une vaste pièce meublée de fauteuils et de canapés bordeaux et parsemée de tapis orientaux, sans doute authentiques.

Un superbe poste informatique et de communication noir trônait auprès d'accessoires en cuir et en cuivre savamment disposés sur le bureau ancien, derrière lequel Cavendish était assis, l'air prospère, impeccable… et plutôt nerveux.

La cinquantaine, il arborait une tignasse châtain clair. Il avait les traits burinés, et ses yeux bleu clair évitèrent le regard d'Eve pour se poser sur un point derrière son épaule. Il portait un costume marron à fines rayures dorées.

Il se leva, solennel.

— Je souhaiterais vérifier votre identité, annonça-t-il, d'une voix d'acteur shakespearien.

Eve et Peabody sortirent leur badge.

— Lieutenant Dallas, déclara-t-elle, et inspecteur Peabody. Il semble que votre réunion soit terminée. C'est curieux, nous n'avons vu personne sortir.

Il parut momentanément perplexe, puis contempla Bruberry, alors même que celle-ci intervenait :

— C'était une vidéoconférence.

— Oui, une vidéoconférence, renchérit-il. Avec Londres.

— C'est pratique, rétorqua Eve en fixant Cavendish de manière qu'il comprenne qu'elle n'était pas dupe.

Puisque vous avez quelques minutes devant vous, nous aimerions vous poser des questions en rapport avec une enquête en cours.

— C'est ce que l'on m'a dit.

Il eut un geste, commença à s'asseoir. Comprenant qu'il n'avait pas l'intention de lui serrer la main, Eve lui tendit la sienne.

Il hésita et, une fois de plus, sembla solliciter son assistante.

Sa poignée de main était un peu molle, décida Eve. Et moite.

— Quelle est la nature de votre enquête ?

— Il s'agit d'un double homicide. Natalie Copperfield et Bick Byson. Ces noms vous sont-ils familiers ?

— Non.

— Vous ne regardez pas les journaux télévisés, je suppose. Vous ne parcourez jamais la presse.

Elle tourna légèrement la tête vers l'écran mural encadré de bois sombre qui dominait la pièce.

— On a assassiné ces personnes il y a trois jours, en pleine nuit, à leurs domiciles respectifs. Tous deux étaient employés par le cabinet d'expertise comptable Sloan, Myers et Kraus. Curieusement, Natalie Copperfield gérait les comptes de votre siège. Pourtant, ce nom ne vous dit rien ?

— Je ne retiens pas les noms de toutes les personnes dont j'entends parler. Je suis un homme fort occupé. En ce qui concerne la comptabilité, c'est Ellyn, mon assistante, qui traite ce sujet.

— Je connais Mlle Copperfield, dit Bruberry. Qu'est-ce que sa mort a à voir avec cette firme ?

— Pour l'heure, c'est moi qui pose les questions, rétorqua Eve. Monsieur Cavendish, où étiez-vous il y a trois jours, entre minuit et quatre heures du matin ?

— Chez moi, dans mon lit. Avec ma femme.

Eve haussa les sourcils.

— Les noms de deux victimes diffusés à la une de tous les médias ne vous disent rien et, sans la moindre hésitation, sans vérifier votre agenda, vous pouvez m'assurer de l'endroit où vous vous trouviez il y a trois jours ?

— Chez moi, répéta-t-il. Dans mon lit.

— Avez-vous eu des contacts avec Mlle Copperfield ou M. Byson ?

— Non.

— N'est-ce pas étrange, inspecteur, que M. Cavendish n'ait eu aucun contact avec la personne qui gère les comptes de sa société ?

— Je dois avouer que si. Personnellement, je tutoie le type du service des paiements au Central.

— Il est possible que j'aie...

— J'étais en relation avec Mlle Copperfield, interrompit Bruberry. Lorsque cela s'est avéré nécessaire. Ces dossiers sont essentiellement traités par le biais de notre siège à Londres.

— Et que faites-vous ici ? demanda Eve à Cavendish.

— Je représente les intérêts de notre firme à New York.

— C'est-à-dire ?

— Précisément cela.

— Voilà qui éclaire tout. Vous représentez par ailleurs les intérêts légaux de Lordes C. McDermott, qui était cliente de Bick Byson.

— Mme McDermott est une relation familiale. Il est normal que nous la représentions. Quant à la personne qui gère ses finances, je ne saurais vous dire.

— Vraiment ? On dirait que les informations circulent mal, chez vous. Au passage, je n'ai pas dit que Byson gérait ses finances, simplement que Mme McDermott était sa cliente.

Cavendish tripota le nœud de sa cravate. « Signe d'agitation », songea Eve.

— Je présume...

— Pendant que nous y sommes, où étiez-vous, la nuit des meurtres, mademoiselle Bruberry ?

— Chez moi. Je me suis couchée avant minuit.

— Seule ?

— Je vis seule, oui. Je crains que M. Cavendish n'ait plus de temps à vous consacrer.

Eve se leva tranquillement.

— Merci de votre coopération. À propos, votre firme représente aussi… la fondation Bullock, je crois, ajouta-t-elle en faisant mine de consulter son bloc-notes.

Cette fois, il tressaillit. De nouveau, il tritura sa cravate.

— C'est exact.

— Mme Madeline Bullock et M. Winfield Chase sont venus en ville récemment. Je suppose que vous les avez rencontrés pendant leur séjour.

— Je…

— Mme Bullock et M. Chase ont déjeuné avec M. Cavendish ici. Lundi à midi trente, déclara Bruberry.

— Ici. Dans ce bureau.

— Parfaitement ! glapit Bruberry, avant que Cavendish ne puisse répondre. Voulez-vous que je vous procure le menu ?

— Je vous le ferai savoir. Merci pour tout !

Eve tourna les talons, marqua une pause devant la porte.

— Vous savez ce qui m'intrigue ? C'est que vous soyez si occupé à représenter les intérêts de votre firme à New York, sans pour autant prendre la peine de rencontrer régulièrement les associés du cabinet qui gère ses comptes.

— Je vous raccompagne, murmura Bruberry, tandis que Cavendish demeurait muet.

— Ne prenez pas cette peine. Nous trouverons le chemin de la sortie.

— Quelqu'un détient un secret, décréta Peabody, dès qu'elles furent dans la rue.

— J'en donnerais ma main à couper. Ce type respirait la peur et la culpabilité. Peut-être qu'il trompe sa femme ou qu'il porte des sous-vêtements affriolants.

— Ou les deux, s'il la trompe avec son assistante.

— Exactement. C'était stupide de mentir en affirmant qu'il ne connaissait pas Copperfield.

— Il a la grosse tête. « Je suis trop important pour fricoter avec le petit personnel. » C'est une manière de se distancier du pétrin.

— Le pétrin étant synonyme de meurtre.

Eve monta dans son véhicule, pianota sur le volant.

— Ils n'étaient pas préparés. Ils n'avaient pas envisagé que les flics puissent venir les interroger, ils ont donc réagi par instinct. En niant tout. Tâchons de pister Lordes McDermott.

Peabody sortit son mini-ordinateur pour chercher les coordonnées.

— J'ai une adresse : Riverside Drive.

— Un numéro de communicateur ?

— Le voici.

— Essayez de la joindre d'abord.

Lordes McDermott était chez elle, et ne sembla pas du tout offusquée par cette visite imprévue. Une domestique en uniforme les conduisit dans un spacieux salon au décor futuriste, plein de couleurs vives, de métaux chromés et de verres scintillants.

Lordes paraissait très à l'aise, tout habillée de noir. Ses cheveux courts, couleur d'aubergine, encadraient un visage aux yeux saphir.

Sur la table basse étaient disposés un pot à café en porcelaine blanche, trois grandes tasses et un plat triangulaire rempli de beignets.

— Ne dites rien, je sais : les flics, le café et les beignets, c'est un cliché.

— Pour une bonne raison. Lieutenant Dallas, inspecteur Peabody.

— Prenez place, je vous en prie. Vous êtes sûrement ici pour Bick et son adorable Natalie. J'en suis malade. C'était un garçon charmant.

— Quand l'avez-vous vu pour la dernière fois ?

— Le 15 décembre.

— Vous avez une bonne mémoire, commenta Eve.

— Non, pas vraiment. J'ai consulté mon agenda quand j'ai appris la nouvelle. Nous nous étions réunis pour finaliser le bilan de fin d'année juste avant les vacances. Ici même, d'ailleurs. Il était sympathique.

— Vous connaissiez Mlle Copperfield ?

— J'ai eu l'occasion de la croiser à plusieurs reprises. Bick l'a amenée à quelques-uns de nos rendez-vous, à ma demande. J'aime me faire une idée des gens que fréquentent ceux qui gèrent mes finances. Elle aussi m'a beaucoup plu. Ils étaient heureux, pleins de vie et d'espoir. Comment buvez-vous votre café ?

— Noir, merci.

— Allongé et très sucré pour moi, s'il vous plaît, ajouta Peabody.

— Vous interrogez tous les clients de Bick ?

Pendant qu'elle remplissait les tasses, Eve nota son alliance en or, étincelante.

— J'ai été surprise que vous m'ayez prévenue de votre venue.

— Nous interrogeons toutes sortes de personnes. En fait, nous venons de voir M. Cavendish. C'est un membre de votre famille, semble-t-il ?

— Un cousin, répondit-elle en fronçant le nez.

Un détail important, se dit Eve : visiblement, McDermott n'appréciait guère Cavendish.

— Mon cousin – le père de Walter – est l'un des associés de la firme, située à Londres. Je crois bien que cela fait de nous des cousins issus de germains. Bref... Servez-vous, je vous en prie. Moi, je ne vais pas me priver.

Pour le prouver, elle choisit un beignet saupoudré de sucre glace.

— Est-ce ce lien familial qui vous a incitée à vous adresser au cabinet comptable, puis à Byson ?

— Mmm... acquiesça Lordes, la bouche pleine. Mon Dieu, ces beignets sont un péché ! Ils gèrent mes affaires financières depuis des années. Quand Miles est mort – l'imbécile –, j'ai encore hérité un pactole. Je l'ai laissé dormir un moment en Europe. À mon retour, j'ai exigé un comptable jeune et perspicace. On m'a confiée à Bick – et il correspondait parfaitement à ce que je voulais.

— Puis-je me permettre de vous demander comment est mort votre mari ? intervint Peabody en essayant désespérément de manger proprement.

— En jouant avec l'avion qu'il avait construit. Il adorait voler. J'aimais cet idiot. Après sa disparition, j'ai voulu mourir. Cela fera cinq ans au printemps. Je lui en veux toujours autant.

— Pouvez-vous nous dire où vous vous trouviez il y a trois jours, entre minuit et quatre heures du matin ?

— Là encore, j'ai consulté mon agenda, car je m'attendais à cette question. J'ai reçu quelques amies. Je recommence à sortir avec des hommes, mais c'est tellement compliqué, surtout quand on n'est qu'à moitié intéressée. Elles sont parties aux alentours de minuit. Je me suis couchée. Je me suis endormie en regardant un vieux film.

— Vous est-il arrivé d'avoir des réunions d'affaires ou plus mondaines avec Mlle Copperfield, M. Byson et votre cousin ?

— Avec Walter ? pouffa-t-elle. Non. Certainement pas. Je l'évite le plus possible. Il est trop bête.

— Vous ne vous entendez pas ?

— Je m'entends avec tout le monde. Simplement, avec certaines personnes, c'est plus facile si je limite les contacts.

— Ce n'est pas lui qui défend vos intérêts légaux ici, à New York ?

— Pas tout à fait. C'est mon cousin à Londres qui s'en charge. Walter se contente de traiter la paperasse. Pour être franche, il manque singulièrement d'intelligence. Il obéit aux ordres, il classe les dossiers, il porte bien le smoking. Que je sache, tout ce qui est un peu plus complexe passe directement par Londres.

Elle inclina la tête.

— Vous ne pensez tout de même pas que Walter soit impliqué dans ces homicides ? Je le connais depuis toujours. Non seulement il n'est pas malin, mais en plus c'est un trouillard.

Eve s'apprêtait à démarrer, quand son communicateur bipa.

— Dallas.

Le visage de Summerset remplit l'écran.

— Lieutenant, vous ne m'aviez pas prévenu que vous attendiez une livraison.

— J'ai probablement oublié aussi de vous signaler que vous enlaidissez de jour en jour, mais j'ai été un peu débordée, ces temps-ci.

— Le rocking-chair en provenance d'un établissement nommé *La Cigogne blanche* est arrivé. Que dois-je en faire ?

Elle marqua un temps.

— Alors là, vous avez dû prendre un coup de vieux, pour me poser une question pareille. La réponse est évidente. Mettez-le dans le salon du premier étage. Là où doit avoir lieu la fête.

— Entendu. À l'avenir, je vous saurais gré de m'avertir quand vous attendez une livraison.

— À l'avenir, je vous saurais gré de porter une cagoule avant de vous présenter devant la caméra.

Sur ce, elle raccrocha, satisfaite.

— C'est rigolo de vous écouter, tous les deux, fit remarquer Peabody. Après le service, j'irai chez moi chercher toutes les affaires, puis je vous rejoindrai chez vous. Je meurs d'impatience de voir le rocking-chair et de le décorer pour demain.

— Youpi !

— Vous savez bien qu'elle sera enchantée.

— Oui. Sûrement.

— Elle sera une sorte de reine de la fertilité.

— La reine Mavis, murmura Eve en grillant un feu orange. Elle devrait porter un… une…

Elle agita les doigts au-dessus de sa tête.

— … une couronne ! Évidemment.

— Non, pas une couronne. C'est trop gros, trop formel. L'autre machin. Comment déjà ? Une tiare.

— Excellent ! Alors, vous voyez que vous vous prenez au jeu !

— Bien malgré moi.

Eve remporta le tout avec elle au Central – ses déclarations, ses impressions, ses déductions. Là, elle les tria, rédigea ses rapports et rumina. Se plantant devant son tableau récapitulatif, elle entreprit d'épingler noms et mots-clés autour des photos, puis de dessiner des flèches pour relier les uns aux autres.

— Il te faudrait un tableau plus grand, constata Connors en franchissant le seuil.

— On ne cesse de me le répéter.

— Dieu sait que tu mériterais plus d'espace ! ajouta-t-il.

— Je m'en contente. Que fais-tu ici ?

— Je cherche quelqu'un pour me ramener à la maison. J'avais quelques affaires à régler là-haut, enchaîna-t-il en la voyant froncer les sourcils.

Il s'avança jusqu'à elle et caressa sa fossette sur le menton.

— C'est réglé, tout le monde est satisfait.

— C'est nul.
— Comme l'est souvent la vie.
Il jeta négligemment son manteau sur le dossier du fauteuil d'Eve, avant de s'approcher du tableau.
— Je suppose que cela a un sens, pour toi ? Ah, oui, je vois ! Liens et sous-liens. Que des microcosmes, au sein d'un monde aussi vaste, n'est-ce pas ?
— Qu'a dit Whitney ?
— Officiellement ou officieusement ?
— Je sais ce qu'il a dit officiellement.
— Officieusement, alors. Il a dit que tout ça, ce sont des conneries. Je cite.
Il la dévisagea, hocha la tête.
— Je constate que cela te suffit. Tu ne t'attends pas à des excuses personnelles.
— Non.
Connors alla fermer la porte.
— Ce sont peut-être des conneries, mais c'est le genre de chose qui te maintient dans ce placard, alors que tu devrais être assise dans un fauteuil de capitaine.
— Je n'ai pas envie de travailler derrière un bureau. Changeons de sujet. Je fais ce que j'aime et je le fais bien.
— Ne me dis pas que tu ne veux pas de barrettes, Eve.
— Je croyais que si, marmonna-t-elle en repoussant ses cheveux. Je ne les refuserais pas, si on me les offrait – à mes conditions. C'est toi, l'Irlandais qui croit à la fatalité, au destin, au vaudou.
Il réprima un sourire.
— Je te rappelle que tu as récemment exorcisé un fantôme.
— J'ai résolu une affaire, rectifia-t-elle. Parfois, les choses sont telles qu'elles sont parce que c'est ainsi, tout simplement. Ma place est ici. J'en suis convaincue.
La pièce était si minuscule, qu'il n'eut qu'à tendre les bras pour la serrer contre lui.

— Bien. Par ailleurs, le commandant m'a confié qu'il comptait sur toi pour clore ce dossier dans les plus brefs délais.

— Entendu.

— As-tu l'intention de rentrer bientôt, ou dois-je solliciter un autre moyen de transport ?

— Je peux continuer à la maison. Accorde-moi dix minutes. Eh ! lança-t-elle, alors qu'il s'apprêtait à sortir. Tu pourrais peut-être m'inviter à dîner.

Il sourit.

— Pourquoi pas ?

— Mais avant, on a une course à faire. Je cherche une tiare.

— Assortie à ton sceptre ?

— Pas pour moi ! Pour Mavis. La fête, demain. Peabody a choisi un thème à la noix... On devrait en acheter un, aussi. Tu connais un magasin de déguisements où l'on pourrait faire un saut ?

Trouver une tiare incrustée de brillants et un sceptre en plastique fut d'une simplicité remarquable, d'autant qu'Eve avait l'habitude de s'emparer du premier objet correspondant à peu près à ce qu'elle voulait et de prendre ses jambes à son cou.

Pour leur repas en tête à tête, Connors choisit un restaurant italien, où l'atmosphère était décontractée et la nourriture, exquise. Elle s'attaqua à son plat de pâtes fraîches avec appétit.

— Tu n'as pas déjeuné.

Elle enroula des spaghettis autour de sa fourchette.

— J'ai mangé un beignet. Ah ! Je crois que j'ai oublié de t'informer que Peabody et McNab crèchent chez nous ce soir !

— M'informer ?

— Summerset s'est énervé contre moi parce que j'avais oublié de le prévenir que j'attendais une livraison pour aujourd'hui. Bref, Peabody veut s'occuper de la déco pour la fête – ce qui m'échappe totalement. Il y aura des invités, des cadeaux, de la nourriture, que peut-on désirer de plus ?

— Nous n'allons pas tarder à le découvrir. Mais c'est parfait. J'en profiterai pour enlever McNab demain. On s'offrira une journée entre hommes.

— Quoi ? Tu veux t'en aller ? paniqua-t-elle en blêmissant. Tu ne restes pas avec moi ?

— Rien de ce que tu pourras faire, dire ou me proposer – y compris des faveurs sexuelles – ne me retiendra à moins de cent mètres de cette fête.

— Merde.

— D'ailleurs, j'ai déjà prévu une petite escapade avec Leonardo. McNab se joindra à nous.

— Et s'il y a un problème ? murmura-t-elle en lui agrippant le bras. Si le traiteur devient fou, cela arrive, ou si l'une de ces femmes enceintes se perd dans la maison ?

Il se contenta de savourer une gorgée de vin.

— D'accord, d'accord, grommela-t-elle en levant les yeux au ciel. Je gère. Mais, si tu veux mon avis, je trouve ignoble que tu ailles boire de la bière pendant que je suis coincée au *Baby Central*, uniquement parce que tu as un pénis.

— Nous penserons à toi affectueusement.

Elle continua de manger quelques instants, puis esquissa un sourire.

— N'empêche que tu devras être là, dans la salle de travail, quand elle accouchera.

— Tais-toi, Eve.

— Ce jour-là, ton pénis ne te sauvera pas, camarade.

Il saisit un petit pain, le rompit, lui en tendit la moitié.

— Vous avez prévu des jeux ? Il y aura des récompenses ?

Elle grimaça.

— D'accord, je la ferme. Si on parlait homicides ?

— Avec plaisir.

Elle lui résuma la situation, tandis qu'ils dégustaient un cappuccino.

— Donc, Cavendish et son assistante t'ont déplu.

— J'ai senti de drôles de vibrations. Il y a quelque chose qui cloche, et c'est la secrétaire qui tire les ficelles.

— Je ne le connais pas. En revanche, j'ai eu l'occasion de rencontrer les autres acteurs du casting d'aujourd'hui.

— J'ai réussi à sortir une bio de base. Quarante-six ans. Il aime jouer au squash. Marié deux fois, il a largué sa première femme il y a huit ans. Une fille, douze ans. C'est la mère qui en a la garde, et elle s'est installée à Paris. Il s'est marié avec l'épouse numéro deux dès la prononciation de son divorce. Elle a vingt-neuf ans. Ex-mannequin. Selon moi, la première lui a permis de grimper les échelons de la hiérarchie mondaine, la deuxième lui sert de faire-valoir, et il fricote avec son assistante.

Elle fronça les sourcils.

— Elle a une prédilection pour le cuir, les bottes à talons hauts, et elle l'oblige à aboyer comme un chien quand elle le saute.

— Pas possible ? s'exclama Connors en riant. Et tu sais cela parce que…

— Des deux, c'est elle qui a des couilles. Lui, se contente de tripoter le papier, d'attendre les événements, d'assister aux réunions et d'exécuter les ordres.

— Tu penses que quelqu'un lui a donné l'ordre d'éliminer Copperfield et Byson ?

— Ce n'est pas impossible, mais ce serait un peu trop facile. Non… notre assassin était trop lucide, trop sûr de lui. Cavendish s'est mis à suer comme un porc rien qu'en me parlant. Il sait quelque chose – notamment qui a commis ces crimes.

— Tu as l'intention de le faire transpirer de nouveau.

— C'est une solution : le cuisiner, le titiller. Mais je n'ai pas de quoi le faire craquer. Je vais devoir creuser la question, car je suis certaine qu'il était là où il le prétend, la nuit des meurtres. Chez lui, la tête cachée sous la couette parce qu'il savait pertinemment ce qui se déroulait ailleurs au même moment.

— Si la filiale new-yorkaise de la firme est impliquée, si elle a servi à détourner des fonds ou à blanchir de l'argent, je le découvrirai.

« Il en est capable, songea Eve. Non seulement parce qu'il est malin, mais aussi parce que sa fierté est en jeu. »

— Je compte sur toi. Il serait temps qu'on s'y mette.

Elle sut tout de suite que Peabody et McNab étaient là, en entendant les voix et la musique s'échapper de la salle où devait se dérouler la fête. Tant pis si elle passait pour une lâche, Eve fonça directement vers son bureau.

Après avoir complété son tableau, elle s'assit et réfléchit plus particulièrement sur le cas d'Ellyn Bruberry. Elle afficha sa biographie sur l'écran mural. Quarante ans. Célibataire, pas d'enfants. Domiciliée dans le West Side, elle devait avoir une vue splendide sur le parc et payer un loyer exorbitant. Pas mal, pour une assistante juridique.

Native des États-Unis, elle avait quitté Pittsburgh pour Londres vers l'âge de vingt ans. C'est là qu'elle avait été engagée par la firme Stuben, Robbins et Cavendish (Mull était arrivé après) en qualité d'assistante juridique. Elle était revenue à New York six ans plus tard monter la filiale américaine avec Walter Cavendish.

Après le deuxième mariage de ce dernier.

Casier judiciaire vierge.

Eve s'intéressa à ses relevés de banque. Un salaire plus que confortable, mais depuis quand était-il interdit de bien payer ses employés ? Les quelques dépôts importants – à Noël, à son anniversaire et à sa date d'entrée dans la société – pouvaient parfaitement correspondre à des primes.

Surtout, elle avait confié la gestion de ses comptes personnels à Sloan, Myers et Kraus. Intéressant...

Après vérification, Eve constata qu'elle n'avait jamais été cliente de Byson. Elle devrait donc demander qui était chargé du dossier.

Les liens, se dit-elle de nouveau. Quels sont les liens qui relient Copperfield et Byson à Cavendish et Bruberry ?

Le cabinet d'avocats, une fois de plus, et forcément Eve retombait sur la fondation Bullock, cliente à la fois des avocats et des experts financiers. Or, quand elle avait demandé à Cavendish s'il avait vu les représentants de la fondation lors de leur dernier séjour à New York, il avait paru gêné.

C'était le partenaire le plus jeune, Robert Kraus, qui avait reçu Bullock et Chase – tous deux ayant confirmé son alibi.

— Dallas !

Elle grogna, tout en sortant la biographie de Kraus.

— Encore au boulot ? C'est pas possible ! gronda Peabody en se plantant devant elle, les mains sur les hanches. Venez voir ce qu'on a fait, pour la déco. J'ai besoin de votre avis.

— Continuez. Je suis sûre que c'est parfait.

— Dallas, il est plus de vingt-deux heures !

— Je vais être punie ?

— Vous voyez bien que vous êtes d'une humeur de chien, répliqua Peabody en pointant sur elle un doigt accusateur. Prenez une pause, au moins. Venez voir. C'est pour Mavis.

— D'accord, d'accord. Au secours, mon Dieu !

Cependant, si elle devait subir ce supplice, elle refusait de le faire toute seule. Elle se précipita dans le bureau de Connors.

— On va s'occuper des préparatifs.

— Amuse-toi bien.

— Euh… « on », c'est nous. C'est-à-dire toi et moi.

— Je n'en ai aucune envie.

Il commit l'erreur de lever les yeux sur elle.

— Bon, je m'incline. Mais, quand tout cela sera enfin terminé, nous prendrons ces fichues vacances que nous repoussons sans cesse. Je nous vois déjà en train de gambader nus sur une plage de sable fin.

— Tu peux compter sur moi.

# 11

Ce ne furent pas des colonnes de chiffres qui peuplèrent le sommeil d'Eve, mais des arcs-en-ciel et d'étranges bébés munis d'ailes. Quand les bébés volants se mirent à bourdonner comme des guêpes et à se regrouper, elle se réveilla en sursaut.

Elle se redressa d'un bond.

— Mon Dieu !

— Un cauchemar ?

Connors, qui était déjà levé, quitta le canapé du coin-salon pour s'asseoir au bord du lit.

— Eve chérie, nous avons besoin de vacances.

— Il y avait des ballons, murmura-t-elle. Et les bords des ailes étaient tranchants comme des lames de rasoir, ce qui crevait les ballons. Quand ils éclataient, d'autres bébés volants en jaillissaient.

Il laissa courir un doigt le long de sa cuisse.

— Tu pourrais peut-être faire un effort et rêver de sexe.

— Il a bien fallu que quelqu'un fasse l'amour pour créer tous ces bébés volants, non ?

Soudain, elle se pencha en avant et empoigna son pull. Son regard trahissait le désespoir.

— Ne me laisse pas seule avec toutes ces femmes aujourd'hui.

— Navré. Je m'en tiens à la clause Pénis. Ce qui peut paraître obscène, ainsi énoncé, mais c'est comme ça. Aucune négociation n'est possible.

— Salaud ! grommela-t-elle, avec davantage d'envie que de colère.

— Là, là, murmura-t-il en lui tapotant distraitement l'épaule.

— Peut-être qu'il va neiger. Un blizzard, qui empêcherait la plupart des gens de venir. Une de ces tempêtes qui paralysent New York.

— La météo prévoit un ciel dégagé et une température de huit degrés.

— J'ai entendu. J'ai entendu.

Se rasseyant, elle pointa le doigt sur son torse.

— Pas les mots, le ton. Tu trouves cela drôle.

— C'est drôle. D'autant que tu vas probablement beaucoup t'amuser. La joie de Mavis va te réjouir, et tu vas enfin pouvoir prendre un peu de recul, entourée de femmes que tu apprécies.

— Mais, Connors, il va y avoir des jeux !

— Tu n'es pas obligée de jouer.

— Ah, bon ?

Malgré lui, il sourit devant son air à la fois paniqué et soupçonneux.

— C'est toi l'hôtesse : ce serait ridicule que tu participes aux jeux et que tu remportes les prix.

— C'est vrai ?

— En tout cas, c'est ce que tu expliqueras.

— Parfaitement, approuva-t-elle, reprenant courage. Merci.

Elle décida de se remonter le moral en s'offrant une bonne séance d'entraînement dans la salle de gym, suivie d'un plongeon dans la piscine et d'une douche chaude. Ensuite, elle se glissa dans son bureau pour lancer plusieurs calculs de probabilités.

— Vous êtes encore en train de bosser !

Eve frémit, submergée par un sentiment de culpabilité.

— Pour qui vous prenez-vous, Peabody ? La police du travail ? rétorqua-t-elle.

— Ce n'est pas un flic qu'il vous faut, mais un gardien. Dallas, le traiteur va arriver d'une minute à l'autre.

— D'accord, parfait, très bien. Qu'on me prévienne ! riposta Eve en agitant la main. Je vérifie juste deux ou trois détails concernant un double meurtre.

Peabody demeura où elle était, impassible, en tapotant du pied. Vaincue, Eve éteignit l'ordinateur.

— Vous n'êtes pas la police du travail, vous êtes la gestapo des fêtes.

— Mavis vient d'appeler. Elle n'a pas cherché à vous joindre sur votre communicateur. Elle savait que vous seriez débordée par les préparatifs. Elle est en chemin, parce qu'elle meurt d'impatience.

— Nom de Dieu ! Je ne travaille plus, non ? Je sors de mon bureau. Vous êtes témoin. Je franchis le seuil et je ferme la porte derrière moi.

Peabody se contenta de sourire. La culpabilité était l'arme la plus efficace. Elle en savait quelque chose. Elle l'avait appris sur les genoux de sa mère.

Première surprise : le traiteur ne voulait absolument pas qu'Eve intervienne. Au contraire, il souhaitait qu'on le laisse s'installer tranquillement. Deuxième surprise : Summerset était parti et ne reviendrait que le lendemain.

— Il n'y aura aucun chromosome Y sur les lieux cet après-midi, lui annonça Connors. Sauf le chat.

Tous deux se tenaient au milieu du salon du premier étage. Plus vaste que celui du rez-de-chaussée, il comportait deux gigantesques cheminées en malachite. Sofas, fauteuils et coussins étaient disposés de manière à ménager plusieurs coins de conversation. Une longue table recouverte de tissus et de bougies multicolores courait le long du mur du fond. Au-dessus, guirlandes, ballons roses et bleus et une vigne fleurie jaillissaient d'un disque argenté pour former une sorte de dais sur cette desserte destinée à recevoir tous les cadeaux. Un peu partout, de petits paniers argent en forme de berceaux servaient de réceptacle à des bouquets de fleurs miniatures.

Les buffets – tous arc-en-ciel – étaient en cours de préparation. Le traiteur en avait déjà terminé un, au milieu duquel trônait une sculpture de glace représentant une cigogne qui portait un sac dans son bec.

Eve avait cru que ce serait ridicule. En fait, c'était charmant.

Les feux étaient allumés, et le rocking-chair magique était en place, drapé d'arcs-en-ciel et jonché de fleurs.

— Au fond, c'est assez réussi.

— Mignon comme tout, approuva Connors en lui prenant la main. Très féminin. Félicitations.

— Je n'y suis pas pour grand-chose.

— Faux. Tu as traîné des pieds chaque fois que tu le pouvais, mais tu as toujours fini par faire ce qu'il fallait.

Il porta sa main à ses lèvres, puis se pencha pour l'embrasser.

— Oups ! s'exclama Peabody, sur le seuil. Je ne voudrais surtout pas vous déranger, si cette cigogne et ces berceaux venaient à vous donner des idées.

— Attention à vous ! grommela Eve.

— Mavis est avec moi. J'ai pensé que vous voudriez lui indiquer le chemin.

— Sa grossesse affecte sa vue ?

— Non, je me disais juste que… Laissez tomber… Mavis, prête ?

Mavis avait beau porter dix kilos de plus, sa démarche n'avait rien perdu de sa légèreté. Chaussée d'aéroboots rose bonbon qui lui montaient jusqu'aux genoux, elle fit irruption dans la pièce comme si elle était juchée sur une paire de ressorts. Sa jupe blanc et bleu tournoyait comme des pétales de fleurs sous son ventre en forme de ballon de basket. Les manches de sa robe arboraient des motifs géométriques multicolores qui se rejoignaient en pointe sur le dos de ses mains.

Ses cheveux – aujourd'hui d'un blond léger – étaient rassemblés en une longue tresse aussi bondissante qu'elle.

Elle s'arrêta net, plaqua les deux mains sur sa bouche et fondit en larmes.

— Merde ! bredouilla Eve.

— Non, non, non !

Secouée de sanglots, Leonardo sur ses talons, Mavis agita la main.

— Je suis tellement émotive. Complètement victime de mes hormones ! Qu'est-ce que c'est *joli* ! Tous ces arcs-en-ciel, toutes ces fleurs. C'est magique, Dallas ! Magique !

Elle traversa la salle et vint se jeter dans les bras de son amie – le ventre en avant.

— Bon. Parfait. Tant mieux. Je suis contente que cela te plaise.

— C'est *génial* ! Peabody ! ajouta-t-elle en l'enlaçant à son tour. Merci ! Merci ! Merci !

— Vous devriez peut-être vous asseoir.

— Non, non, ça va. Je suis une fontaine ambulante, c'est tout. N'est-ce pas, mon chou ? murmura-t-elle à l'intention de Leonardo.

— Hier soir, nous avons mangé des carottes miniatures, expliqua-t-il tout en lui passant des mouchoirs en papier. Elle a pleuré pendant dix minutes.

À l'évidence, ce souvenir l'amusa, et elle sourit en se tournant vers lui pour l'étreindre.

— Je ne sais pas comment tu fais pour me supporter. À trois heures du matin, je me suis réveillée, affamée. Comme si je n'avais rien avalé depuis une semaine. Mon ours préféré s'est levé et m'a préparé une assiette d'œufs brouillés. Oh ! la la ! Qu'est-ce que c'est que ça ? s'écria-t-elle en avisant le rocking-chair. On dirait un trône ! Je peux m'y asseoir ?

— C'est ta place, répliqua Eve.

— Puis-je vous aider, Majesté ? intervint Connors en lui offrant son bras.

— C'est le nec plus ultra ! Vous, les hommes, vous allez vous enfuir jusqu'à ce soir, n'est-ce pas ?

— Dès que possible, confirma-t-il.

— Entendu. Je vous en donne l'autorisation.

— Offrez-lui les machins, chuchota Peabody à Eve.

— Elle va se remettre à pleurer.

— Des machins ? J'ai déjà droit à des cadeaux ? Qu'est-ce que c'est ? Où ?

Vaguement inquiète, Eve se dirigea vers un placard, en sortit le sceptre et la tiare.

— Waouh ! Trop cool !

Soulagée, car cette fois les yeux de Mavis brillaient de joie et non de larmes, Eve tendit la tiare à Leonardo.

— Tu sauras probablement mieux que moi comment la poser.

— Couronne-moi, mon petit loup, murmura Mavis. Que la fête commence !

Une heure plus tard, la pièce était tellement remplie d'œstrogènes qu'Eve se demanda si elle ne pourrait pas en mettre en flacons pour les revendre au marché noir. Les jeunes femmes grignotaient, sirotaient, roucoulaient sur leurs ventres respectifs, discutaient de tout ce dont on discute « entre filles ».

Les cheveux. *Cette coupe te sied à merveille. Et quelle superbe couleur ! Qui est ton coiffeur ?*

Les vêtements. *Magnifiques, tes chaussures. Elles sont confortables ?*

Les hommes. *Il m'entend, mais ne m'écoute pas*.

Et, bien évidemment, vu la nature de l'événement, elles parlèrent bébés, bébés et encore bébés.

Le plus surprenant, pour Eve, fut de découvrir que les femmes qui avaient déjà eu des enfants se sentaient obligées de partager leur expérience avec celles qui s'apprêtaient à surmonter l'épreuve de l'accouchement.

*Seize heures de travail, deux heures et demie à pousser comme une malade, mais ça valait le coup.*

*Titania a surgi dès que j'ai perdu les eaux. Si j'étais arrivée à la clinique dix minutes plus tard, elle serait née dans le taxi !*

*On a dû me faire une césarienne. Wiley refusait de se retourner.*

Les conseils allaient bon train :

*Surtout, achète* Symphonie pour la naissance de Magdelina. *Sans ça, j'aurais été perdue.*

*L'accouchement en piscine, c'est ce qu'il y a de mieux. J'ai eu les deux miens dans un lagon de naissance. C'est une expérience religieuse.*

*Accepte la péridurale.*

« Voilà la déclaration la plus sensée de la journée », songea Eve.

Un cocktail frappé à la main, Nadine Furst – reporter hors pair et bientôt présentatrice de sa propre émission sur les grandes enquêtes criminelles – rejoignit Eve.

— C'est merveilleux, Dallas. Jamais Mavis ne m'a paru aussi heureuse. Elle est radieuse.

— Attendez un peu, elle pourrait bien fondre en larmes dans deux minutes.

— Les hormones, murmura Nadine en haussant les épaules... Je voulais vous parler.

— Vos cheveux sont superbes, vos chaussures magnifiques, et je suis sûre que votre amant du moment est beau et intelligent. On a fait le tour ?

— Non, vous avez trois points sur trois. Nous sommes en train de peaufiner mon émission. Les producteurs et moi-même avons pensé que ce serait formidable d'y inclure une séquence mensuelle avec vous. Une heure intensive, toutes les quatre semaines, qui nous permettrait de nous concentrer sur votre enquête en cours, mais aussi de faire un bilan de toutes les affaires traitées durant le mois.

Nadine leva son verre comme pour porter un toast avant de boire.

— Ce serait un plus pour l'émission et ce serait excellent pour l'image du NYSPD.

— Une participation mensuelle ? Laissez-moi réfléchir un instant. Non.

Nadine se contenta de hausser les sourcils.

— Mon équipe s'en doutait. Aussi, j'ai une proposition à vous faire qui pourrait convenir aux deux parties. Une séquence mensuelle avec la brigade Homicide. Un membre de votre équipe vient toutes les quatre semaines. Tout ce que vous avez à faire, c'est désigner un de vos inspecteurs et me donner le feu vert pour que je puisse me préparer. C'est du reportage de qualité, Dallas, et c'est une manière d'humaniser la police auprès du public.

— Peut-être.

La réalité, c'était qu'il fallait bien composer avec les médias, et que Nadine était une journaliste consciencieuse.

— À voir avec les gros bonnets.

— Vous restez la première sur ma liste, affirma Nadine en lui donnant une tape sur l'épaule. L'enquête sur laquelle vous travaillez actuellement serait idéale. Deux amoureux, jeunes, beaux, apparemment ordinaires, ont été ligotés, torturés, puis assassinés. Où en êtes-vous ?

— C'est ce que j'adore chez vous, Nadine. Vous savez entretenir les conversations mondaines.

— Vous préférez parler accouchement et allaitement ?

— Plutôt me jeter dans un brasier. Nous avançons. Connaissez-vous un certain Walter Cavendish ? Un avocat fortuné.

— Non, mais je peux me renseigner.

— Et la fondation Bullock ?

— C'est une organisation énorme. Très généreuse en dons, programmes d'aide, bourses d'études et de recherches. Basée à Londres, mais avec des satellites un peu partout, y compris hors planète. Aujourd'hui dirigée par la veuve et deuxième épouse de Bullock, qui adore se retrouver sous les projecteurs, et son fils, toujours à son côté. Quel est le rapport entre la fondation Bullock et vos deux comptables défunts ?

— C'est la question.

Voyant Peabody se ruer vers elle, Eve comprit qu'elle était sur le point de retomber en Babyland. Elle s'empara d'un cocktail.

— Il faut commencer les jeux ! annonça Peabody, le regard pétillant.

— Allez-y !

— Non, non, c'est à vous de présider. Si c'est moi, je ne peux pas jouer et j'ai très envie de jouer.

— Je ne suis pas là, marmonna Nadine, tandis qu'Eve se tournait vers elle.

— Flûte ! Bon, d'accord, je viens.

Elle avait dirigé des opérations d'envergure, des troupes. Elle était donc capable de gérer une centaine de jeunes femmes, le temps d'une série de jeux imbéciles.

« Elles sont complètement cinglées ! » se dit Eve, au bout d'un quart d'heure. Hystériques, elles criaient, s'esclaffaient, rigolaient comme des malades mentales, tout en essayant de décrypter les rébus qu'elle leur proposait.

— Berceau ! hurla une jolie brune qui semblait porter des triplés.

— Bravo ! Gagné ! Calmez-vous, marmonna Eve en priant pour ne pas craquer avant la fin de la partie.

Elle eut enfin droit à un instant de répit, quand la gagnante exigea qu'on l'aide à se lever pour aller inspecter ses prix.

De son trône, Mavis lui prit le bras.
— Dallas ?
— Tu as besoin de quelque chose ? Tout va bien ?
— Oui, c'est épatant. Mais Tandy n'est pas là. Je ne sais pas ce qui a pu se passer. J'ai essayé de la joindre chez elle et sur son communicateur portable. Elle ne répond pas. J'ai pensé qu'elle était peut-être en phase de travail, mais à la clinique, on me dit qu'elle ne s'est pas inscrite.
— Elle a peut-être oublié.
— Impossible. La dernière fois que je lui ai parlé, elle ne pensait qu'à cette fête. Je suis assez inquiète.
— Ne le sois pas.
Mais une Mavis inquiète pouvait se transformer au quart de tour en une Mavis larmoyante.
— Elle est sur le point d'accoucher, non ? Imagine qu'elle se soit sentie fatiguée, qu'elle ait débranché ses appareils pour faire une sieste. Essaie de la rappeler plus tard.
— Mouais... Tu as raison, ce doit être ça. Elle avait besoin de se reposer. Je suis triste qu'elle rate un tel événement. Tout est si parfait, et elle se faisait une joie de venir.
Les yeux de Mavis se mirent à briller, et Eve s'accroupit auprès d'elle.
— Je suis sûre que ce n'est rien. Tiens ! On va lui mettre une part de gâteau de côté et une pochette-surprise.
— Oui, bonne idée. Je n'oublierai jamais cette journée, Dallas.
— Détends-toi et profites-en à fond. Il faut que je lance le deuxième round.
Une horde de créatures surexcitées lui paraissait moins effrayante qu'une Mavis éreintée avec les nerfs en pelote.
La séquence jeux ayant pris fin, Peabody proposa que l'on s'attaque à déballer les cadeaux.

Alors que Mavis ouvrait un paquet en poussant des cris d'exclamation, Eve se laissa tomber dans un fauteuil à l'autre bout de la pièce. Peu après, Mira s'approcha.

— C'est une réussite.

— Comment font-elles pour se mettre dans des états pareils ? Pour un peu, j'aurais endossé mon matériel de protection antiémeutes.

— Les bébés, surtout lorsqu'ils sont désirés, suscitent une joie incomparable. Quant à nous autres femmes – que nous choisissions ou non d'en avoir –, nous savons que nous sommes seules capables de les mettre au monde. Nous avons le pouvoir... Je vous félicite, Eve, ajouta-t-elle en lui tapotant la main. Votre amie est enchantée.

— Je n'étais pas certaine de m'en sortir. D'ailleurs, sans Peabody sur mon dos, j'aurais lamentablement échoué. Mais cela valait le coup.

— Malgré les seize heures en salle de travail ? la taquina Mira.

— Mon Dieu, *pourquoi* ? Pourquoi prennent-elles autant de plaisir à en parler ? Cela me donne la chair de poule.

— C'est le pouvoir de l'amour. Chaque expérience est unique. Intime, prodigieuse, elle crée un lien entre les femmes. Un jour, quand vous serez prête, vous comprendrez.

— Après avoir assisté à cette séance de préparation à l'accouchement, l'idée, qui n'en était en fait qu'au stade de concept, est redescendue tout en bas de ma liste de priorités.

— Quand vous serez prête, répéta Mira. J'aime bien les regarder. Les femmes. Les tailles, les formes, les couleurs... Il en découle un certain dynamisme. Voyez Louise et Nadine, là-bas, tête contre tête. Et Trina, l'amie de Mavis, entourée de ces deux femmes. Je parie qu'elle leur donne des conseils de beauté à suivre scrupuleusement, le temps de leur grossesse. Et Peabody, si heureuse de se rendre utile. Mavis, sur son trône – excellente trouvaille, au passage ! –, si fraîche, si vivante. Pendant que vous et moi restons à l'écart, en observatrices.

— J'ai l'impression de contempler des extraterrestres, avoua Eve. Prenez cette blonde, là-bas, en robe rouge. Elle a mal aux pieds. Mais on lui a fait des compliments sur ses chaussures, alors elle affirme qu'elles sont confortables. Maintenant, elle est coincée. Et la brune, en minijupe verte ? Elle retourne sans arrêt au buffet. Chaque fois, elle se sert une part minuscule de gâteau. Elle en a dévoré une douzaine. Elle aurait pu en prendre une part normale, une fois pour toutes. Non. Elle se dit qu'une lichette, ça ne compte pas.

Mira s'esclaffa, et Eve s'abandonna à un jeu dont elle connaissait parfaitement les règles.

— Trina ? Dieu soit louée, elle a été trop occupée pour me pousser dans un coin et me parler de mes cheveux ! Elle profite de la situation pour élargir sa clientèle. En même temps, elle n'est jamais à moins d'un mètre de Mavis. Elle veille sur elle. Elle lui a apporté une boisson, une pâtisserie. Elle l'a accompagnée chaque fois qu'elle avait besoin de se rendre aux toilettes.

— Elle m'a parlé d'un nouveau produit hydratant révolutionnaire. Elle m'en a même donné un échantillon. Ah ! Mavis s'apprête à ouvrir le cadeau de Peabody. Je meurs d'impatience de savoir ce que c'est.

— Elle est nerveuse. Peabody, précisa Eve. Elle transpire à grosses gouttes, tellement elle a peur que cela ne plaise pas à Mavis. Offrir des cadeaux est un supplice.

Toutefois, quand Mavis souleva le couvercle de la boîte, elle s'exclama :

— *Peabody !*

Avec délicatesse, Mavis souleva les chaussons et le bonnet tricotés en un dégradé de pastels. Eve eut l'impression que toutes les invitées fondaient littéralement. Quand Mavis leur montra la couverture, elles poussèrent des cris d'admiration et se précipitèrent pour la toucher.

— C'est magnifique, murmura Mira. Absolument magnifique.

Mavis descendit de son trône pour étreindre Peabody avec fougue. Les joues rouges, Peabody accepta ses compliments.

— Euh, puisque vous êtes debout... Il reste un dernier cadeau, de la part de notre hôtesse. Dallas ?

— Zut ! C'est à moi d'entrer en scène, marmonna Eve.

Peabody l'avait harcelée quant à la manière de procéder. Elle saisit donc un bord de la couverture, tandis que Peabody prenait l'autre. Quand elles l'arrachèrent d'un coup sec, Mavis plaqua les mains sur son cœur.

— Nom d'un p'tit bonhomme ! Nom d'un p'tit bonhomme. C'est exactement celui dont je rêvais ! Oh ! Ces couleurs ! Et je suis assise dessus depuis des heures sans le savoir. Dallas ! C'est une pure merveille ! Tu n'étais pas obligée de m'offrir quoi que ce soit. Tu as déjà organisé la fête...

— Et c'est maintenant que tu me le dis ?

Mavis se mit à rire.

— Vas-y, essaie-le !

L'atmosphère se calma petit à petit. Aucune catastrophe, aucun accouchement imprévu à signaler, tout le monde semblait content. Eve se dit qu'elle avait marqué un point.

À présent, elle n'avait qu'une envie : se glisser dans un bain chaud en savourant un cocktail.

— Les hommes reviennent, annonça Peabody. Ils vont t'aider à charger, Mavis. Leonardo, McNab et moi te monterons le tout dans l'appartement.

— Je peux vous donner un coup de main, dit Trina.

Aujourd'hui, la ravissante esthéticienne arborait une coiffure alambiquée, tout en tresses et en boucles magenta. Elle posa son regard sur Eve.

— Il faudrait penser à une séance.

— Pas maintenant. J'ai trop bu.

— Va pour cette fois. Mavis, tu devrais t'asseoir.

— Je suis trop excitée. Vivement que Leonardo voie tous ces cadeaux ! C'est génial. Dallas, j'ai une dernière chose à te demander.

— Qu'est-ce qu'on a oublié ? s'exclama Eve en scrutant les alentours. Il ne reste sûrement plus un accessoire pour bébé dans tout Manhattan.

— Non, c'est à propos de Tandy. Elle ne répond toujours pas. Cela fait plusieurs heures, et je l'imagine toute seule chez elle, assaillie par les contractions. J'aimerais y faire un saut. Tu peux venir avec moi ? S'il te plaît ?

— Tu as eu une grosse journée, lui rappela Trina. Tu devrais rentrer chez toi te reposer.

— Je ne pourrai pas tant que je ne serai pas rassurée. Elle n'a personne. Et moi… moi, j'ai tout.

Pressentant une nouvelle crise de sanglots, Eve s'interposa.

— Pas de problème. On va y passer, je te déposerai ensuite.

Ce qui repoussait d'autant le bain chaud arrosé d'un cocktail, mais lui épargnait la corvée de porter tous les cadeaux jusqu'à la voiture.

— Je t'interdis d'accoucher pendant mon tour de garde, prévint-elle en aidant son amie à grimper à bord du véhicule.

— Je suis solide, n'aie pas peur. Juste un peu fatiguée. Je sais que j'ai sans doute tort de paniquer pour Tandy, mais je n'y peux rien. Nous sommes devenues très copines ces derniers mois. Quand on a discuté, il y a deux jours, elle n'a parlé que de la fête. Elle n'a pas pu oublier.

— Très bien, on va jeter un coup d'œil. Si elle n'est pas à la maison, on interrogera les voisins. Ils doivent être au courant, surtout si elle est en train d'accoucher.

— Oui, oui. Elle s'est peut-être rendue dans une autre clinique. Les sages-femmes sont affiliées à plusieurs établissements. Ce doit être cela. Si ça se trouve, elle a déjà eu son bébé ! Ou bien il est en train de naître à cet instant précis.

Mavis frotta son ventre rond.

— C'est peut-être moi la prochaine.

— Pas aujourd'hui, d'accord ? murmura Eve en l'observant à la dérobée. En aucun cas aujourd'hui.

— Pas question ! Je veux prendre le temps de profiter de mes cadeaux, de ranger les tenues, d'essayer les jouets et de tout préparer avant l'arrivée de Rufus ou d'Hortense.

— Rufus ? Abricot ?

— Je cherche, je cherche.

— Tu veux un conseil ? Continue à chercher.

# 12

Ayant conduit Eve devant la porte de l'appartement de Tandy, Mavis se balança d'un pied sur l'autre.

— J'ai encore envie de faire pipi. Ces temps-ci, j'ai l'impression que j'ai une vessie de la taille d'un petit pois, et que le peu qu'il en reste est sans cesse roué de coups de pied.

— Pense à autre chose, marmonna Eve en frappant. Arrête de sautiller comme ça !

— Elle ne répond pas. J'ai vraiment, sérieusement envie de faire pipi.

Eve changea de tactique et se détourna pour frapper en face. Un moment plus tard, la porte s'entrouvrit, et une femme les scruta avec méfiance par-dessus sa chaîne de sécurité.

— Qu'est-ce que c'est ?

— Madame Pason ! Vous vous souvenez de moi ? Je suis Mavis, l'amie de Tandy.

— Ah, oui ! C'est elle que vous cherchez ?

— Oui. Elle a raté la fête pour mon bébé et ne décroche pas son communicateur, alors j'ai... Ouille ! Madame Pason, je meurs d'envie de faire pipi.

— Bien sûr. Entrez, je vous en prie, répondit-elle en décrochant la chaîne. Vous, je ne vous connais pas, ajouta-t-elle en s'adressant à Eve.

— C'est mon amie Dallas. Elle a organisé une superbe fête en mon honneur aujourd'hui. Je reviens tout de suite.

Mme Pason croisa les bras, tandis que Mavis disparaissait au bout du couloir.

— Je n'aime pas que des inconnus entrent chez moi.

— C'est normal. Je peux l'attendre ici.

— Pour une fois, ça ira, puisque vous êtes son amie. Tandy et Mavis sont des filles charmantes.

— Vous avez vu Tandy, récemment ?

— Il y a deux jours, il me semble. Nous sommes parties travailler en même temps.

— C'était donc...

— ... Mercredi ? Jeudi ?

Mme Pason haussa les épaules.

— Tous les matins se ressemblent, vous savez.

— Merci infiniment, madame Pason ! s'exclama Mavis en revenant. Vous m'avez sauvé la vie. Avez-vous vu Tandy, aujourd'hui ?

— Non, il y a deux jours environ, comme je viens de l'expliquer à votre amie.

— Deux jours ?

Mavis agrippa le bras d'Eve.

— Dallas !

— Du calme. A-t-elle reçu de la visite, depuis ?

— Pas que je sache. Remarquez, je ne me mêle pas des affaires des autres.

— Dallas, nous devons entrer. Tu pourrais te servir de ton passe-partout.

— Un passe quoi ? demanda Mme Pason. Vous n'avez pas le droit de vous introduire chez les gens comme ça !

Eve sortit son badge.

— Si.

— Vous êtes de la police ? Pourquoi ne pas l'avoir dit plus tôt ? Vous croyez qu'il est arrivé quelque chose à cette adorable jeune femme ?

— Non, répliqua précipitamment Eve. Mais dans la mesure où elle ne répond ni à sa porte ni à son communicateur, et où vous ne vous rappelez pas l'avoir aperçue aujourd'hui, je préfère jeter un coup d'œil chez elle. Mavis pourrait peut-être patienter ici avec vous.

— Je t'accompagne, décréta celle-ci d'un ton ferme. Je veux être sûre que…

— Très bien. Très bien.

Au fond, c'était plus raisonnable. Si jamais Tandy s'indignait que l'on ait pénétré dans son appartement sans mandat, la présence de Mavis servirait de justification.

Eve frappa une dernière fois avant de sortir son passe-partout.

— Tandy, si vous êtes là, c'est nous, Dallas et Mavis. Nous entrons.

Elle décoda les serrures.

La pièce principale était de la même taille que celle de sa voisine, c'est-à-dire, minuscule. Tandy l'avait joliment arrangée, optant pour des couleurs douces et des rideaux ruchés à l'unique fenêtre. Ils étaient ouverts, afin que les quelques plantes vertes puissent profiter du pâle soleil hivernal.

Sur la table basse devant le canapé trônait une boîte emballée d'un papier blanc parsemé de vaches mauves. Elle était surmontée d'un énorme nœud violet.

— Tu vois, c'est mon cadeau, dit Mavis. Je m'étais extasiée sur ce papier dans sa boutique, il y a plusieurs semaines. Tandy ! Tandy ! Tout va bien ?

L'endroit était vide – Eve le sentait –, mais elle laissa Mavis s'y aventurer.

Aucun signe de lutte, nota-t-elle. Aucun signe d'un départ précipité. Tout était propre, ordonné, organisé.

— Je vais jeter un coup d'œil dans la chambre.

Mavis se dirigea vers la porte, mais Eve passa devant elle.

Le lit était impeccablement fait. À côté, un berceau avec des draps bleus. Un mouton en peluche y attendait le futur bébé.

Quelle était cette manie de disposer des animaux de ferme dans les lits des nourrissons ? se demanda Eve.

— Elle n'est pas là. Et voici son bagage pour l'hôpital, dit Mavis en indiquant une petite valise dans un coin.

Sans un mot, Eve s'avança jusqu'à la salle de bains. Une serviette-éponge blanche était drapée sur la tringle de douche. Complètement sèche.

Comme le reste, la salle de bains était étincelante, soigneusement rangée. Spartiate, estima Eve. Hormis les accessoires pour bébés, Tandy ne semblait pas du genre collectionneuse.

Elle possédait les objets indispensables et avait su les coordonner d'une manière agréable, mais de toute évidence elle avait horreur des chichis.

Eve revint dans la chambre, où Mavis se tenait les côtes.

— Dallas, je pense que…

— Ne pense rien pour l'instant. Je ne relève rien qui indique un problème ici, c'est donc une bonne nouvelle.

Elle alla se planter devant l'armoire, fureta dans sa garde-robe. Là encore, sobre. Des vêtements de grossesse pour la plupart, aux matières et aux couleurs simples. Pas de manteau – il n'y en avait pas non plus à la patère en chrome dans le vestibule.

Un sac marron était suspendu dans le placard. Vide. Le soir où elles s'étaient rencontrées, Tandy avait une sorte de cabas noir.

— Je ne vois ni son manteau ni son sac. Tout porte à croire qu'elle est sortie. Elle ne va sans doute pas tarder à revenir.

— Dans ce cas, pourquoi ne décroche-t-elle pas son communicateur ? Pourquoi n'est-elle pas venue à la fête ?

— Excellentes questions. Nous n'avons pas encore terminé.

Eve avait un mauvais pressentiment. Quelque chose clochait, mais à quoi bon inquiéter davantage Mavis ?

Eve revint dans le salon. Elle s'approcha de la fenêtre. Tâtant la terre des plantes vertes, elle découvrit qu'elle était aussi sèche que la serviette dans la salle de bains.

Elle se dirigea vers la kitchenette attenante. Les comptoirs étaient nets. Dans une coupe blanche, trois pommes. L'égouttoir contenait un bol, une tasse, un petit verre et une cuillère.

La vaisselle du petit-déjeuner, conclut Eve. Céréales, jus de fruits, tisane ou substitut de café décaféiné, décida-t-elle en inspectant brièvement les placards. Elle sortit deux flacons de pilules.

— Ce sont des suppléments pour le bébé. Des sortes de vitamines, annonça Mavis.

— Bien. Elle a un service pour quatre – assiettes, couverts. Elle reçoit beaucoup ?

— Je ne le pense pas. Elle m'a invitée une fois avec Leonardo, et nous l'avons reçue à la maison plusieurs fois. Elle n'a pas de petit ami. Elle est totalement centrée sur la naissance de son enfant.

Mavis suivit le regard d'Eve, qui s'était posé sur le mur.

— Ah ! C'est son calendrier. N'est-ce pas qu'elle est mignonne, cette photo d'un bébé habillé en tulipe ?

Eve se garda de lui répliquer qu'elle trouvait cela stupide, et Mavis enchaîna :

— Il y en a une pour chaque mois et... tiens ! Elle n'a pas mis de croix sur les deux derniers jours.

Eve avait déjà noté ce détail. Chaque case était marquée d'un X rouge jusqu'au jeudi. Mavis serra le bras de Dallas d'une main tremblante.

— C'était son compte à rebours jusqu'au jour B – le jour Bébé. Tu vois ? Tu vois ? Le 31 janvier. Elle l'a entouré d'un cœur. Sauf hier.

Affolée, Mavis s'accrocha au regard d'Eve.

— Et aujourd'hui. Oh !

Mavis appuya la main sur son ventre.

— Aïe !

— Ah, non, pas ça ! Pas maintenant. Respire.

— Ce n'est rien, c'est le petit qui me donne des coups de pied. Et j'ai les jambes un peu molles. Je ne me sens pas très bien.

Aussitôt, Eve la prit par la taille et la conduisit dans la salle de séjour.

— Assieds-toi et ferme les yeux. Respire. Je te conseillerais volontiers de mettre la tête entre les genoux, mais je crains que ce soit physiquement impossible, vu ton état.

Ce commentaire arracha un petit rire à Mavis, qui s'exécuta.

— Je vais bien, je t'assure. J'ai peur et je m'inquiète, c'est tout. Il est arrivé quelque chose à Tandy, Dallas. Il faut que tu la retrouves.

— C'est bien mon intention. Dans la case « vendredi », elle avait marqué « Max » et « 8 ». Qui est Max ?

— Aucune idée. Elle n'avait pas de petit ami. Elle me l'aurait dit.

Eve s'accroupit devant elle.

— Écoute-moi attentivement. Primo, je vais contacter les hôpitaux et les maternités. Deuzio, je vais joindre sa patronne à la boutique, pour savoir si elle s'est présentée à son poste jeudi.

— D'accord. Peut-être que le travail s'est déclenché et qu'ils l'ont emmenée d'urgence à la clinique la plus proche. C'est possible.

— Absolument.

— Mais si c'est le cas, pourquoi ne m'a-t-elle pas donné de nouvelles ? Mon Dieu ! Et si elle avait perdu son bébé ? Ou si elle avait eu un accident, et…

— Du calme, Mavis. Si elle a eu droit à seize heures de supplice, elle est sans doute trop fatiguée pour parler avec quiconque.

— Tu vas la retrouver.

— Je vais commencer par appeler ici et là et, si cela ne donne aucun résultat, je m'adresserai au service des Personnes disparues. Par précaution.

— Non, non. C'est toi qui dois la retrouver. Tu ne peux pas confier cette mission à quelqu'un d'autre. Si tu la cherches, tu la trouveras. J'en ai la certitude.

— Mavis, j'appartiens à la brigade Homicide, et je m'occupe d'une affaire de double meurtre. Le service des Personnes disparues règle ce genre de problème. Je vais entamer les démarches, et tout devrait rentrer dans l'ordre. Mais si d'ici demain…

— Je t'en supplie ! murmura Mavis, les yeux brillants de larmes. Il faut que ce soit toi, Dallas. Je suis sûre que tu vas retrouver Tandy. Elle est toute seule. Si tu t'occupes d'elle, tout ira…

— Mavis.

— J'ai peur pour elle. Pour son bébé. Si je sais que tu es à leur recherche, j'aurai moins peur.

— D'accord, je m'en charge. Pour l'heure, tu dois rentrer chez toi t'allonger.

— Mais je veux t'aider…

— Ne discute pas, Mavis. Je prends les choses en main, mais tu retournes dans ta maison. Je vais prévenir Leonardo, afin qu'il passe te prendre.

— Tu me tiendras au courant ?

— Promis.

Leonardo surgit en compagnie de Connors, de Peabody et de McNab.

— On venait juste de charger les cadeaux, expliqua Peabody. Toujours aucun signe de Tandy ?

— Pas encore. Allez-y. Je vais fureter encore un peu.

— Dallas va la retrouver, dit Mavis.

— Évidemment, la rassura Leonardo, d'une voix posée, tout en jetant vers Eve un regard consterné. Je te reconduis chez nous, ma poupée. Tu as eu une longue journée.

— Dallas, je propose de partir avec Leonardo pour l'aider à décharger, intervint McNab. Dès que nous aurons terminé, je vous contacterai et, s'il le faut, je vous rejoindrai.

— Entendu.

L'essentiel, c'était qu'ils ramènent Mavis et qu'elle se mette à l'horizontale. Elle était blanche comme un linge.

— Tu la retrouves vite, n'est-ce pas ?

— Bien sûr, Mavis. Ne t'inquiète pas.

— Je sais que ça va s'arranger, maintenant que tu t'en charges.

— Tu es épuisée, mon trésor, murmura Leonardo en l'entraînant vers la sortie. Laisse Dallas se mettre au boulot. Tu as besoin d'une bonne sieste.

Dès que la porte fut refermée derrière eux, Eve passa les deux mains dans ses cheveux.

— Merde !

— Vous préférez que j'aille frapper chez les voisins, ou que je m'attelle au communicateur ?

— Le communicateur, s'il vous plaît. Toutes les cliniques, toutes les maternités. Appelez sa patronne, tâchez de savoir ce qui a pu se passer jeudi.

— Tu penses qu'il lui est arrivé quelque chose, devina Connors.

— Oui. La nervosité de Mavis est peut-être contagieuse, mais c'est louche. Regarde cet appartement. Impeccable, rangé, chaque chose à sa place.

— Elle préparait son nid pour le bébé, renchérit Peabody.

— Peu importe. C'est une femme organisée. Si je me fie au calendrier, aux plantes et à la serviette de toilette, elle n'est pas rentrée depuis son départ pour la boutique jeudi matin.

Elle reprit son souffle.

— Je n'y connais rien mais, si elle a accouché prématurément, pourquoi n'a-t-elle pas prévenu quelqu'un, Mavis ou sa supérieure, pour qu'on lui apporte son bagage à l'hôpital ?

— Il y a peut-être eu un souci avec le bébé.

Eve hocha la tête en direction de Peabody.

— Voyons ce qu'il en est.

— En quoi puis-je me rendre utile ? demanda Connors.

— Vu que ta simple présence ici empiète sur tous les droits civils de Tandy, je te propose de jeter un coup d'œil sur ses appareils électroniques.

— Voulez-vous que je sollicite le service des Personnes disparues ? s'enquit Peabody.

— Pas encore. Si nous n'avons pas retrouvé Tandy dans les heures qui viennent, je vais devoir trouver le moyen de les persuader de me confier la mission. Sans quoi, Mavis m'en voudra à mort.

Eve commença par Mme Parson, mais n'obtint rien de plus que lors de leur premier entretien.

Elle quadrilla l'immeuble, étage par étage. La plupart des locataires qui acceptaient de lui parler connaissaient Tandy de nom – ce qui l'étonna vaguement –, les autres, de vue. Personne ne se rappelait l'avoir aperçue au cours des deux derniers jours.

Elle était au rez-de-chaussée, sur le point de frapper à la dernière porte, quand une femme tenant par la main un enfant emmitouflé jusqu'au nez surgit derrière elle.

— Vous cherchez quelqu'un ?

Tout en posant la question, elle se déplaça de manière à cacher l'enfant derrière elle.

— Oui. Vous habitez ici ?

— Vous êtes devant ma porte. Que voulez-vous ?

Eve sortit son badge, et la femme fronça les sourcils.

— Écoutez, si c'est mon imbécile d'ex qui a encore fait des bêtises, ça n'a rien à voir avec moi. Je ne l'ai pas vu depuis plus d'un an, et cela me convient parfaitement.

— Il s'agit de Tandy Willowby. Appartement 4B.

— Quand Tandy méritera la visite d'un flic, les poules auront des dents.

— Quand l'avez-vous vue pour la dernière fois ?

— Sans vouloir vous offenser, les flics me cassent les pieds. Si vous lui cherchez des poux, ce n'est pas à moi qu'il faut vous adresser.

— Je ne lui cherche pas des poux, je *la* cherche, tout simplement. Apparemment, personne ne l'a vue depuis deux jours. Je suis une amie d'une amie.

— De quelle amie ?

— Mavis Freestone.

— Vous êtes une amie de Mavis.

— Exactement. Une fête était organisée pour elle aujourd'hui. Tandy ne s'est pas montrée, et Mavis s'est inquiétée. Nous sommes venues voir si elle était là. Elle n'y est pas. Il semble qu'elle ne soit pas rentrée chez elle depuis jeudi. L'avez-vous vue entre-temps ?

— Mince alors ! Entrez. Max et moi, on crève de chaud, sous tout cet attirail.

— Max ?

Eve contempla le gamin aux yeux noirs, perdu dans un capuchon rouge.

— Oui, Max est mon fils, le seul profit que j'ai tiré de l'ex. Viens, camarade. Zeela, ajouta-t-elle, à l'intention d'Eve. Je m'appelle Zeela Patrone.

— Dallas. Lieutenant Dallas.

Zeela déverrouilla sa porte et laissa passer l'enfant. Puis elle s'accroupit devant lui.

— Tu es quelque part là-dedans, Force maximum ? Voyons un peu. Mais si, te voilà !

Il gloussa, tandis qu'elle le débarrassait de son anorak, de son écharpe, de ses gants. Sous tout ce fatras, il portait une salopette sur une chemise à carreaux de couleurs vives.

— Tu vas jouer dans ta chambre quelques minutes ?

— Je peux avoir un jus de fruits ?

— Dès que j'aurai terminé.

Il la tira par la main, lui chuchota quelques mots à l'oreille.

— Non, non, mon grand. Sors tes camions. Tout à l'heure, quand j'aurai fini de parler avec la dame, nous ferons la course.

Comme il s'éloignait, Zeela se redressa et sourit.

— Ce môme est un vrai miracle. Il n'a pas récupéré un seul chromosome de son andouille de père. Il est gentil, rigolo, intelligent. Vous savez ce qu'il me demandait ? De vous inviter pour le thé.

— C'est charmant, mais je ne peux pas. Tandy Willowby…

— Oui. Non, je ne l'ai pas vue. Justement. Elle devait garder Max, vendredi soir.

Zeela recoiffa distraitement ses cheveux aplatis par son bonnet.

— Je devais sortir avec un type que je rencontre sans arrêt chez le traiteur, en bas. Depuis la naissance de Max, les hommes me rebutent. C'était donc une grande première. Tandy m'avait promis de venir veiller sur Max toute la soirée.

— Elle vous a fait faux bond.

— Oui. Je l'ai appelée, je suis montée. Pas de réponse. J'avoue que j'étais en pétard.

Tout en parlant, elle accrocha ses affaires à la patère.

— Je me suis dit qu'elle avait oublié, ou qu'elle était fatiguée. Max était déçu, car il l'aime beaucoup. Nous attendions ce vendredi soir avec impatience, et elle nous a laissés tomber. J'ai décidé d'être furieuse. À présent, je me demande si je dois être inquiète.

— Vous la connaissiez bien ?

— Nous sommes devenues amies ces derniers mois. Moi aussi, j'ai accouché seule. Vous avez contacté sa sage-femme ? Elle n'était pas loin de son terme.

— Ma partenaire est là-haut, en train de se renseigner. Vous a-t-elle parlé du père de l'enfant ?

— Très peu. Elle m'a simplement dit qu'il était à Londres et qu'il n'était plus dans son univers. Sans rancœur. Ils ont dû se séparer à l'amiable.

— A-t-elle mentionné son nom ?

— Je ne crois pas. En tout cas, je ne m'en souviens pas. Il semble qu'elle soit tombée enceinte par accident.

Lui ne se sentait pas prêt à fonder un foyer, elle n'était pas sûre non plus. Après réflexion, elle a décidé de garder le bébé et de venir s'installer à New York, histoire de recommencer de zéro.

— Et ses autres amis ?

— Elle était très sociable. Mavis passait de temps en temps. J'ai rencontré une de ses collègues. Souvent, elle discutait avec sa voisine d'en face, Mme Parson. Elles partaient en même temps pour leur travail tous les matins. Quant aux hommes, ce n'était pas sa préoccupation.

— L'avez-vous sentie angoissée ?

— Au contraire ! Elle était en pleine forme, impatiente de devenir maman. Maintenant, je commence à me faire du souci. Cette ville peut être cruelle. Je n'ose pas imaginer ce qui a pu se passer.

— Rien, annonça Peabody à Eve, lorsque celle-ci regagna l'appartement de Tandy. Je sais qu'elle a la même sage-femme que Mavis, aussi je l'ai appelée. Randa Tillas. Elle affirme n'avoir eu aucune nouvelle de Tandy depuis leur dernier rendez-vous, lundi. Tandy allait bien. J'ai vérifié auprès de sa patronne. Elle avait pris son vendredi. Elle est prévue sur le planning des employées demain de midi à dix-huit heures. Son temps de travail a été réduit.

— Elle était là jeudi ?

— Pile à l'heure. C'était sa dernière journée de huit heures complètes. Elle a pointé juste après neuf heures et est repartie à dix-huit heures. Rien à signaler de particulier. Elle a eu trois pauses. Une heure entière pour le déjeuner – un privilège de grossesse. Elle les a passées dans l'arrière-salle, les pieds en l'air. Elle n'a pas quitté la boutique. Aucun contact extérieur via le communicateur du magasin. En ce qui concerne son appareil perso, je ne peux rien dire.

— Comment se rendait-elle de chez elle à son travail, en règle générale ?

— D'après la patronne, elle prenait le bus. J'ai le trajet. Le conducteur de jeudi est absent aujourd'hui. On peut le rencontrer chez lui ou attendre demain. Il est au courant.

— Chez lui.

— J'ai interrogé toutes les cliniques et les maternités à proximité de son domicile et de son lieu de travail. Personne ne s'est présenté sous son nom.

Eve se frotta les yeux.

— Très bien. Il faut élargir le périmètre et vérifier qu'aucun médecin légiste n'ait eu à autopsier une jeune femme correspondant à sa description.

Elle jeta un coup d'œil de côté, tandis que Connors sortait de la chambre.

— J'ai analysé son ordinateur et ses communicateurs. Aucune transmission sortante depuis mercredi soir, quand elle a eu une conversation avec Zeela Patrone, qui vit dans l'immeuble.

— Oui, j'ai sa déclaration. Tandy devait garder le fils de Patrone, vendredi soir. Elle ne s'est pas présentée et n'a pas pris la peine d'annuler. Et les entrants ?

— Rien pour jeudi. Un premier, le vendredi soir : le petit garçon de la voisine. Aux alentours de dix-neuf heures. De toute évidence, la mère était derrière. Un deuxième, juste après vingt heures : la mère en question, légèrement irritée, lui demandant où elle était, si elle avait oublié. Quant à aujourd'hui, j'ai relevé plusieurs tentatives de Mavis, depuis chez nous. C'est tout.

— Et l'ordinateur ?

— Rien qui me semble utile. Elle surfe sur les sites spécialisés de vente d'accessoires pour nourrissons. Elle a reçu plusieurs courriels de Mavis. Son adresse figure dans le répertoire, ainsi que celles de la sage-femme, de la voisine du rez-de-chaussée, du magasin, de quelques collègues. Franchement, rien de particulier.

— Je n'ai pas l'impression qu'elle se soit enfuie. Si elle avait eu un accident, on aurait alerté son médecin. Une femme aussi organisée qu'elle avait forcément toutes les coordonnées dans son sac. Pourquoi voudrait-on enlever une femme sur le point d'accoucher ?

— Pour le bébé, proposa Peabody.

— Oui, pour le bébé, concéda Eve, à qui cette pensée donnait la chair de poule. À moins que ce ne soit un cinglé qui viole et tue les femmes enceintes ? Il faut consulter la base de l'IRCCA, au cas où des crimes similaires auraient déjà eu lieu. Je veux une biographie complète de Tandy. Quand tout semble aussi parfait en façade, c'est souvent que les fondations sont branlantes.

— Mavis sait-elle qui est le père ? s'enquit Connors.

— Non. Mais nous n'allons pas tarder à le découvrir.

— Je joins McNab, déclara Peabody. Il nous retrouvera au Central.

— Non, c'est à moi de m'en occuper et d'entamer une démarche auprès de la division Personnes disparues. Nous sommes en train de transgresser les règles.

Elle se tut un instant pour réfléchir à la meilleure façon de procéder.

— Retournez chez vous, effectuez la recherche sur les crimes similaires. Si Mavis se sent suffisamment solide, passez chez elle lui demander si elle sait ce que Tandy faisait autrefois en Angleterre, ce qu'elle a pu lui raconter au sujet du père, de sa famille, etc. Je vais sortir sa biographie, mais Mavis en sait peut-être plus qu'elle ne l'imagine. Arrangez-vous pour qu'elle conserve son calme, vous êtes douée pour cela. Dites-lui bien que je ne la laisserai pas tomber. Connors, tu viens avec moi ?

— Toujours.

Une fois à bord du véhicule d'Eve, il se tourna vers elle.

— Tu crois qu'elle a été enlevée.

Elle pensa à la jolie blonde enjouée, à l'enthousiasme qu'elle avait manifesté avant la fête de Mavis.

— Je ne vois aucune raison pour qu'elle ait fichu le camp. De là à conclure à un enlèvement ou à une agression, c'est peut-être un peu tiré par les cheveux, mais oui, c'est ce que je ressens.

— Si tu laisses à Mavis le temps de se reprendre, je suis sûr qu'elle acceptera que tu remettes ce dossier entre les mains du service des Personnes disparues, tout en restant sur le coup.

— Tu ne l'as pas vue, tu ne l'as pas entendue.

Eve secoua la tête avec résignation.

— De surcroît, je lui ai donné ma parole. Je n'ai plus qu'à convaincre le service de me faire confiance, puis à convaincre Whitney que je peux traiter cette affaire sans pour autant négliger mon enquête en cours.

Il lui caressa les cheveux.

— Tu devrais peut-être commencer par t'en convaincre toi-même.

Elle ébaucha un sourire.

— J'y travaille.

# 13

Au Central, Eve pria son mari de monter directement à la brigade Homicide l'attendre dans son bureau, pendant qu'elle se rendait au service des Personnes disparues.

— Je vais peut-être devoir proposer une gratification à la personne que j'aurai en face de moi, prévint-elle.

— La soudoyer, tu veux dire.

— Soudoyer est un mot un peu fort. Mais oui, c'est ça. Un billet pour un match ou des boissons alcooliques, probablement. Je tâcherai de rester raisonnable.

— Soudoyer les flics pour ne pas faire leur travail est une tradition de longue date.

— Eh !

Il s'esclaffa.

— Fais ce que tu as à faire, lieutenant. Je serai dans ton bureau.

Elle ne savait pas qui avait écopé de la garde du week-end, ni qui serait à l'accueil. Pourvu que ce soit un collègue avec lequel elle ait déjà eu une relation cordiale, si brève fût-elle !

Sans quoi, elle serait forcée d'improviser. Si la situation dégénérait, si la *gratification* ne suffisait pas, elle foncerait chez Whitney. Toutefois, si elle pouvait l'éviter...

Elle se dit que la chance lui souriait, quand elle aperçut le lieutenant Jaye Smith en train d'acheter une barre de céréales au distributeur.

— Smith.

— Dallas ! Vous êtes du samedi, vous aussi ?

— Pas exactement, répondit-elle en sortant une poignée de crédits de sa poche. Prenez-moi un tube de Pepsi, voulez-vous ?

— Avec plaisir. C'est moi qui vous l'offre.

— Merci.

— Superbe, votre veste. Vous avez un faible pour le cuir, n'est-ce pas ?

— On peut dire cela... Vous avez une minute à m'accorder ?

— Bien sûr. La salle de repos ou mon bureau ?

— Je préfère votre bureau.

— Ah ! C'est donc sérieux. Par ici.

Jaye Smith allait sur ses cinquante ans et comptait plus d'un quart de siècle à son actif dans le métier. Mariée, mère d'un enfant, voire deux. Plutôt petite, bâtie comme une championne de boxe, tout en muscles, des cheveux raides, mi-longs, teints en blond.

Elle portait son arme sur la hanche, sous un pull bleu marine.

Elle avait la réputation d'être un flic intègre, aussi Eve balaya-t-elle toute intention de pot-de-vin. Avec Smith, elle pouvait aller droit au but.

Le bureau du lieutenant Smith était plus vaste que celui d'Eve – comme la plupart des autres – et avait deux sièges relativement confortables pour les visiteurs, ainsi qu'un bureau en acier brossé flambant neuf.

Dessus étaient disposés un ordinateur standard, une pile de dossiers et la photo encadrée de deux adolescents – un de chaque sexe. Ses enfants, sans doute.

Smith s'approcha de son autochef pour commander un thé noir comme du café, puis d'un geste invita Eve à s'asseoir. Plutôt que de s'installer dans son fauteuil, elle prit place à son côté.

— Que se passe-t-il ? Vous avez perdu quelqu'un ?

— Il semble que quelqu'un ait disparu. Et j'ai besoin de votre aide.

— Vous voulez que je mette le dossier sur le haut de la pile. Aucun problème.

Elle se leva, ouvrit un tiroir. Comme elle en sortait un magnétophone et un bloc-notes, Eve secoua la tête.

— Ce n'est pas exactement cela. Permettez-moi de vous expliquer la situation.

Eve la lui résuma, et Smith l'écouta attentivement.

— Vous pensez à un enlèvement, et c'est fort possible. Mais il s'agit d'une femme enceinte, célibataire, sans famille connue, venue de l'étranger. Imaginez qu'elle ait craqué, qu'elle ait voulu s'échapper.

— C'est possible. Ce qui me préoccupe, c'est que personne de son entourage n'adhère à cette hypothèse. Ce ne serait pas du tout son genre.

— Vous ne la connaissez pas ou à peine.

— En effet. Cependant, je l'ai rencontrée à deux reprises, et j'ai eu le temps de la jauger. Selon moi, ce ne peut pas être une escapade de dernière minute. Elle aurait prévenu ses amies. Elle n'aurait pas raté un événement qu'elle attendait avec impatience depuis des semaines. Elle ne serait pas partie sans ses affaires.

— Vous dites que vous avez vérifié ses appareils électroniques. Aucune transmission n'évoquait ses projets, murmura Smith, avec une petite moue. Un rendez-vous manqué, le coup de la fête, alors qu'elle avait emballé son cadeau... Oui, je suis d'accord avec vous.

— Il semble qu'elle se soit volatilisée jeudi, entre son lieu de travail et son domicile.

Smith but une gorgée de thé, songeuse.

— Pourtant, vous ne voulez pas que j'ouvre une enquête...

— Voilà, mon amie – l'autre jeune femme enceinte – est bouleversée par cette histoire et...

Eve exhala un soupir.

— Je vais être franche avec vous. Elle m'a poussée dans mes retranchements. Aussi, je vais vous demander de me laisser m'en occuper. Mon but n'est pas de vous doubler, précisa-t-elle en voyant Smith froncer les sourcils. Votre aide et vos observations me seraient très utiles, mais Mavis est très émotive en ce moment, et elle compte sur moi.

— Elle vous connaît, alors qu'elle ne me connaît pas, ni quiconque de ce service.

— Exactement. Mavis et moi sommes amies depuis des années. Je ne veux pas la brusquer, elle est trop fragile.

— Elle est enceinte de combien ?

— Mavis ? Le compte à rebours a commencé. Elle devrait accoucher d'ici à deux semaines, je suppose. Je lui ai promis d'intervenir. Je vous demande de m'aider à tenir ma promesse.

— Il s'agit bien de Mavis Freestone, le phénomène musical ?

— Absolument.

— Ma fille de dix-huit ans est une fan inconditionnelle.

Eve sentit ses épaules se décontracter.

— Peut-être qu'un billet en coulisses lors du prochain passage de Mavis sur scène lui ferait plaisir ?

— Je serais son héroïne jusqu'à la fin de mes jours, mais cela ressemble étrangement à un pot-de-vin.

Cette fois, Eve sourit.

— Et pas n'importe lequel. Je vous remercie, Smith.

— Moi aussi, j'ai des amis et j'ai horreur de les décevoir. Voici ce que j'exigerai en échange. Vous me transférerez tous vos rapports, toutes vos déclarations, toutes vos notes. Vous me tiendrez au courant de votre enquête pas à pas. J'aurai mon propre fichier sur elle ici. Si j'éprouve le besoin de m'interposer ou de désigner quelqu'un – pour collaborer avec vous ou prendre le relais –, je ne veux pas entendre un murmure.

— Entendu. Je vous revaudrai cela.

— Trouvez-les, la femme et le bébé, et nous dirons que nous sommes quittes, décréta Smith en lui tendant sa carte. Je vais vérifier s'il n'y a pas eu d'autres crimes similaires en ville ces derniers temps.

— Merci pour tout.

— C'est le disparu qui importe, pas celui ou celle qui gère le problème d'ici. Mes coordonnées personnelles sont au dos. Vous pouvez me joindre jour et nuit.

Eve rangea la carte de visite, serra la main de Smith.

De retour dans son bureau, elle découvrit Connors en pleine effervescence devant son ordinateur. Il leva la tête, l'interrogea du regard.

— C'est bon. J'ai eu de la chance.

— Tant mieux. J'ai sorti les biographies. Tu veux travailler ici, ou à la maison ?

— Nous allons d'abord rencontrer un conducteur de bus.

Il s'appelait Braunstein, et il portait ses cent trente kilos de lard moulés sous un maillot des Giants de New York. Il avait cinquante-deux ans, était marié et passait sa soirée de samedi à visionner un match post-saison en compagnie de son beau-frère et de son fils, pendant que son épouse, sa sœur et sa nièce s'offraient une séance de « film de fille » au cinéma du coin.

L'interruption l'agaça visiblement, jusqu'à ce qu'Eve cite le nom de Tandy.

— Le Pont de Londres ? C'est comme ça que je l'appelle. Ouais, je la connais. Elle prend mon bus presque tous les soirs. Elle a toujours son passe à la main, contrairement à beaucoup. Un joli sourire. Elle s'assied juste derrière moi. Si quelqu'un lui a piqué la place, je l'oblige à la lui donner. Vu son état. Pour les fêtes de fin d'année, elle m'a offert une boîte de gâteaux faits maison. Elle a un souci ?

— Nous ne le savons pas encore. Elle est montée dans votre bus, jeudi soir ?

— Jeudi, marmonna-t-il en se grattant un menton en mal de rasage. Non. C'est curieux, maintenant que vous m'y faites penser, parce que je me rappelle qu'elle m'a dit : « À demain, monsieur B » en descendant à son arrêt, le mercredi. Elle m'appelle « monsieur B ». Elle portait un paquet enveloppé d'un papier rigolo, avec un gros nœud dessus.

Il sursauta, tandis que ses compagnons se mettaient à hurler devant l'écran.

— Hors jeu, mon œil ! lança l'un d'entre eux.

— Ces arbitres de mes deux, ronchonna Braunstein. Excusez-moi, je suis grossier. Bref, je lui avais demandé ce que c'était – dans le paquet – quand elle était montée et elle m'a raconté qu'elle allait à une fête pour un bébé ce week-end. Elle a été blessée ? Je lui ai pourtant dit qu'elle devrait prendre un congé maternité. Elle va bien ? Et le bébé ?

— J'espère que oui. Dans le bus, avez-vous remarqué si quelqu'un lui prêtait un peu trop d'attention ?

— Non et, croyez-moi, je l'aurais vu, affirma-t-il en se frottant le ventre. Je veillais sur elle, vous comprenez ? C'est sûr que j'ai des passagers fidèles, et que l'un d'entre eux a pu entamer la conversation, comme on le fait avec une femme enceinte. Des trucs du genre « comment vous sentez-vous ? », « c'est pour bientôt ? », « vous avez choisi le prénom ? ». Mais personne ne l'a jamais importunée. Je serais intervenu.

— Et les gens qui descendent avec elle ?

— Il y en avait, évidemment. Des fidèles et des inconnus. Je n'ai repéré personne de louche. Quelqu'un a fait du mal à cette pauvre fille. Je le sens. Je la considère un peu comme une nièce, comprenez-vous ? Vous êtes sûre qu'elle n'est pas blessée ?

— Je n'en sais rien. Personne ne l'a vue depuis jeudi aux alentours de dix-huit heures.

— Nom de Dieu, souffla Braunstein, ignorant cette fois les cris jaillissant du salon. C'est pas possible.

— Tout le monde l'adore, constata Eve en reprenant le volant. Comme tout le monde adorait Byson et Copperfield.

— Les gens que l'on adore ne sont pas mieux protégés que les autres, répliqua Connors.

— C'est vrai. Je vais passer par sa boutique. Faire le trajet à pied jusqu'à l'arrêt de bus. Essayer de recueillir des impressions.

Devant *La Cigogne blanche,* Eve regarda les voitures remonter Madison Avenue à vive allure. Il était tard, et l'on était un samedi, pas un jour de semaine. Pourtant, vers dix-huit heures, la nuit devait tomber, et Eve semblait se rappeler que le ciel était plombé ce jour-là.

Les lampadaires étaient allumés, songea-t-elle, les phares des voitures fendaient l'obscurité.

— Froid, dit-elle à voix haute. Les passants étaient emmitouflés, comme maintenant. La plupart d'entre eux marchaient vite, pressés de rentrer chez eux ou d'atteindre leur destination. Un apéritif avant le dîner, quelques courses sur le chemin du retour. Elle sort de la boutique. Elle doit se rendre dans la Cinquième Avenue pour prendre son bus. Deux blocs plus bas, un bloc à gauche.

Eve avança, Connors à son côté.

— Elle va se déplacer en fonction des feux. Si elle tombe sur le bonhomme vert, elle poursuivra jusqu'au deuxième pâté de maisons avant de traverser. Sinon, elle traversera d'abord. Il ne faut pas s'arrêter.

— Impossible de savoir ce qu'elle a fait.

— Oui.

Cependant, leur feu étant vert, ils franchirent l'intersection.

— Si c'était un enlèvement, je doute que cela se soit passé au carrefour. Trop de monde. L'agresseur a dû l'approcher par-derrière.

Elle illustra son propos lorsqu'ils furent à mi-parcours du bloc, ralentissant de quelques pas, puis se jetant sur lui, un bras autour de sa taille.

— Avait-il une arme ? spécula Connors. Sans quoi, elle aurait réagi, poussé un cri, lutté. Le plus indifférent des passants serait intervenu en voyant une femme visiblement enceinte dans une telle situation.

— Il était armé, décida Eve. Ou alors, c'est quelqu'un qu'elle connaît. Eh ! Tandy ! Comment vas-tu ? Dis donc, tu es drôlement chargée. Tu veux que je te dépose chez toi ? Ma voiture est juste là.

Elle resserra son étreinte.

— C'est plausible.

Connors et Eve bifurquèrent vers l'est pour rejoindre la Cinquième Avenue.

— La question est : qui connaît-elle ? enchaîna-t-il.

— Ses clients, ses voisins, les participants aux cours de préparation à l'accouchement. Un vieux copain d'Angleterre. Le père du bébé. La force ou la familiarité. Peut-être les deux. Il devait faire vite, pour ne pas risquer d'être repéré en train de malmener une femme enceinte. Nous montrerons sa photo dans le secteur, au cas où.

Lorsqu'ils furent parvenus à la Cinquième Avenue, Eve pivota vers le nord pour emprunter le trajet alternatif.

— Il a dû la surprendre dans la rue transversale, commenta-t-elle. La foule est moins dense que dans les avenues. Il avait un véhicule, à moins que…

Elle s'immobilisa, fronça les sourcils en scrutant les appartements au-dessus.

— … à moins d'avoir un local dans les parages. Du coup, une fois à l'intérieur, plus personne n'a pu l'apercevoir. Cette hypothèse ne me plaît guère, mais il faut la prendre en compte.

— Comment expliques-tu qu'elle n'ait pas résisté, une fois à bord d'un véhicule ?

— La force ? On peut aussi imaginer qu'il l'ait neutralisée avec un sédatif, ou que la peur l'ait paralysée. Et s'il y avait eu plus d'un agresseur ?

Comme ils retraversaient pour gagner Madison Avenue, elle inspecta les alentours. Les gens fonçaient, tête baissée, les yeux sur le trottoir, perdus dans leurs pensées.

— Il était prêt à prendre des risques. Il devait intervenir rapidement et discrètement. Bien sûr que l'on peut enlever une jeune femme en pleine rue. Cela arrive. Une rue transversale, répéta-t-elle. S'il était en voiture, et s'il opérait seul, il ne l'aurait pas garée là – en admettant qu'il trouve une place. Il l'aurait laissée dans le parking le plus proche de la boutique.

— Cohérent, acquiesça Connors en sortant son miniordinateur. Il y en a un sur la Cinquante-huitième, entre Madison et la Cinquième Avenue, annonça-t-il après avoir pianoté sur son clavier.

— Très pratique. Allons-y.

Elle tenait à s'y rendre à pied, en suivant le trajet le plus logique. C'était un parking automatique sans gardien, ni humain ni droïde. En cette soirée de samedi, il était complet.

Eve releva la présence d'une caméra de sécurité. Malheureusement, et ce, à condition qu'elle soit en état de marche, on devait en effacer les enregistrements toutes les vingt-quatre heures. Elle nota le numéro de contact affiché.

— Avec un peu de chance, ils auront conservé le disque de sécurité. Quoi qu'il en soit, ils doivent avoir les copies de tous les paiements effectués. Il faudra tenter d'identifier tous les véhicules qui sont sortis entre dix-huit et dix-neuf heures, jeudi.

Elle fourra les mains dans ses poches.

— S'il avait un complice qui tournait en rond en les guettant, cet angle-là est mort pour nous.

Ou s'il avait payé en espèces, pensa Connors. Ou encore, s'il s'était servi d'une voiture volée. Eve envisageait certainement ces possibilités de son côté, aussi resta-t-il muet.

— Si elle a été kidnappée selon ton raisonnement, tout cela était soigneusement planifié. Crois-tu que quelqu'un la filait ?

— À mon avis, il est peu probable qu'elle ait été choisie au hasard, mais je vais creuser le problème. Quelqu'un était au courant de ses habitudes, de son emploi du temps, de ses trajets. Quelqu'un la voulait, elle ou le bébé qu'elle porte.

— Cela pourrait être le père, n'est-ce pas ?

— Il figure tout en haut de la liste. Il ne me reste plus qu'à l'identifier.

— J'aimerais pouvoir en déduire avec certitude qu'il les traitera bien, mais j'en doute.

— La première cause de décès chez les femmes enceintes est la conséquence de violences infligées par le père.

— C'est lamentable, marmonna-t-il, les yeux sur la foule harassée, dans l'air glacial de New York, mais l'esprit ailleurs, dans les ruelles sombres de Dublin. Triste constat de la condition humaine.

Croyant comprendre ce soudain accablement, Eve lui prit la main.

— S'il l'a enlevée, nous l'attraperons.

— Avant qu'il ne la... ou les...

Il contempla Eve, le regard hanté par son passé.

— C'est la clé, n'est-ce pas ?

— Oui, c'est la clé, répliqua Eve en continuant de marcher. Elle a dit à quelqu'un qui c'était. Peut-être pas à New York, mais là-bas, en Angleterre. Quelqu'un est au courant.

— Elle est peut-être venue à New York pour lui échapper.

— Oui, c'est possible. Rentrons à la maison et tâchons de tirer cela au clair.

— Tandy Willowby, vingt-huit ans.

Dans son bureau, Eve parcourait les données que Connors venait de lui sortir.

— Née à Londres. Parents, Willowby Annalee et Nigel. Enfant unique. Mère décédée en 2044. Tandy devait avoir douze ans. Père remarié en 2049, à Marrow, Candide – divorcée et mère d'une fille issue de son premier mariage. Briar Rose, née en 2035.

Elle continua de dérouler le fichier.

— Willowby, Nigel, décédé en 2051. Pas de chance. Mais cela la laisse avec une belle-mère et une « fausse » sœur bel et bien vivantes. Ordinateur, rechercher coordonnées de Willowby, Candide ou Marrow, Candide, et Marrow, Briar, Londres. Utiliser les dates de naissance et numéros d'identification du fichier en cours.

— *Recherche en cours...*

— Eve, si tu as l'intention de les joindre maintenant, permets-moi de te rappeler qu'il est une heure du matin en Angleterre.

Elle grommela, consulta sa montre.

— Quelle poisse ! Bon, d'accord, je m'en occuperai demain matin.

L'ordinateur lui révéla que Candide habitait dans le Sussex, tandis que Briar Rose était domiciliée à Londres.

— Bien, revenons-en à Tandy. Je vois ici qu'elle a été employée pendant plus de six ans dans une boutique de vêtements de Londres. Carnaby Street. Poste : gérante. A vécu dans le même appartement pendant les six années. Elle fait son nid, prend ses racines, elle a ses habitudes. Il faudra que je parle avec le directeur du magasin.

Eve se balança sur son fauteuil et contempla le plafond.

— Si elle avait un ami, je parie qu'elle l'a gardé un bon moment. Elle n'est pas du genre volage. Pourtant, quand elle décide de tout plaquer, elle choisit non pas un autre coin de l'Angleterre ni même d'Europe, elle parcourt cinq mille kilomètres. Elle abandonne tout. Elle n'a pas agi sur un coup de tête. C'est un pas énorme, auquel elle a dû longuement réfléchir. Si elle l'a fait, c'est qu'elle avait d'excellentes raisons.

— Le bébé.

— Oui, on en revient toujours au bébé. Elle a mis un océan entre quelqu'un ou quelque chose et l'enfant.

— Elle a ses habitudes, reprit Connors. Comme tes deux autres victimes.

— Espérons que Tandy ne connaîtra pas le même sort. Je vais préparer un tableau récapitulatif.

— Entendu. À moins que ma présence te soit indispensable, tu pourrais peut-être me transférer quelques-uns des comptes anonymes de l'affaire Copperfield-Byson.

En fait, il éprouvait l'envie de prendre du recul, du moins pour l'instant, de chasser de son esprit l'image d'une femme aussi vulnérable, à la merci d'un homme qui lui voulait du mal. Un homme qu'elle avait probablement aimé autrefois.

Eve se tourna vers lui.

— Si j'avais été à ta place, j'aurais envoyé Whitney au diable.

— Pardon ? murmura-t-il en retombant sur terre. Ah, oui, eh bien…

— Déniche-moi des infos utiles, et tu auras droit à une récompense.

— Mmm, j'en salive d'avance !

Elle le regarda droit dans les yeux.

— Cette histoire de Tandy te tracasse, n'est-ce pas ?

C'était stupide d'imaginer qu'elle n'avait rien vu, rien compris. Plus stupide encore, sans doute, de tenter de lui cacher son malaise.

— Oui. Cela me renvoie à mon propre passé. Je ne sais pas si je ressens de la colère ou du chagrin. Un peu des deux, probablement.

— Connors, rien ne nous permet d'affirmer que Tandy soit dans la même situation que ta mère, autrefois.

— Pas plus que le contraire.

Distraitement, il ramassa la statuette de déesse qu'Eve conservait sur son bureau.

— Il a attendu que je naisse pour tuer ma mère. Elle essayait de me protéger. J'imagine que Tandy en fait autant.

Il posa la sculpture.

— J'ai besoin de me concentrer sur autre chose un moment.

— Si tu préfères, je peux mener cette enquête depuis le Central.

— Non! protesta-t-il en venant lui encadrer le visage des deux mains. Ce ne serait bien ni pour toi ni pour moi. Notre passé nous a façonnés, d'une manière ou d'une autre. Mais il ne peut pas nous empêcher de faire ce que nous faisons. Sans quoi, ils auraient gagné, non?

— Ils ne gagneront jamais. Ils ne peuvent que nous déstabiliser.

— C'est réussi.

Il se pencha, effleura ses lèvres d'un baiser tendre.

— Ne t'inquiète pas pour moi. Je vais me noyer dans les chiffres. Cela m'aide toujours à m'éclaircir les idées.

— Dieu seul sait comment! Je vais me programmer un café. Tu en veux?

— Volontiers, si je peux avoir du gâteau, en plus. Je n'ai pas eu ma part.

— Du gâteau? Ah, oui! Il me semble qu'il en reste un peu. Ces femmes sont comme des vautours dès qu'elles flairent des sucreries. L'Ombre noire en a peut-être stocké dans l'autochef. J'en mangerais bien un morceau, moi aussi.

Pour des questions pratiques, elle installa le tableau de Tandy à côté de celui de Copperfield et Byson. Elle y inscrivit une liste de noms. Les personnes qu'elle avait déjà interrogées, celles qu'elle contacterait le lendemain. Elle y accrocha la photo d'identité de Tandy.

Première étape : appeler le numéro affiché dans le parking. Comme elle s'y attendait, elle tomba sur une voix de robot qui lui énuméra une liste interminable de menus. Elle s'empressa de sélectionner la touche « Opérateur », avant de piquer une crise de nerfs.

— Service de messagerie clients.

— Ici le lieutenant Dallas, de la police de New York, attaqua Eve, avant de citer son numéro de badge. J'ai besoin d'informations concernant le Park & Go de la Cinquante-huitième Avenue.

— Pour tout renseignement, veuillez joindre le service clients entre huit heures et...

— J'en ai besoin maintenant et je ne veux pas discuter avec un commercial à la noix.

— Notre service de messagerie gère les transmissions de plus d'une vingtaine d'entreprises à Manhattan. Je ne suis pas en mesure de vous renseigner à propos d'un parking.

— Passez-moi le propriétaire.

— Je n'ai pas le droit d'importuner un client avec...

— Vous devriez peut-être me donner votre nom et votre lieu de travail. J'enverrai deux uniformes vous chercher, et vous pourrez me raconter tout ça au Central.

— Ben, mince alors ! Ne quittez pas.

Eve eut droit à une musique à la guimauve à vous faire dresser les cheveux sur la tête. Pendant les dix minutes que dura le supplice, régulièrement entrecoupé par une machine lui assurant que l'on recherchait son correspondant, Eve entama une série de calculs de probabilités.

Lorsqu'elle obtint enfin un être humain à l'autre bout de la ligne, elle en était à son deuxième café et examinait les résultats qu'elle avait obtenus.

— Vous dites que vous êtes lieutenant ? attaqua son interlocuteur.

— Exactement. Et vous êtes ?

— Matt Goodwin. Vous voulez des informations au sujet du Park & Go de la Cinquante-huitième ?

— Précisément. C'est vous le propriétaire ?

— Je représente la société qui le possède. Quel est le problème ?

— Je mène une enquête sur un éventuel crime qui aurait pu se produire dans ce parking. Il me faudrait les disques de sécurité et vos copies de factures émises jeudi dernier, entre dix-huit et dix-neuf heures.

— De quel crime éventuel s'agit-il ?

— Une affaire de personne disparue. J'ai besoin de ces documents le plus vite possible.

— Je crois savoir que les disques sont effacés toutes les vingt-quatre heures, lieutenant. Quant aux copies des factures, je suppose que vous avez un mandat ?

— Je peux en obtenir un.

— Dans ce cas, dès que vous l'aurez...

— Quand je l'aurai, ce sont les factures de toute la semaine précédente que j'exigerai, de même qu'une analyse approfondie sur les règles et les pratiques de votre société. Je vous ferai venir au Central avec votre client pour un interrogatoire en règle. Si cette perspective vous déplaît, il vous suffit de me fournir les documents que je vous demande.

— Bien entendu, mon client voudra coopérer avec les autorités.

— Tant mieux pour lui.

— Je vais devoir prendre contact avec lui. Avec sa permission, je vous procurerai toutes les copies nécessaires.

— Excellent. Vous pouvez me joindre à ce même numéro pour me dire où je dois passer les prendre. D'ici neuf heures demain matin.

— Lieutenant, c'est le week-end !

— Je sais. Neuf heures, sans quoi, je requiers un mandat.

Elle coupa la communication et reprit son analyse des résultats de calculs de probabilités. Malgré le peu d'éléments à sa disposition, tout indiquait à quatre-vingt-quinze pour cent que Tandy Willowby était une cible spécifique.

Tandy n'avait aucun casier judiciaire, ni d'un côté ni de l'autre de l'Atlantique. On ne lui connaissait aucune relation louche. Elle avait un petit nid bien ordonné, correspondant parfaitement à une jeune femme économe. Ses parents étaient morts et, d'après les données auxquelles Eve pouvait accéder sans autorisation particulière, sa belle-mère et la fille de celle-ci vivaient modestement.

Aucun dépôt ou retrait exceptionnel ne figurait sur ses relevés de comptes. En surface, elle ne possédait qu'une seule chose de valeur : son futur bébé.

Suivant son instinct, Eve appela la directrice de *La cigogne blanche*.

— Lieutenant Dallas, vous avez retrouvé Tandy ?

— Non.

— Je n'y comprends rien, murmura Liane Brosh, la soixantaine, les traits tirés par l'angoisse. Elle a dû partir en week-end. Elle s'est peut-être offert une thalasso avant la naissance ?

— Elle en avait l'intention ?

— Pas vraiment, non. Je le lui ai suggéré à plusieurs reprises, mais elle me répondait toujours qu'elle était en pleine forme. Nous lui avons organisé une petite fête, ici à la boutique, et je lui ai donné un passe pour une journée dans un spa en ville. Elle m'a dit qu'elle s'en servirait après son accouchement. Je suis sûre qu'elle va bien. Elle a juste voulu prendre l'air.

— Selon vous, elle en est capable ?

— En fait, non, avoua Liane avec un soupir. Ce n'est pas du tout son genre. Je suis terriblement inquiète.

— Pouvez-vous me dire si quelqu'un est entré dans le magasin et a demandé à lui parler ?

— Tandy s'est occupée de nombreux futurs parents. Tout notre personnel est à la disposition des clients pour les aider à choisir, à accomplir certaines démarches, à concevoir les décors ou les layettes.

— Y aurait-il quelqu'un avec qui elle aurait vécu une énorme déception ? Une fausse couche, par exemple ?

— Cela arrive. Aucun nom ne me vient à brûle-pourpoint, mais je peux vérifier mes archives, poser la question aux autres employées.

— Merci. Vous a-t-elle jamais parlé du père ?

— Très vaguement. Comme elle ne tenait pas à l'évoquer, je n'ai pas insisté.

— Si vous pensez à quoi que ce soit, le moindre détail, prévenez-moi. Vingt-quatre heures sur vingt-quatre.

— Vous pouvez compter sur moi. Nous adorons Tandy. Nous ferons tout ce que nous pourrons pour vous aider.

Suivant toujours son instinct, Eve joignit la sage-femme de Tandy.

— Ici Randa.

— Randa Tillas, lieutenant Dallas.

— Tandy ?

— Rien encore.

— Merde !

C'était une ravissante Noire à l'accent des îles. Son regard noisette était empreint d'angoisse.

— J'ai interrogé tous les membres de sa classe, pensant qu'elle était allée passer deux ou trois jours chez l'un d'entre eux. Personne n'a eu de ses nouvelles depuis mercredi.

— L'une de ces jeunes femmes a-t-elle une grossesse difficile ?

— J'en ai une qui souffre d'hypertension et une autre qui doit rester allongée, mais rien de grave.

— Une accompagnatrice qui aurait du mal à concevoir, ou à mener sa grossesse à terme ?

— Je ne dispose pas de leurs fichiers médicaux. Si c'était le cas, le problème aurait sans doute été soulevé lors d'une de nos séances. En général, je m'efforce de décourager quiconque a eu ce genre de soucis. C'est négatif pour elle et pour la future maman.

— Vous a-t-elle parlé du père ?

— Un peu. Il est important pour moi d'en savoir le plus possible sur mes patientes. Surtout une mère célibataire. Surtout une fille comme Tandy, qui n'a aucun soutien familial.

— Pouvez-vous me dire ce qu'elle vous a raconté à son sujet ?

— Je marche sur des œufs, mais tant pis, je suis trop inquiète. Il s'agit d'un homme qu'elle a fréquenté pendant un an environ, à Londres. J'ai cru comprendre qu'elle était très amoureuse de lui. La grossesse était un accident, il ne se sentait pas prêt. Elle a décidé de garder l'enfant, elle a donc rompu avec lui pour venir s'installer aux États-Unis.

— C'est loin.

— Je trouve aussi, mais elle m'a expliqué qu'elle voulait tout recommencer, ce qui me paraissait raisonnable. D'après moi, elle est fermement décidée à élever cet enfant seule et n'éprouve aucune rancœur envers le père. À une ou deux reprises, elle a prononcé son prénom. Aaron.

— Voilà qui me sera très utile. Merci. N'hésitez pas à m'avertir, si vous avez du nouveau.

— Je vais examiner son dossier et demander à mes collègues si elle leur a révélé quoi que ce soit qui puisse paraître important. Nous voulons toutes la revoir, saine et sauve, avec son bébé.

# 14

Eve parcourut la documentation que Peabody lui avait transférée sur son ordinateur concernant les crimes similaires. L'IRCCA en avait relevé plusieurs. Enlèvements, enlèvements et meurtres, viols, viols et meurtres. Enlèvements au cours desquels le bébé était né, puis avait disparu, la mère étant abandonnée sur place... morte ou vivante.

Dans la majorité des cas, la jeune femme connaissait son agresseur ou l'avait déjà croisé.

Eve les classa en diverses catégories : connus et inconnus, querelles familiales, kidnappeurs psychopathes, prises d'otages dans un but lucratif.

Elle plaça les viols dans un fichier annexe.

Puis elle s'attaqua aux lieux où s'étaient produits ces méfaits.

Plusieurs affaires semblables avaient eu lieu à New York. Elle tria celles impliquant des membres de la famille de la victime. Elle écarta celles dont le coupable était en prison, tout en se promettant d'interroger d'autres proches, afin d'établir un lien éventuel avec Tandy.

Elle se pencha sur les cas où l'enquêteur avait découvert que la jeune femme disparue s'était réfugiée dans un foyer pour échapper à une relation abusive, ou avait tout simplement quitté son conjoint. Et d'autres encore, où ni la mère ni l'enfant n'avaient jamais été retrouvés.

Tandy étant originaire de Londres, Eve passa à l'étape suivante. Une fois de plus, elle obtint une poignée de dossiers du même genre, mais aucun d'entre eux ne collait avec son affaire.

Elle décida donc d'élargir la palette à l'Europe.

L'affaire la plus importante, non encore résolue, s'était déroulée à Rome. La disparue, qui entamait sa trente-sixième semaine de grossesse, était sortie de son rendez-vous mensuel chez l'obstétricien et s'était volatilisée. Comme Tandy, en apprenant qu'elle était enceinte, elle avait choisi de changer de vie en s'installant à Florence, trois mois avant sa disparition. Elle était célibataire, elle n'avait pas de famille dans cette région. Elle était en bonne santé et vivait seule. Contrairement à Tandy, cette personne avait demandé et reçu des allocations de maternité dès le deuxième trimestre.

Artiste, elle était sur le point d'achever une fresque représentant le pays des merveilles dans la nursery. Sophia Belego n'avait plus donné de nouvelles depuis deux ans. Elle s'était évaporée sans laisser de trace.

Notant le nom de l'enquêteur, Eve réfléchit au décalage horaire. Une fois de plus, elle devrait patienter.

— Lieutenant.

— Hein ? Quoi ?

— Il est plus de deux heures du matin, heure locale.

— Et à Londres ?

— Trop tôt, trancha Connors en s'approchant pour lui masser les épaules. Nous avons tous deux besoin de recharger nos batteries.

— J'ai encore un peu d'énergie.

— Tu en auras davantage après quelques heures de sommeil.

— Je travaille sur les archives que Peabody a réussi à obtenir de l'IRCCA.

— Que peux-tu faire de plus cette nuit ?

Pas grand-chose, pensa-t-elle. Quoique...

— Je n'ai pas encore rédigé mon rapport pour le service des Personnes disparues.

— Ça peut attendre demain.

— Si elle a été enlevée, elle est dans la nature depuis bientôt cinquante heures. J'ai besoin de ces fichus fichiers du parking, que je n'aurai pas avant... Bon, d'accord, concéda-t-elle.

Il l'escorta jusqu'à l'ascenseur.

— Tu as quelque chose pour moi ?

— Rien de concret. Sans les noms, ce sera plus long. Si je les avais, je pourrais creuser un peu plus. J'ai deux ou trois programmes en cours. Nous verrons les résultats dans la matinée.

— Moi aussi, j'ai du boulot là-dessus, marmonna-t-elle en s'efforçant de passer du probable kidnapping au double meurtre. De Cavendish à Bullock, à Robert Kraus, à Jacob Sloan – voire trois générations de Sloan – et de là, à mes victimes. La clé est par là. Si j'arrive à bousculer Cavendish, il parlera.

L'esprit en ébullition, elle se déshabilla.

— Comment une firme avec un tel – comment dire ? –, un tel panache, peut-elle nommer un type comme Cavendish à la tête de sa filiale new-yorkaise ? Par népotisme ? Il n'est même pas malin. Bruberry, son assistante, est intelligente. Mais elle n'est pas de la famille, aussi préfère-t-on inscrire son nom à lui sur l'en-tête des lettres, tout en la laissant tirer les ficelles en coulisses. C'est comme cela que je le ressens.

Eve se glissa dans le lit.

— Copperfield dit qu'on lui avait offert un pot-de-vin. Si je pouvais prouver qu'elle avait eu un contact avec le bureau de Cavendish peu avant son décès, je pourrais l'aborder par ce biais. Ou alors...

— Surdose de caféine. Éteins ton cerveau et dors, chuchota Connors en s'allongeant tout contre elle.

Dormir ? Impossible ! Car il avait raison, comme toujours. Elle avait bu beaucoup trop de café. Sa cervelle tournait en rond, de Copperfield à Byson à Tandy.

— Il faudra peut-être que je me rende à Londres. Ah ! Imagine que Mavis accouche pendant mon absence ? Ce serait le comble.

— Ton absence ? *Notre* absence, tu veux dire.

— Mais oui, c'est ça.

Elle laissa courir ses doigts le long de la colonne vertébrale de Connors, puis chercha ses lèvres dans l'obscurité.

— Tu essaies de profiter de mon état d'affaiblissement.

— Exactement.

— Très bien. Vas-y. Je ne peux guère t'en empêcher, roucoula-t-il en l'embrassant.

— Tu vas devoir te laisser faire... Tu pourrais appeler au secours.

— Ma fierté me retient.

Riant tout bas, elle lui caressa le bas-ventre. Pressée contre lui, elle sentit son cœur bondir. Elle changea de position et s'étendit sur lui. Plus que du désir, elle éprouvait une sensation d'apaisement et de confort, une sorte de communion. *Tourne-toi vers moi, je serai là*. Quels que soient leurs soucis, ils étaient ensemble. Ensemble, ils surmonteraient tous les obstacles.

Paupières closes, elle s'abandonna à ses effleurements d'une douceur exquise, savourant son plaisir. Connors suivit le mouvement, se régalant de ses courbes, de son parfum, de ses gémissements.

Elle l'enfourcha, les mains plaquées sur son torse, tandis qu'il lui mordillait les seins. La tête en arrière, elle s'immergea dans leur bonheur mutuel.

Tendrement enlacés, ils reprirent leur souffle.

— C'est meilleur que du gâteau.

Il rit.

— En effet. Et Dieu sait que le gâteau était bon !

— Mmm... Quelle heure est-il ?

— Euh... trois heures passées.

Elle effectua un rapide calcul mental.

— C'est bon.

Elle le gratifia d'un baiser, puis s'écarta et s'assit.

— Que fais-tu, lieutenant ?

— Je vais réveiller deux ou trois personnes en Europe. Lumière, cinq pour cent ! ordonna-t-elle. Avant, je vais prendre une douche.

Il croisa les bras.

— Si je comprends bien, je t'ai servi de passe-temps en attendant de pouvoir tirer un pauvre innocent de son lit aux aurores un dimanche matin.

— Oui.

— Trop aimable.

— Tout le plaisir était pour moi.

Elle avait repris des forces.

— Je vais mettre deux ou trois choses en route, ensuite je dormirai deux heures.

— J'espère bien... Je propose que nous prenions cette douche ensemble. Avec un peu de chance, nous serons tous les deux recouchés avant l'aube.

Chez Candide Marrow, Eve tomba sur le répondeur. Elle laissa un message, puis passa à la personne suivante sur sa liste, sa fille.

Une voix râpeuse, étouffée, grommela :

— Fichez-moi la paix !

— Briar Rose Marrow ?

— Vous savez quelle heure il est ?

— Chez vous ou chez moi ? Ici le lieutenant Dallas, de la police de New York. Êtes-vous Briar Rose Marrow ?

À l'écran, la boule sur le lit s'agita, et une chevelure noire à mèches or surgit.

— Qu'est-ce que ça peut vous faire ?

Sachant qu'elle aurait probablement réagi de la même façon en de pareilles circonstances, Eve s'efforça de rester patiente.

— Êtes-vous Briar Rose Marrow, et avez-vous une demi-sœur du nom de Tandy Willowby ?

— Et alors ?

— Quand avez-vous été en contact avec elle pour la dernière fois, mademoiselle Marrow ?

Les couvertures bougèrent, une main apparut, repoussant les cheveux hirsutes pour révéler un visage pâle, aux yeux lourdement ourlés d'eye-liner noir et aux lèvres teintées de rouge carmin.

— Comment voulez-vous que je le sache ? Il est huit heures du matin, bordel ! Qui êtes-vous, déjà ?

— Lieutenant Dallas, police de New York.

— Des flics ? Qu'est-ce que vous pouvez lui vouloir, à Tandy ? New York ? Je n'ai même pas bu mon putain de café.

Briar Rose se leva en se frottant vigoureusement la figure, puis appuya la main sur son ventre.

— Nom de Dieu, combien ai-je eu d'orgasmes cette nuit ?

— Cela vous regarde.

Briar Rose ricana.

— Dommage pour moi, mais je parle d'une boisson alcoolisée ! Pourquoi me réveillez-vous un dimanche matin à propos de Tandy ?

— Vous êtes au courant qu'elle vit à New York depuis plusieurs mois ?

— New York ? Pas possible. Vous êtes sérieuse ?

— J'en déduis que vous ne lui avez pas parlé récemment.

— Pas depuis...

Elle se gratta le crâne, puis rampa à travers le lit vers une table de chevet, où elle finit par retrouver une sorte de cigarette.

— J'essaie de réfléchir. Juin, peut-être. Pourquoi ? Ne me dites pas qu'elle a commis un délit ! Pas notre Tandy.

— Elle a disparu.

— Disparu ? Vous voulez dire qu'on ne sait pas où elle est ?

— Personne ne l'a vue depuis jeudi soir.

— Elle est peut-être partie picoler dans son coin. Remarquez, ça ne lui ressemble pas.

— J'en doute, vu son état.

— Son état ?

— Savez-vous qu'elle est enceinte ? Qu'elle doit accoucher d'ici à quelques jours ?

— Hein ? C'est une blague ? Un polichinelle dans le tiroir ? Tandy ? N'importe quoi !

Mais son regard était soudain plus alerte.

— Une seconde, marmonna-t-elle en se levant.

À son immense soulagement, Eve constata qu'elle était en sous-vêtements. Elle saisit un tee-shirt rouge au milieu d'un tas d'habits et l'enfila.

— Vous me dites que Tandy est en cloque ? Et que personne ne sait où elle est ?

— Précisément. Vous affirmez ne pas lui avoir parlé depuis juin. Est-ce normal ? Est-ce un délai plus long que de coutume ?

Briar retourna à sa table de chevet et alluma sa cigarette.

— Écoutez, nous avons été demi-sœurs moins de deux ans, en fait. Son veuf de père a épousé ma salope de mère quand j'avais quatorze ans. Il était plutôt gentil. Puis, un jour, il n'a rien trouvé de mieux que de crever dans un carambolage sur la M4.

Elle marqua une pause, exhala un nuage de fumée.

— Tandy achevait ses études à l'université. Elle avait déjà un boulot. Ma mère m'a traînée jusque dans le Sussex. Tandy a essayé d'entretenir des relations, mais la salope n'était pas intéressée. Dès la première occasion, je suis revenue à Londres, mais j'étais en crise, je passais l'essentiel de mon temps à me saouler et à coucher. Le coup de la grande sœur, ça me gonflait, d'autant qu'elle était irréprochable ; tout le contraire de moi. On se rencontrait de temps en temps, quand elle réussissait à me coincer.

Elle tira longuement sur sa cigarette.

— J'ai fini par me calmer, mais nous n'avions pas grand-chose en commun. La dernière fois que je l'ai vue, c'était au printemps. Elle m'a appelée, elle voulait me parler.

— De quoi ?

— En fait, nous n'avons pas vraiment discuté. Je sentais bien qu'elle était préoccupée. Je me suis dit qu'elle venait de se fiancer, ou qu'elle avait obtenu une promotion, une de plus. Je me suis comportée comme une andouille, parce que le type que je fréquentais venait de me larguer. Le salaud. Nous avons bu un café ensemble, je lui suis rentrée dans le lard, et je suis repartie.

— Vous n'avez plus jamais été en contact avec elle par la suite ?

— Ben... j'avais honte. Environ deux semaines plus tard, j'ai voulu lui demander pardon. Je suis passée à son appartement, mais elle avait déménagé. On m'a juste dit qu'elle était partie, peut-être pour Paris. J'étais furieuse qu'elle ne m'ait pas prévenue, mais je n'y pouvais rien. Elle va avoir un bébé ?

— Oui. Vous connaissez Aaron ?

— Je l'ai rencontré à une ou deux reprises. Ils vivaient pratiquement ensemble. Il est à New York avec elle ?

— Pas que je sache. Avez-vous son nom de famille ? Ses coordonnées ?

— Aaron Applebee, et il me semble qu'il vivait dans le quartier de Chelsea. Il est journaliste pour le *London Times*. Vous êtes en train de me dire qu'il l'a mise en cloque, puis jetée ?

— Je vais devoir lui poser la question. Elle voyait quelqu'un d'autre ?

— Tandy ? Jamais de la vie. C'est une fidèle. Ils étaient ensemble depuis des mois et des mois. Peut-être qu'elle est revenue lui parler. Je vais passer quelques coups de fil. Quand on est sur le point de devenir maman, on éprouve le besoin de se retrouver chez soi, non ?

— Merci pour tous ces renseignements. Si vous avez du nouveau, contactez-moi.

Eve n'eut aucune difficulté à obtenir le numéro et l'adresse d'Aaron Applebee.

Quand elle tomba sur son répondeur, elle décida de chercher sa biographie.

— *Applebee, Aaron,* récita l'ordinateur. *Né le 5 juin 2030, dans le Devonshire, Angleterre.*

Il avait encore ses parents, et une kyrielle compliquée de demi-frères et demi-sœurs. Comme l'avait précisé Briar Rose, il était journaliste au *London Times*, depuis huit ans. Casier judiciaire vierge. Célibataire. Il avait écopé de plusieurs amendes pour excès de vitesse. Il résidait à Chelsea, à la même adresse, depuis cinq années.

D'après sa photo d'identité, il était plutôt beau, blond, avec une mâchoire un peu trop longue. Un mètre soixante-quinze, quatre-vingts kilos.

En apparence, c'était un homme stable, ordinaire.

— J'ai besoin de discuter avec toi, Aaron.

Elle tenta de nouveau de le joindre chez lui. Elle n'eut que le répondeur. Elle coupa la communication. Après avoir recherché le nom de l'enquêteur chargé de résoudre le crime similaire à Rome, elle dut passer par une série de flics italiens, avant d'en dénicher un qui non seulement parlait parfaitement l'anglais, mais en plus lui promit de transmettre sa demande à l'inspecteur Triveti, qui ne manquerait pas de la joindre.

Elle mit ses notes à jour, puis se leva pour ajouter la photo d'Aaron Applebee sur son tableau. Comme elle se dirigeait vers la kitchenette, Connors sortit de son bureau.

— Plus de café, décréta-t-il.

— Un dernier. J'attends un appel de Rome.

— Dans ce cas, commande un cappuccino décaféiné – non, deux.

Elle fit la moue.

— Le décaféiné, ça ne me booste pas.

— Tu as les yeux cernés. Qu'est-ce qu'il y a, à Rome ?

— Un crime similaire, et un flic qui, je l'espère, parle anglais.

Connors étant sur ses talons, elle ne put malheureusement pas tricher en se prenant un vrai café.

— J'ai eu une conversation avec la demi-sœur de Tandy. Elle a pu me donner le patronyme d'Aaron – c'est Applebee. Il travaille pour le *London Times* et vit à Chelsea. Ses parents ont collectionné les mariages et les cohabitations, mais ne sont pas ensemble actuellement. Il a un nombre incroyable de demi-frères et de demi-sœurs.

— De quoi le dégoûter du mariage et de la famille.

— Possible. Les reporters ne manquent pas de sources. S'il avait voulu rattraper Tandy, il n'aurait pas eu de mal. Imaginons qu'il ait changé d'avis et décidé d'accepter l'enfant – qu'ils se sont échappés ensemble pour se réconcilier. À moins qu'il ait découvert qu'elle l'avait gardé à son insu, et qu'il ait débarqué chez elle, fou de rage. Ou encore, qu'il soit tranquillement chez lui en train de cuver son alcool du samedi soir.

— On peut aussi supposer qu'elle soit partie, tout simplement. Elle l'a déjà fait, en quittant Londres.

— Aussi.

Le calcul de probabilités qu'elle avait lancé en se basant sur cette hypothèse avait d'ailleurs donné un résultat à cinquante-cinquante.

— Seulement je parie que, quand elle a quitté Londres, elle a pris le temps d'emballer ses affaires soigneusement. Elle a signalé son départ à son propriétaire et démissionné de son travail. Je sais déjà que ce n'est pas le cas ici. Non, elle n'a pas décidé sur un coup de tête, entre Madison Avenue et la Cinquième, d'aller prendre l'air.

— Non, murmura Connors en lui massant les épaules.

— Alors, enchaîna Eve en ravalant un bâillement, as-tu du nouveau de ton côté ?

— Quelques éléments intéressants. J'aimerais les analyser sous un autre angle avant de te les soumettre.

— Bonne idée. Si tu allais te coucher ? Dès que j'aurai eu mon Italien, je te rejoindrai.

— Pas question. Si je te laisse seule, quand je reviendrai dans quelques heures, je te retrouverai en train de ronfler sur ton bureau.

— Je ne ronfle pas.

— De quoi réveiller les morts.

— Pas du tout !

Il se contenta de sourire, puis alla se planter devant le tableau réservé à l'affaire Willowby.

— Tu as rassemblé pas mal d'informations en peu de temps.

— Rien qui ne me mette sur une piste concrète. En Italie, ils n'ont jamais récupéré ni la femme ni l'enfant.

— Tu n'étais pas sur le coup... Regarde-toi, ajouta-t-il en pivotant vers elle. Tu roules sans carburant, et tu es sur deux fronts à la fois.

— Il est peut-être déjà trop tard pour elle, marmonna Eve en désignant la photo de Tandy. Je n'ai pas le choix.

Quand son communicateur bipa, elle se rua dessus.

— Dallas.

— Triveti. Vous vouliez me parler ?

Il avait un accent exotique, un visage mince aux traits élégants.

— Merci de me contacter si vite, inspecteur.

— C'est mon plaisir. *Scusi* pour mes erreurs de langage.

— Quant à moi, je ne parle pas un mot d'italien. Cependant, j'ai quelqu'un à côté de moi qui pourra m'aider s'il le faut. Vous avez mené une enquête concernant une personne disparue, il y a deux ans. Une femme enceinte.

— Sophia Belego. Vous avez la même.

— Tandy Willowby, annonça-t-elle, avant de lui exposer l'essentiel, Connors intervenant de temps en temps pour jouer l'interprète.

— Comme la vôtre, ma Sophia n'avait pas famille proche, pas beaucoup amis. Elle a laissé son – *momento* – son compte en banque. Il est endormi depuis son départ. Tous ses vêtements, toutes ses affaires étaient dans son appartement. Sa voisine avait discuté avec elle le matin. Après la déclaration, Sophia était une femme… comment dit-on… *lieta* ?

— Heureuse, traduisit Connors.

— *Sì*, heureuse et très excitée. Elle allait voir son *dottore*.

— Son docteur.

— Ensuite, elle allait faire courses pour bébé. Le *dottore* dit tout va bien. Elle est contente et fait nouveau *appuntamento*.

— Elle prend rendez-vous.

— Rendez-vous, répéta Triveti. Dans une semaine… Mais elle pas acheté pour le bébé, pas à Rome. Je parle à tout le monde dans les magasins. Personne la voit après le *dottore*. Elle pas prendre bus, train ou navette. Elle pas prendre passeport – j'ai trouvé dans appartement. Elle pas de messages, pas de communications.

— Vous vous êtes renseigné auprès des hôpitaux, des maternités, des morgues ?

— Rien. Je cherche père du bébé, mais personne connaît. Pas à Rome, pas à Florence. Tous nos efforts, pas trouvé elle.

Avec l'assistance de Connors, Eve réussit à arracher à Triveti quelques détails supplémentaires. Elle lui demanda de lui transférer une copie de son dossier et accepta de lui envoyer le sien en retour.

Après cela, elle relut les notes qu'elle avait gribouillées au fil de la conversation.

— Il faut que je mette cela au clair.

— Dors d'abord.

— J'ai promis à la responsable du service des Personnes disparues de lui transmettre tous mes rapports. Il faut que je...

— Tu crois qu'elle est assise devant son ordinateur à les attendre à... quatre heures quarante-huit un dimanche matin ?

— Non, mais...

— Ne m'oblige pas à te traîner de force au lit. Je suis fatigué, je risque de te cogner la tête contre le mur en chemin. Ça m'ennuierait d'abîmer la peinture.

— Trop drôle. D'accord, d'accord. Laisse-moi seulement essayer une dernière fois de joindre Applebee. Écoute ! Si elle est avec lui, je pourrai au moins me coucher tranquillisée.

— Tu sais pertinemment qu'il n'en est rien.

— Tu es désagréable, quand tu es fatigué.

— Je le suis encore plus quand je te vois te tuer à la tâche.

Elle composa le numéro d'Aaron. Répondeur.

— Merde.

— Au lit. Dodo ! Sinon, vu ma mauvaise humeur, je te fais avaler un tranquillisant.

Un vertige la saisit quand elle se leva. Connors avait raison. Il était temps de mettre ses circuits en mode pause pendant quelques heures.

Deux heures, se promit-elle. Trois tout au plus. En sortant de la pièce derrière Connors, elle jeta un dernier coup d'œil sur la photo de Tandy.

— C'est plus dur que les homicides, constata-t-elle.

— Vraiment ?

— Les victimes ne sont plus là. Mon rôle est de découvrir qui leur a pris la vie, de m'efforcer de comprendre pourquoi, puis de m'assurer que le coupable soit puni en conséquence. Mais une disparition… comment savoir ? Est-elle vivante ? Morte ? Blessée ? Prisonnière ? A-t-elle tout bêtement pris ses jambes à son cou ? Si elle est vivante et en difficulté, il n'est pas facile de savoir de quel délai on dispose pour la localiser. Et si on arrive trop tard…

— Nous allons la retrouver.

Eve consulta la pendule de la chambre. Disparue depuis soixante et onze heures, songea-t-elle.

# 15

Eve émergea d'un puits noir de sommeil dans un éclair de blancheur. Elle était seule dans une pièce blanche, mais elle avait l'impression que, tout autour, des bébés pleuraient, des femmes hurlaient. Elle poussa sur les murs, solides comme de l'acier, et ne réussit qu'à les maculer d'empreintes de mains écarlates.

Baissant les yeux, elle constata que ses mains étaient couvertes de sang.

Le sang de qui ? se demanda-t-elle tout en cherchant à dégainer son arme. Mais dans son étui, il n'y avait qu'un petit couteau, dégoulinant de rouge. Elle le reconnaissait, bien sûr. Elle s'en était servie pour poignarder son père, autrefois.

S'il avait suffi à l'époque, il suffirait maintenant.

Prenant la position de combat, elle se mit à avancer le long de la paroi blanche.

Ne cessaient-ils jamais de pleurer ? Les pauvres, elle ne pouvait guère leur en vouloir. Tous ces bébés jaillissaient d'un cocon obscur et chaud pour atterrir dans la lumière froide de la réalité. Dans la souffrance, songea-t-elle. Dans une mare de sang. Les mères poussant des cris de douleur.

Plutôt dur, comme démarrage dans la vie.

Elle continua de longer le mur, tandis que la pièce rétrécissait pour former un tunnel. Un peu comme une morgue, remarqua-t-elle. La naissance et la mort, le début et la fin du grand voyage humain.

Soudain, elle aperçut Mavis, couchée par terre.

— Eh!

Mais, comme elle se précipitait vers elle, Mavis lui sourit et agita la main.

— Tout va bien. C'est génial. Ce n'est pas pour tout de suite. Tu devrais aller aider les autres.

— Quelles autres? Où sont-elles?

— Justement, c'est le problème. Il faut que tu te débrouilles pour être de retour avant que j'accouche. Tu te rappelles tout ce qu'on a appris aux séances de préparation?

— J'ai eu un A.

— Je savais bien que je pouvais compter sur toi. C'est bientôt le jour J, Dallas. Ne sois pas en retard. Tandy compte sur toi, aussi.

Une cigogne blanche vola au-dessus de sa tête, un sac se balançant à son bec. Eve l'esquiva, poussa un juron.

— En voilà une autre! s'exclama Mavis en riant. C'est peut-être celle de Tandy. Tu ferais mieux de courir après, vite! Ce pourrait être une cause de décès!

Eve piqua un sprint, jeta un coup d'œil derrière elle. Mavis se tenait sur la tête, les pieds calés contre le mur blanc.

— Je le garde au chaud jusqu'à ce que tu reviennes.

— C'est louche, marmonna Eve en se lançant à la poursuite de la cigogne.

Dans une niche, Natalie Copperfield était ligotée à un bureau. Ses yeux étaient noirs, ruisselants de sang et de larmes. Elle avait une ceinture de peignoir bleue autour du cou.

— Ça ne tombe pas juste, gémit-elle. Les résultats sont faux. Il faut que je règle le problème. C'est mon métier. Ils m'ont tuée à cause de cela, expliqua-t-elle à Eve, mais je devais régler le problème.

— Vous allez devoir m'en révéler davantage.

— Tout est là, dans le fait que ça ne tombe pas juste. Vous ne l'avez pas encore retrouvée?

Avisant une porte, Eve tira dessus puis, comme elle refusait de céder, donna de grands coups de pied dedans. De l'autre côté, dans un box blanc, Tandy était installée sur une table d'accouchement comme celle qu'avait utilisée la sage-femme lors de ses démonstrations.

Les draps étaient rouges de sang, son visage brillait de sueur.

— Le bébé arrive. Je ne peux pas l'arrêter.

— Où est le médecin ? Où est la sage-femme ?

— Je ne peux pas l'arrêter. Vite ! Vite !

Alors même qu'Eve se jetait vers elle, Tandy se volatilisa.

Le sol s'ouvrit sous ses pieds. Dans sa chute, elle entendit les braillements des bébés, les cris des femmes.

Elle atterrit lourdement, perçut le craquement d'un os dans son bras. Il faisait froid, très froid.

— Non ! geignit-elle en se redressant sur ses mains et ses genoux. Non !

Il gisait dans une mare de son propre sang, celui-là même qui dégoulinait des mains d'Eve et de la lame de couteau qu'elle serrait encore entre ses doigts.

Il tourna la tête vers elle, la fixa avec ses yeux de mort.

— On en revient toujours au commencement, fillette.

Elle se réveilla en sanglots, dans les bras de Connors.

— Tout va bien. Tu as eu un cauchemar. Je suis là.

— C'est bon, souffla-t-elle en humant son parfum. C'est bon. Ce n'était pas si terrible.

— Tu trembles.

Il commanda la lumière à dix pour cent et un feu dans la cheminée.

— C'était surtout bizarre.

— Des bébés volants ? s'enquit-il, d'un ton enjoué, tout en l'étreignant.

— Pas cette fois-ci.

Elle s'obligea à se décontracter et lui raconta son rêve.

— Mes deux affaires s'entremêlaient. Et ce salaud, comme toujours, figurait dans l'acte final.

— Recouche-toi. Respire.

Elle obéit, se pressa contre lui, mais elle savait qu'elle ne se rendormirait pas.

— J'avais un sentiment d'urgence. Je devais à tout prix retrouver Tandy. Quand je l'ai vue, j'étais incapable de l'atteindre. Natalie Copperfield était là, et tout ce que je me disais, c'était qu'elle méritait mieux de ma part. Elle va rester prise dans son piège, à recompter ses colonnes de chiffres, jusqu'à ce que « ça tombe juste ».

— Permets-moi de te rappeler que tu n'es pas toute seule dans cette pièce blanche, ce tunnel, ni même cette putain de chambre à Dallas. Plus maintenant.

Elle inclina la tête pour mieux contempler son visage, lui caressa la joue.

— Dieu soit loué !

Il l'embrassa sur le front.

— Bon, puisque tu as réussi à dormir trois heures, je suppose que tu vas te lever ?

Pour une fois, elle ne refusa pas un petit-déjeuner décent. Au contraire, elle commanda elle-même deux énormes assiettes, pendant que Connors s'habillait.

— Et voici mon adorable épouse, qui me sert mon petit-déjeuner un dimanche matin.

— Tu l'as mérité. Pas toi, précisa-t-elle à l'intention du chat, qui venait de quitter sa place au soleil pour venir vers elle.

Mais Galahad la gratifia d'un regard tellement triste qu'elle leva les yeux au ciel et retourna programmer l'autochef.

— Il t'a eue, dit Connors en attaquant ses œufs.

— C'est possible, mais au moins cela nous épargnera ses miaulements pendant que nous mangeons. J'ai réfléchi...

— Tu n'arrêtes jamais.

— Cette affaire italienne ressemble un peu trop à la mienne à mon goût. S'il existe un lien entre les deux, Applebee sera vraisemblablement écarté d'emblée. Il faudra donc s'intéresser à quelqu'un qui cible les femmes dans cette situation.

— Enceintes, sans famille proche, récemment installées dans la ville, et sur le point d'accoucher.

— Exact. Certes, je n'en ai pas repéré qui collent pile à ce profil, mais qui sait s'il n'y en a pas eu d'autres dont on n'a jamais signalé la disparition ? Ou d'autres, répertoriées par l'IRCCA, mais qui ne correspondent pas tout à fait ? Dans ce cas, plusieurs hypothèses sont possibles.

Songeur, Connors se servit une crêpe qu'il venait d'inonder de sirop d'érable.

— La distance est grande, entre Rome et New York, si tu penses à quelqu'un qui file les femmes dans ce genre de situation et les enlève. Or, Sophia Belego n'a jamais été retrouvée, on peut donc en déduire que l'agresseur se débarrasse de ses otages.

— Des jeunes femmes. Les bébés sont une marchandise.

— Marché noir, esclavage, adoptions illégales. Oui, je vois où tu veux en venir.

Eve enfourna une bouchée de crêpe après y avoir ajouté une rasade de sirop. Connors grimaça.

— Tu vas avoir mal aux dents.

— Hein ? Oh, non, c'est délicieux ! J'adore l'effet stimulant du sucre. Bref, il pourrait s'agir d'un psychopathe qui aime voyager, apprécie la diversité. À force de creuser, je vais peut-être réussir à identifier des recoupements entre Tandy et Belego. Dans les deux cas, tout était planifié d'avance. Ces femmes ont été enlevées en pleine rue – en plein jour, pour ce qui est de Belego. Autre détail intéressant : toutes deux ont commencé leur grossesse en Europe.

Fasciné, il la regarda tremper une tranche de bacon dans une mare de sirop. Son flic préféré avait l'appétit d'une enfant de cinq ans.

— Tu crois que l'origine est là-bas plutôt qu'ici.

— Cela m'est venu à l'esprit. Je vais y réfléchir tout en rédigeant mon rapport pour Smith, au service des Personnes disparues. Elle aura peut-être un avis sur la question. C'est davantage son domaine que le mien.

— Préviens-moi quand tu auras terminé. Je te mettrai au courant de mes recherches.

— Pourquoi ne pas tout me dire maintenant ?

— J'ai mis le doigt sur un fichier en apparence inattaquable, mais quand on s'amuse à l'éplucher... Un virement et un dépôt qui se chevauchent ; une dépense à part, issue de ce même revenu et passée sur un autre compte – non imposable. Évidemment, je travaille à l'aveuglette. Le manège se répète, avec de subtiles variations. Ce pourrait être quelqu'un qui essaie de se mettre du fric dans la poche tout en évitant certains impôts, à moins que ce ne soit une petite affaire de blanchiment.

— De quel ordre ?

— Je n'en sais rien encore. Merci, ajouta-t-il, tandis qu'elle remplissait sa tasse de café. La manipulation est habile, et j'ai encore quelques couches à enlever. C'est une somme considérable.

— Environ ?

— Jusqu'ici, j'ai détecté des nombres à sept chiffres.

— Plusieurs millions ?

— Probablement, oui. Un mobile suffisant pour deux meurtres, je pense.

— D'aucuns se contenteraient d'une poignée de crédits. Tu as raison, ce pourrait être le mobile. Si tu me laissais y jeter un coup d'œil, afin que je puisse attribuer à ton fichier le nom du client ?

— Si tu me laissais finir d'abord ?

— Tu travailles en solo, donc je dois faire de même ?

— Comment peux-tu me soupçonner d'une telle mesquinerie ? Remarque, tu n'as pas forcément tort, mais cette fois, c'est simplement que je préfère peaufiner mes recherches. D'autant que tu as de quoi t'occuper en attendant.

« Exact », songea-t-elle.

— Je vais appeler des renforts.

— Sous prétexte que nous travaillons un dimanche, les autres doivent en faire autant ?

— Comment peux-tu me soupçonner d'une telle mesquinerie ?

Il sourit et lui tapota la main.

— Nous nous ressemblons comme deux gouttes d'eau. Si tu rameutes les troupes, lieutenant, McNab me serait d'une aide précieuse.

— Aucun problème.

Elle se leva, la main sur le ventre.

— J'ai un peu mal au cœur.

— Ça ne m'étonne guère, vu le litre de sirop d'érable que tu viens d'avaler.

— Pas tant que ça ! protesta-t-elle en se tournant vers son communicateur.

Elle avait un message du gérant du parking de la Cinquante-huitième Avenue. Les disques avaient tous été effacés. Cette piste ne menait à rien.

À peine s'était-elle installée dans son bureau, après avoir arraché ses collègues à leur grasse matinée dominicale, que Mavis et Leonardo apparurent.

— Je me doutais bien que tu serais au boulot, constata Mavis, les yeux cernés. Tu vois, je te l'avais dit, Leonardo ! Alors ? Il y a du nouveau ?

— J'ai interrogé plusieurs personnes. Je t'ai dit que je te préviendrais dès que j'aurais quoi que ce soit.

— Je sais, mais…

— Elle n'a pas fermé l'œil de la nuit, intervint Leonardo. Elle a refusé de manger ce matin.

— Cesse de parler de moi comme si je n'étais pas là, bougonna Mavis, exaspérée. Je ne suis pas stupide. Cette histoire me mine. Comment pourrait-il en être autrement ? Je devrais pouvoir vous donner un coup de main.

— Rentre chez toi et laisse-moi bosser en paix.

— Je te prie de ne pas employer ce ton ! glapit Mavis. Ce n'est pas parce que je suis enceinte que je suis mentalement attardée. Tandy est mon amie, et elle est dans le pétrin. Je ne vais pas rester assise sur mon canapé sans rien faire.

— Assieds-toi donc ici, suggéra Connors.

Elle se tourna vers lui.

— Je n'ai pas besoin de m'asseoir ! rugit-elle. Vous voyez cela ? enchaîna-t-elle en montrant ses boots mauves. Ce sont des pieds, et j'arrive à tenir dessus. La prochaine personne, je dis bien *la prochaine,* qui me conseille de prendre un siège ou de m'allonger ou de manger va le regretter amèrement.

Dans un silence de plomb, Eve, Connors et Leonardo dévisagèrent Mavis.

— Je suis solide et en bonne santé, reprit-elle en inspirant une grande bouffée d'air. Je refuse de me poser sur mes fesses de grosse vache en cloque, alors que Tandy est en danger. Regarde-toi, Dallas ! Tu n'as pas dormi non plus. Tu crois que je ne le vois pas ? Tu crois que je n'ai pas conscience de t'avoir demandé un service énorme ? Si tu étais à ma place, tu réagirais comme moi.

— Je ne peux pas être à ta place, puisque je ne suis pas une grosse vache en cloque. Oui, tu m'as demandé un service énorme et, si tu veux que je tienne ma parole, tu vas t'asseoir, la fermer et me laisser travailler. Salope.

De nouveau, un long silence. Mavis devint écarlate. Soudain, elle avança le menton.

— Salope toi-même.

Elle se couvrit les yeux avec les paumes de ses mains.

— Je suis désolée. Je vous demande pardon à tous. Mais ne me demandez plus de rentrer à la maison, je vous en supplie. Confiez-moi une tâche, n'importe laquelle.

— Tu pourrais établir une frise chronologique d'après mes notes et nous préparer du café.

— D'accord.

— Je peux me charger du café, proposa Leonardo en observant Mavis à la dérobée. Moi aussi, j'ai besoin de m'occuper.

Mavis lui prit la main et la porta à sa joue.

— Tu pourrais peut-être me concocter un de tes fameux cocktails frappés, spécial petit-déjeuner.

Comme il se penchait pour l'embrasser, elle lui prit le visage.

— Tu es ce que j'ai de plus cher au monde. Pardonne-moi.

— Maintenant qu'on s'est tous embrassés et réconciliés… commença Eve.

— Je ne t'ai pas encore embrassée. Ni toi, ajouta Mavis en gratifiant Connors d'un sourire coquin.

Il vint vers elle déposer un baiser sur son front.

— … si on faisait preuve d'un minimum d'efficacité ? acheva Eve. Connors, je t'envoie McNab dès qu'il sera là. Leonardo, du café noir, très fort.

Eve se leva, tandis que les hommes se précipitaient dans des directions opposées. Elle roula son ordinateur de secours jusqu'à Mavis.

— Merci de m'avoir traitée de salope. Je le méritais bien.

— À ton service.

— Dallas, peux-tu me dire ce que tu sais ?

Eve lui résuma brièvement la situation, tout en branchant l'appareil pour que Mavis puisse s'atteler à sa mission.

— Tu en sais déjà tellement plus que moi. Tandy et moi parlions surtout du présent et de l'avenir. Elle n'évoquait jamais son passé. Crois-tu... crois-tu qu'elle ait pu renouer avec le père du bébé ? Qu'ils se soient tout bêtement offert une escapade en amoureux ?

— Je vais essayer à nouveau de le contacter. Nous ne tarderons pas à le savoir.

— Dallas, quelle que soit l'issue de cette affaire, je veux que tu saches combien je te suis reconnaissante et combien je t'aime.

Eve lui effleura l'épaule.

— Pas de sensiblerie pendant que je suis en service. La frise chronologique.

— J'y suis.

Eve retourna à son bureau tenter de joindre Aaron Applebee. Jetant un coup d'œil vers Mavis, elle passa en mode « conversation privée ».

Cette fois, il répondit.

— Applebee.

— Lieutenant Dallas, de la police de New York. J'ai eu du mal à vous joindre, monsieur Applebee.

— J'étais en mission à Glasgow. Je viens de rentrer.

Il frotta son visage grisonné par une barbe de plusieurs jours.

— Qui êtes-vous ?

— Je vous l'ai déjà dit. Lieutenant Eve Dallas. Police de New York.

— Bonjour, lieutenant. Voilà une surprise. Que puis-je pour vous ?

— Me dire à quand remonte votre dernier contact avec Tandy Willowby.

— Tandy ?

Son expression changea du tout au tout, se remplissant d'espoir.

— Vous avez vu Tandy ? Elle est là ? New York... Je n'aurais jamais imaginé... Elle a eu son bébé ? Comment vont-ils ? Je pourrais sauter à bord d'une navette et être sur place dans quelques heures.

— Monsieur Applebee, vous êtes le père de l'enfant que porte Mlle Willowby ?

— Oui, oui, bien sûr. L'enfant qu'elle porte, dites-vous ?... Il n'est donc pas encore trop tard...

Elle habitait à New York. Vous l'ignoriez ?

— C'est-à-dire qu'elle... nous... C'est compliqué. Comment ça, « habitait » ?

— Mlle Willowby a disparu depuis jeudi soir.

— Disparu ? Je ne comprends pas. Attendez une seconde...

Elle le vit changer de position, s'asseoir, lutter pour se ressaisir.

— Comment savez-vous qu'elle a disparu depuis jeudi ?

— Elle a quitté son travail à dix-huit heures comme à l'accoutumée. Elle n'a pas regagné son domicile. Elle a raté plusieurs rendez-vous. Elle n'a appelé ni sa sage-femme, ni son employeur, ni ses amis. Je suis chargée de l'enquête.

— Elle est enceinte. Elle doit accoucher d'un jour à l'autre. Vous êtes-vous renseignée auprès des maternités ? Bien évidemment, enchaîna-t-il, sans laisser à Eve le temps de répondre. Bien, restons calmes. Ne perdons pas la tête.

Mais il s'empoigna la nuque, comme s'il craignait qu'elle ne tienne pas toute seule.

— Et si elle était revenue à la maison ? Pendant mon absence.

— Rien ne nous permet d'affirmer qu'elle ait quitté New York. Monsieur Applebee, où en était votre relation avec Mlle Willowby quand elle a quitté Londres ?

— C'était difficile, voire fichu. Je me suis comporté comme un goujat. Quand elle m'a annoncé sa grossesse, j'ai complètement paniqué. Ce n'était pas prévu. J'ai tout gâché, voilà tout. J'ai suggéré la solution de l'avortement. Elle ne l'a pas supporté. C'est normal.

Il appuya les doigts sur ses paupières.

— Seigneur ! Seigneur ! Quel idiot je suis ! Nous nous sommes disputés. Elle a décrété qu'elle accoucherait sous X, que l'enfant serait adopté, que cela ne me causerait aucun souci. Elle est même allée dans une agence, je crois. Elle m'adressait à peine la parole.

— Quelle agence ?

— Je n'en ai aucune idée. Nos discussions étaient devenues des concours d'aboiements. Puis, elle a changé d'avis. Elle m'a laissé un message, me signalant qu'elle partait. Elle a démissionné de son travail, rendu les clés de son appartement. J'étais persuadé qu'elle reprendrait contact avec moi, qu'elle reviendrait. Je l'ai cherchée, mais l'idée qu'elle ait pu s'installer aux États-Unis ne m'a jamais traversé l'esprit. Elle n'est pas montée dans une navette ici ni à Paris. Selon une de ses collègues, c'est là qu'elle s'est rendue au moins un certain temps.

— Allons droit au but. Où étiez-vous jeudi ?

— Ici, à mon bureau, toute la journée jusqu'aux alentours de vingt heures. Je suis parti pour Glasgow tout de suite après. Je suis journaliste au *London Times*. Je vais vous donner les coordonnées de mon supérieur ainsi que de l'hôtel où je suis descendu à Glasgow. Si vous le souhaitez, je peux aussi passer quelques coups de fil – à ses amis, à ses collègues, à l'obstétricien qu'elle a consulté en apprenant qu'elle était enceinte. Peut-être que quelqu'un sait…

— Si vous me transmettiez plutôt une liste de noms et de numéros ?

— Si vous voulez. Il vaut mieux que ce soit vous plutôt que l'andouille qui a tout saboté. Je viens à New York. J'y serai cet après-midi. Voici le numéro de mon communicateur portable, au cas où.

Le temps qu'Eve transcrive toutes les données, elle avait une tasse de café sur son bureau et sa frise chronologique.

— Mavis et moi pourrions revérifier auprès des hôpitaux et des maternités. Tandy s'y est peut-être présentée dans la matinée, dit Leonardo.

— Demandez à sa sage-femme de s'en occuper, répliqua Eve. Elle obtiendra plus facilement les informations que vous. Mavis, Tandy t'a-t-elle confié qu'elle avait envisagé d'abandonner son bébé ?

— Oui.

Devant son poste de travail, Mavis s'était figée, les mains croisées sur ses cuisses.

— Un jour, elle m'a raconté qu'elle avait examiné toutes les solutions possibles. Elle s'est même adressée à une agence d'adoption. Puis, elle a changé d'avis.

Mavis devina les pensées d'Eve.

— Tu penses qu'elle a encore changé d'avis, qu'elle s'est rendue dans un refuge ou une agence d'adoption. C'est impossible. Elle n'aurait pas fait cela. Elle était fermement décidée à fonder une famille.

— On ne peut négliger aucune possibilité. Te rappelles-tu le nom de l'agence ?

— Elle a dû me le dire... Mon Dieu, je ne m'en souviens plus ! C'était un soir où nous bavardions de tout et de rien.

— Si cela te revient, dis-le-moi.

Eve se retourna lorsque Peabody et McNab franchirent le seuil de la pièce.

— McNab, vous passez à côté chez Connors. Vous allez plancher sur les dossiers Copperfield-Byson. Peabody, j'ai ici une liste de contacts à Londres concernant Tandy Willowby. Occupez-vous-en. Mavis et Leonardo, recherchez toutes les agences d'adoption ayant des bureaux à Londres. Peabody va avoir besoin de cet ordinateur, vous devrez donc vous installer dans une autre pièce.

— Tout de suite, murmura Mavis en se levant péniblement. Je me sens déjà mieux.

Peabody attendit que Leonardo ait entraîné Mavis dans le couloir.

— Et maintenant que vous vous êtes débarrassée d'elle ?

— Parcourez donc ce fichier que l'on m'a envoyé de l'Italie. Un crime similaire. Une jeune femme, volatilisée alors qu'elle était dans sa trente-sixième semaine de grossesse. Sans laisser la moindre trace. Vous y trouverez des noms de relations à Florence, où elle vivait avant de déménager pour Rome. Faites le suivi.

— Mon italien laisse fort à désirer. Hormis quelques mots comme *linguini*, *ricotta* ou *ciao*...

— Le mien aussi. Improvisez. Tâchez de savoir si elle avait à un moment ou à un autre imaginé d'autres solutions : avortement, adoption.

De son côté, Eve se replongea dans les archives de l'IRCCA que lui avait procurées Peabody et s'intéressa aux autres affaires. Elle tomberait peut-être sur une sombre histoire d'enlèvement raté ayant provoqué une mort. On maquille la scène en viol ou en agression. On dissimule le cadavre.

Elle s'attarda sur les moindres détails, lut attentivement des dizaines de rapports d'autopsie. Soudain, elle se raidit. Une victime âgée de vingt et un ans, dans le Middlesex. On avait découvert le corps mutilé et le fœtus dans un bois. Selon la police locale, c'était un lieu de dépôt et non celui du crime. Mutilations post mortem. Cause du décès : traumatisme crânien.

Pour en savoir davantage, Eve sollicita le chargé d'enquête. Un quart d'heure plus tard, sourcils froncés, elle se cala dans son siège et examina son tableau récapitulatif.

Elle constata un certain nombre de différences. Cette victime avait été mariée – quelques semaines à peine avant sa mort. Elle avait de la famille dans le Middlesex, où elle avait vécu pratiquement toute son existence.

Hormis une courte période, passée à Londres. D'après les déclarations des témoins, elle y était allée dans un but précis : placer son bébé dans une agence.

Elle leva la main alors que Peabody traversait la pièce.

— Je vais juste chercher du café, marmonna Peabody.

— J'ai une victime âgée de vingt et un ans, Angleterre. Enceinte de son petit ami, elle décide de garder l'enfant. La famille est dans tous ses états : le jeune homme n'est guère apprécié. Il a fricoté avec la justice à plusieurs reprises, il n'a pas d'emploi stable. La victime décide d'aller à Londres se renseigner sur les possibilités d'adoption. Elle reste quelques jours dans une auberge de jeunesse, puis s'installe dans un hôtel plutôt correct. Elle séjourne six semaines dans la capitale avant de regagner le Middlesex. Le petit ami décroche un boulot, l'amour est vainqueur, ils décident de se marier et d'élever le bébé.

— Mais ?

— Deux semaines avant son accouchement, elle disparaît. On la retrouve quarante-huit heures plus tard dans un bosquet non loin de la maison que son nouveau mari et elle viennent de louer. Elle a été déposée là. Le crime s'est produit ailleurs, on n'a jamais su où.

— Ils ont interrogé le nouveau mari ?

— Au laser. Il avait un alibi en béton. Cause du décès : traumatisme crânien, probablement dû à une chute. L'autopsie révèle aussi des traces de liens aux poignets et aux chevilles, ainsi que des hématomes mineurs, périmortem, sur les bras. Le corps a été mutilé après la mort. Tailladé. L'assassin avait sorti le fœtus – non viable.

— C'est épouvantable.

Peabody jeta un coup d'œil vers la porte, pour s'assurer que Mavis n'était pas dans les parages.

— Cependant, je note des différences essentielles par rapport au cas de Tandy.

— Et moi, je suis frappée par les similitudes. Supposons que la personne qui a kidnappé ces femmes voulait les bébés, et qu'elle ait tenté de récupérer celui-ci quand la victime est décédée. Mais il était trop tard. Donc, il – ou elle – maquille la scène en mutilant le corps, puis se débarrasse des deux.

Eve se leva pour afficher une nouvelle photo et un nouveau nom sur son tableau.

— Qu'est-ce qu'on a ? Trois jeunes femmes enceintes, en pleine santé. Aucune n'était légalement liée au père au moment de la conception. Deux au moins d'entre elles se sont renseignées sur les modalités d'adoption.

— Trois, rectifia Peabody. La cousine de la victime italienne confirme que Belego a envisagé cette solution et pris rendez-vous avec un conseiller à ce sujet.

— Vous avez un nom ?

— Non, mais la cousine va interroger les proches.

— Trois sur trois, c'est important. Essayons cela. Tâchons d'obtenir une liste des agences ayant des bureaux à Londres et à Florence ou à Rome. J'ai les coordonnées de l'obstétricien de Tandy à Londres. Nous le joindrons aussi. Avant cela, voyons si le médecin est associé avec des agences d'adoption.

Elles ne tardèrent pas à apprendre que l'obstétricien de Tandy consultait bénévolement trois fois par semaine dans une maternité. La même, nota Eve, que celle où s'était rendue la jeune femme du Middlesex durant son séjour à Londres.

Une petite conversation était de mise, décida Eve.

Après avoir réussi à parler au médecin, elle ajouta son nom et celui de la clinique sur son tableau.

— Il confirme avoir soumis à Tandy une liste d'agences et de conseillers. Il n'est pas en mesure de me dire si elle en a contacté, car elle a annulé son rendez-vous suivant avec lui et demandé à récupérer son dossier médical. Il doit vérifier son agenda et me rappeler pour me donner la date exacte. Il va aussi me transférer la liste qu'il distribue généralement à ses patientes.

— Tout ça se passe en Europe. Si Tandy a été enlevée, c'est ici.

— Le monde est petit, marmonna Eve.

À cet instant, Connors apparut, un disque à la main.

— Ceci devrait t'intéresser, lieutenant.

# 16

Eve oublia momentanément Tandy, pendant que Connors entrait les données dans son ordinateur et appelait le fichier sur l'écran. Elle ne vit qu'une feuille de calcul compliquée, remplie de colonnes et de chiffres.

Connors, apparemment, y voyait tout autre chose.

— Deux comptes m'ont paru louches, attaqua-t-il. Le premier – McNab est d'accord avec moi – comprend des trous, des petits manques. Une employée aussi méticuleuse que Copperfield n'aurait jamais commis de telles erreurs.

— Le fichier aurait été saboté ?

— Là encore, McNab et moi sommes d'accord.

— Oui, acquiesça ce dernier. Je ne suis pas expert-comptable, mais je sais reconnaître un fichier trafiqué. Certaines actions correspondent aux dates que vous m'avez fournies, quand Copperfield a confié à Byson avoir mis le doigt sur quelque chose, quand elle a commencé à rebrancher son ordinateur après ses heures de service. D'autres remontent plus loin dans le temps.

— Quelqu'un a soigneusement effacé ou trafiqué son travail, reprit Connors. Quelqu'un qui, selon moi, possède de solides connaissances en matière de comptabilité.

— Ce serait donc l'œuvre d'une personne travaillant au sein de l'entreprise. Quel est le numéro du dossier ?

Connors le lui récita, et Eve rechercha le nom du client concerné.

— Tiens, tiens, tiens! Ce sont nos vieux amis Stuben, Robbins, Cavendish et Mull.

— Intéressant.

— Vous avez dit que c'était un cabinet d'avocats! s'exclama McNab, hilare, en pointant le doigt sur Connors. Vous travailliez peut-être en aveugle, mais vous avez tapé dans le mille.

Connors se servit d'un pointeur laser pour indiquer certaines colonnes de son propre fichier encore affiché à l'écran.

— Heures facturées. Provisions, pourcentages des associés. Ce n'était pas bien compliqué.

— Mais peut-on leur reprocher quoi que ce soit? s'enquit Eve. Manipulations illégales, détournements de fonds, évasions fiscales?

Connors secoua la tête.

— On a les trous. Une fois remplis, on verra. Les chiffres collent et, en apparence, tout semble nickel.

— Pourtant, ces comptes sont falsifiés, protesta Eve.

— En ce qui concerne le deuxième compte ayant attiré mon attention, certainement.

Il changea de fichier.

— Les totaux sont exacts, enchaîna-t-il. Le document passerait sans souci les contrôles standards. Ce que j'ai trouvé – et je soupçonne que c'est aussi ce qu'a trouvé ta victime –, ce sont des revenus et des investissements minutieusement manipulés de manière que les comptes tombent juste. Isolés, c'est tout le contraire. Ici, par exemple, on a des honoraires. Ces honoraires sont consignés non pas en sommes, mais en pourcentages précis de domaines coordonnés de revenus – et ça ne colle pas. On a toujours quarante-cinq pour cent du montant et, avec les sommes correspondantes, ce même pourcentage apparaît sous la rubrique « Contributions à but non lucratif », donc non imposables. Ce qui signifie, en gros, que le client perçoit des honoraires sur lesquels il ne paie aucun impôt.

— Fraude fiscale, marmonna Eve.

— Certes, mais ce n'est que la cerise sur le gâteau. Le revenu lui-même est divisé en parts, redistribuées en sous-comptes une fois déduits les frais de fonctionnement. Ces sommes sont ensuite reversées sur le compte principal, puis déboursées par le biais, j'imagine, d'une sorte de fonds de charité. Le client a reçu une coquette avance annuelle qui apparaît ici.

— Les montants varient d'une année sur l'autre, mais le principe demeure constant.

— Combien ont-ils blanchi ?

— Entre six et huit millions par an pendant la période que j'ai examinée. En réalité, c'est plus que cela. Il existe des moyens plus simples de contourner le fisc et de blanchir de l'argent. J'en déduis donc que ce client en particulier perçoit des revenus dont la provenance est louche. Il s'agit d'une opération d'envergure, superbement gérée et qui, à en juger par tous ces honoraires et toutes ces dépenses, profite à plusieurs individus.

— Copperfield aurait découvert le pot aux roses ?

— Si elle avait flairé le plan, oui. Ou si elle s'interrogeait sur un point et avait décidé de creuser un peu, et comme le principe est très systématique…

— Je ne comprends pas. Je ne fais pas allusion aux chiffres, tout le monde sait que je n'y connais rien. Mais pourquoi ? Pourquoi ne pas s'être contenté de tenir une comptabilité séparée ?

— L'avidité est un moteur puissant. Grâce à ce système, on peut bénéficier de réductions d'impôts considérables, sur tous les revenus, officiels ou non, mais il faut les déclarer.

Elle opina.

— Quel est le numéro du dossier ?

— 024-93.

Elle regagna son bureau, appela son propre fichier.

— *Les Trois Sœurs*. Une chaîne de restaurants. Londres, Paris, Rome, New York et Chicago.

— Une chaîne de restaurants ? répéta Connors, dubitatif. Non, c'est impossible. Ce ne sont pas là les comptes d'un restaurant.

Eve vérifia qu'elle ne s'était pas trompée.

— C'est pourtant ce qui sort.

— Peut-être, mais j'insiste : ce ne sont pas les comptes d'un restaurant.

— Connors, je suis sur le dossier intitulé « *Les Trois Sœurs* » par Copperfield...

— Elle a échangé des fichiers.

— Pourquoi aurait-elle fait cela ? Et avec qui ?

Eve s'assit, ouvrit le document.

— Madeline Bullock. Nom de Dieu ! Ce sont les comptes de la fondation Bullock. Ce n'est pas Natalie qui les gérait.

— Elle gérait ceux de Cavendish & Co., dit Connors. Et ils représentent la fondation Bullock.

— Elle a réussi à accéder au fichier de la fondation, murmura Eve. Elle l'a renommé. Personne n'aurait pris la peine de consulter ce dossier sur son ordinateur... Kraus. Robert Kraus. C'est lui qui gérait ce compte et qui – soi-disant – dînait en compagnie de Bullock et de son fils la nuit où l'on a tué Copperfield et Byson. Quand on a besoin d'un alibi, autant choisir un client, non ?

Elle se mit à tourner autour de son bureau.

— Copperfield repère quelque chose qui lui semble louche dans les comptes du cabinet d'avocats. Quelque chose ayant un lien avec la fondation Bullock. Or, tous deux sont clients de sa société. La logique veut qu'elle en parle à l'un des grands patrons. Elle s'adresse à Kraus, lui exprime ses inquiétudes, pose des questions. Il la rassure ou lui promet d'y jeter un coup d'œil. Mais elle est curieuse et méticuleuse. Elle veut comprendre. Elle examine de nouveau le dossier. Et découvre ce que tu viens de me démontrer.

— Elle fait une copie de sauvegarde, dit Connors. Elle n'ose plus consulter Kraus, car elle s'est demandé comment il n'avait pas pu être au courant de ce qu'elle avait vu. À qui peut-elle en parler ?

— À son fiancé. Mais Kraus est sur ses gardes. Il se rend compte qu'elle a fureté, copié des fichiers. Il panique. Il profère des menaces, tente de la soudoyer.

— Puis il planifie un double meurtre en s'appuyant sur un alibi confirmé par deux de ses plus importants clients. Deux personnes qui représentent une des fondations philanthropiques les plus prestigieuses au monde…

— … et qui deviennent désormais les éventuels complices d'un double assassinat. Je crois que je vais aller cuisiner ce cher Robert. Peabody, avec moi.

— Euh, Dallas, ce serait avec plaisir, mais pour une fois il me semble que vous auriez intérêt à y aller avec votre croqueur de chiffres. Je n'y connais rien.

Eve eut une petite moue, dévisagea Connors.

— Elle n'a pas tort. Qu'en dis-tu ?

— Ce devrait être amusant.

— Ouf ! avoua Peabody. Pendant ce temps, McNab et moi plancherons sur l'affaire Tandy Willowby.

— Excellent. Veillez sur Mavis, aussi. Allons-y !

Kraus n'était pas chez lui, mais son épouse accepta d'interrompre sa partie de bridge dominicale pour leur expliquer qu'il jouait au golf à *l'Inner Circle* de Brooklyn.

C'était une femme rondelette, vêtue pour l'occasion de cachemire bleu ciel.

— C'est au sujet de cette charmante fille et de son adorable fiancé, je suppose ? Quelle horreur ! J'ai passé un si bon moment à bavarder avec elle lors de la fête de fin d'année, en décembre dernier. J'espère que vous allez attraper l'assassin.

— C'est mon intention. Si j'ai bien compris, le soir du meurtre, vous receviez des invités.

— Oui. Madeline et Win. Nous avons mangé, joué aux cartes. Et pendant ce temps...

— Jusqu'à quelle heure ?

— Près de minuit, si je ne m'abuse. Je tombais de sommeil. D'ailleurs, j'étais tellement fatiguée que je me suis demandé si je ne couvais pas une grippe. Pourtant, je me suis réveillée le lendemain en pleine forme et j'ai pu déguster un brunch succulent.

— Imagine qu'il ait versé une dose de tranquillisant dans le verre de sa femme, déclara Eve, sur le chemin de Brooklyn. Il avait tout le temps de foncer chez Copperfield, puis chez Byson et de rentrer chez lui. Deux ou trois ronflements, et il pouvait, lui aussi, déguster son brunch succulent.

— Qu'a-t-il fait des ordinateurs et des disques ? s'interrogea Connors.

— Ah, c'est vrai ! Il les a emportés chez lui. Il doit y avoir un bureau dans lequel sa femme ne met jamais les pieds. Ou alors il a loué un local pour les entreposer jusqu'au jour où il pourra s'en débarrasser sans risques. Seulement là, il y a un hic.

— Lequel ?

— Robert Kraus n'a jamais eu de permis de conduire ni possédé une voiture. Or, notre coupable avait un moyen de transport. Donc, il a œuvré avec un complice.

— Bullock ou Chase ?

— Peut-être. Probablement. Ou quelqu'un d'autre de la firme. Cavendish ou son chien de garde. Une ou plusieurs personnes au sein du cabinet comptable étaient au courant. Une ou plusieurs personnes au sein de la fondation, parmi les avocats. Tu as parlé d'une opération d'envergure. Je me base là-dessus. D'où provient l'argent ? Ces fonds manipulés et détournés, quelle en est la source ?

— Les sommes figurent sous les rubriques « Donations », « Fonds de charité », « Revenus privatisés ». Je ne pouvais pas creuser davantage.

— Les honoraires, les pourcentages. Sûrement des pots-de-vin glissés en douce au comptable, à l'avocat. Nous allons devoir suivre cette piste, car elle mène bel et bien quelque part.

L'*Inner Circle* était un practice de golf couvert, où les *afficionados* pouvaient s'exercer et boire un verre entre copains. Moyennant suppléments, on pouvait accéder à de luxueux vestiaires munis d'écrans muraux branchés sur les chaînes sportives et bénéficier des services d'un masseur ou d'une masseuse. Il y avait également plusieurs jacuzzis, saunas, bassins et autres hammams.

Ils trouvèrent Kraus au neuvième trou.

— Pouvez-vous m'accorder quelques minutes ? demanda Eve.

— Maintenant ? s'exclama-t-il en fronçant les sourcils sous sa casquette en tweed. Je suis en plein milieu d'une partie avec des clients.

— Vous les rattraperez plus tard. À moins que je ne vous accompagne ? proposa-t-elle aimablement. Ainsi, nous pourrons discuter des dysfonctionnements dans les comptes de la fondation Bullock devant vos clients.

— Quels dysfonctionnements ? C'est absurde.

Cependant, il jeta un coup d'œil en direction de la femme et des deux hommes debout autour du tee.

— Un instant.

Il s'approcha d'eux, l'air désolé. Lorsqu'il revint vers Eve, son irritation était palpable.

— De quoi s'agit-il ?

— De plusieurs millions de dollars qui pourraient être à l'origine d'un double meurtre. Natalie Copperfield vous a consulté au sujet de certaines irrégularités dans le dossier Stuben & Co.

— Stuben ? Jamais de la vie. Vous m'avez déjà demandé si elle m'avait parlé d'un problème avec un client, et je vous ai répondu que non.

— Les comptes en question sont liés à la fondation Bullock, qui est votre client et votre alibi pour les homicides.

Il rougit, scruta les alentours.

— Vous ne pourriez pas baisser le ton ?

Eve se contenta de hausser les épaules et accrocha les pouces aux poches de sa veste.

— Si vous avez des scrupules, on peut se rendre au Central.

Visiblement accablé, il leur fit signe de le suivre.

— Allons au club-house, proposa-t-il en se dirigeant au pas de charge vers une terrasse éclairée par un faux soleil.

Après avoir inséré sa carte d'accès dans une fente, il les invita d'un geste à s'installer autour d'une table munie d'un parasol.

— Je ne sais pas sur quoi vous pensez être tombés.

— Une affaire de blanchiment d'argent via des œuvres de charité, répliqua Connors. Le déboursement de fonds prétendument non imposables en sous-comptes, replacés dans le compte principal, puis redéboursés. C'est un système astucieux, qui permet de blanchir des revenus considérables annuellement.

— La fondation Bullock est irréprochable, comme notre société. Ce que vous dites là est impossible.

— Natalie Copperfield a mis son nez dans les comptes Bullock.

— Je ne vous comprends pas et, de toute évidence, vous ne connaissez rien à la manière dont nous gérons nos affaires. Natalie n'avait pas accès à ces dossiers.

— Mais vous, si. Ce sont les vôtres. L'assassin a emporté son ordinateur personnel et tous ses disques. Il a effacé plusieurs fichiers de son ordinateur professionnel. Mais il n'a pas pu les éliminer tous, notamment ceux de ses clients. Or, elle avait renommé l'un des fichiers. Le fichier Bullock.

— Pourquoi aurait-elle fait cela ?

Eve se pencha en avant.

— Nous allons vous coincer pour blanchiment d'argent et fraude fiscale. Si vous voulez éviter de porter seul le chapeau pour deux homicides volontaires, je vous conseille de parler maintenant.

— Je n'ai tué personne ! Mon Dieu, vous êtes fous ? s'écria-t-il en ôtant sa casquette d'une main tremblante. Je n'ai jamais falsifié le moindre compte. C'est grotesque.

— Votre femme affirme que vous avez joué aux cartes jusqu'aux alentours de minuit, le soir des meurtres et qu'elle était excessivement fatiguée. Elle s'est couchée, vous laissant amplement le temps de vous rendre chez Natalie Copperfield, d'y pénétrer par effraction, de la ligoter, de la torturer, de la tuer et d'emporter son matériel électronique.

De pâle, il était devenu gris.

— Non.

— De là, vous êtes allé au loft de Bick Byson, vous vous êtes bagarré avec lui, vous l'avez neutralisé, ligoté et interrogé avant de l'étrangler. Là encore, vous êtes reparti avec son matériel électronique. Vous en êtes-vous déjà débarrassé ?

— Je n'ai jamais fait de mal à un être humain de ma vie. Je n'ai pas quitté la maison cette nuit-là. Mon Dieu, mon Dieu, que se passe-t-il ?

— Vous avez donc laissé à Bullock ou à Chase le soin de se salir les mains ?

— C'est aberrant. Bien sûr que non.

— Je vais obtenir un mandat pour récupérer vos autres fichiers, monsieur Kraus. Si vous en avez modifié un, vous en avez modifié d'autres.

— À votre guise. Vous ne trouverez rien parce que je suis innocent. Vous vous trompez sur les comptes de la fondation. Natalie a dû commettre une erreur. Randall...

Eve ne rata pas le coche.

— Qu'est-ce que Randall Sloan a à voir là-dedans ?

Kraus se frotta le visage, fit signe au serveur qu'il avait dans un premier temps envoyé promener.

— Un scotch. Double. Mon Dieu, mon Dieu…

— Qu'est-ce que Randall Sloan a à voir avec le compte Bullock ?

— C'est le sien. Mon nom figure sur le dossier, mais c'est le sien.

— Si vous m'expliquiez comment tout cela fonctionne ?

— C'est lui qui a recruté le client, il y a des années. Je venais d'entrer dans l'entreprise. Son père refusait de lui confier la gestion du compte. Il y avait eu quelques remous concernant sa fiabilité, sa… euh… son éthique. Il est plus doué pour les relations publiques. Mais c'est lui qui avait amené le client et moi, j'étais nouveau. Il est venu me voir et m'a demandé – enfin, non, ce n'était pas précisément une requête…

Kraus s'empara du verre que lui présentait le serveur et avala une gorgée d'alcool.

— J'ai eu la sensation que c'était un ordre. Pour être franc, je trouvais injuste qu'on ne lui confie pas ce dossier. J'ai donc accepté d'y apposer mon nom, tandis que lui s'occupait effectivement de la gestion. Bien entendu, chaque trimestre, je procédais à une vérification. S'il y avait eu le moindre problème, la moindre question, j'aurais pris le relais. Mais le client était satisfait.

— Je m'en doute, marmonna Eve.

— Elle ne m'a pas sollicité. Je vous le jure, Natalie ne m'a rien dit du tout.

— Qui était au courant que Sloan gérait le dossier Bullock ?

— Que je sache, personne. Il avait sa fierté et jamais il n'aurait fait du mal à Natalie. Il la considérait presque comme sa fille. C'est sûrement une terrible erreur.

— Madeline Bullock séjourne-t-elle toujours chez vous lorsqu'elle vient à New York avec son fils ?

— Non. Mais lors d'une conversation, elle avait avoué à mon épouse qu'elle adorait notre demeure, qu'elle s'y sentait bien. De fil en aiguille, ils ont accepté notre invitation. Il faut que je voie ces fichiers. C'est mon droit. Je suis certain que c'est un malentendu.

— Parlez-moi du train de vie de Randall Sloan.

— Je vous en prie, ne me demandez pas de m'exprimer derrière le dos d'un associé. Un ami. Le fils de mon associé.

Eve ne dit rien.

Kraus but le reste de son whisky, en commanda un autre.

— Il joue. Du moins, il a joué. Et perdu. Selon certaines rumeurs, avant que je n'entre dans la société, il avait piqué de l'argent à un ou deux de ses clients, et son père a dû renflouer les comptes. Mais il a suivi une cure spéciale. Rien ne permet de penser qu'il ait commis la moindre faute. Son père… Jacob est un homme dur, qui vénère l'intégrité. Son fils l'a trahi. Randall ne sera jamais associé. Il l'accepte. De toute façon, il préfère son travail aux tâches administratives et comptables.

— Pourtant, il fait pression sur vous, sous la table si l'on peut dire, pour que vous lui confiiez un compte majeur.

— C'est lui qui avait obtenu le client, insista Kraus.

Eve hocha la tête.

— Oui, c'est intéressant, n'est-ce pas ?

— Tu l'as cru, devina Connors, tandis qu'ils laissaient Kraus sous le parasol, dans la pseudo-lumière du soleil, le visage caché dans ses mains.

— Oui. Et toi ?

— Oui. Le petit nouveau qui rend service au fils du grand patron. C'est raisonnable. Et malin de la part de

Sloan et des Bullock de ne pas s'être servis les uns des autres comme alibis.

— On déniche un pigeon, on l'utilise. Prends le volant, ajouta-t-elle, avant de lui citer l'adresse de Randall Sloan. Une fois de plus, je vais devoir appeler Londres.

Elle composa le numéro du domicile de Madeline Bullock à Londres et obtint à l'image un clone de Summerset. Un peu moins émacié, peut-être, mais tout aussi austère.

— Madame est en voyage.

— Où ?

— Je ne saurais vous le dire.

— Si Scotland Yard frappe à votre porte dans trente minutes, vous aurez une petite idée ?

Il renifla.

— Non.

— Très bien. Imaginons que la maison brûle. Comment feriez-vous pour joindre Mme Bullock et lui annoncer la mauvaise nouvelle ?

— Je l'appellerais sur son communicateur portable.

— Si vous me donniez le numéro ?

— Lieutenant, rien ne m'oblige à fournir des éléments sur la vie privée de Mme Bullock aux autorités étrangères.

— Là, vous m'avez eue. Mais même dans les colonies les plus reculées, nous avons les moyens d'obtenir certaines informations.

Elle raccrocha.

— Ils suivent des cours pour faire ce métier ? demanda-t-elle à Connors. Existe-t-il une université des culs serrés ? Je parie que Summerset en est diplômé *cum laude*.

— Il est arrivé premier de sa promotion. Veux-tu conduire, pendant que je recherche les coordonnées dont tu as besoin ?

— Figure-toi qu'avant de te connaître j'ai appris à surmonter toute seule ce genre de tâche mesquine.

Elle lança la recherche, puis s'arrêta.

— Tu sais quoi ? J'ai mieux.

Elle appela Feeney chez lui.

Vêtu d'un ample pantalon et d'un maillot délavé des New York Liberties, il portait une casquette de baseball sur sa toison de cheveux roux.

— Quoi ? Vous avez organisé un bal costumé chez vous et vous ne m'avez pas invitée ?

— Match, quatorze heures.

— Vous êtes ridicule.

Il se renfrogna.

— C'est mon petit-fils qui m'a offert ce maillot. C'est pour critiquer ma garde-robe que vous me dérangez un dimanche ?

— Juste un petit renseignement. J'ai besoin d'un numéro de portable, privé, et de le localiser.

— Match, insista-t-il. Quatorze heures.

— Homicide. Vingt-quatre heures sur vingt-quatre. Ce ne sera pas long. Il me faut seulement le numéro et l'endroit. Le pays. Madeline Bullock. Si vous ne trouvez rien sous son nom, cherchez via la fondation Bullock, domiciliée à Londres.

— D'accord, d'accord, d'accord, grommela-t-il, avant de lui raccrocher au nez.

— J'aurais pu le faire à ta place, dit Connors.

— Tu conduis.

Elle joignit Peabody.

— Penchez-vous sur Randall Sloan. Relevés bancaires, voyages, biens, immobilier. C'est un joueur.

— Vous êtes sur une piste ?

— Oui. Comment va Mavis ?

— Elle dort depuis une demi-heure.

— Tant mieux. Si je réussis à traquer Randall Sloan, je le conduis au Central pour un interrogatoire en règle. Je vous préviendrai.

— Dallas, j'ai votre liste d'agences et de conseillers. Tous situés en Europe.

Eve s'obligea à se concentrer sur Tandy.

— Transmettez-les aux enquêteurs à Rome et dans le Middlesex. Ensuite, procédez à une vérification, mettez de côté ceux qui ont des bureaux dans les deux pays. Surtout ceux qui en ont à travers l'Europe. Pendant que vous y êtes, envoyez-moi le tout sur mon ordinateur portable.

— Entendu. Bonne chance !

Eve se frotta les yeux.

— Si tu te reposais un peu, avant d'aller chez Sloan ?

Elle secoua la tête. Dommage qu'ils n'aient pas pensé à emporter une citerne de café !

— Impossible de savoir si elle est encore vivante. Si c'est le bébé qui les intéresse, ils le lui ont peut-être pris. Elle ne serait qu'une sorte d'urne… Une fois le fruit délivré, ils n'ont plus besoin d'elle.

— Tu fais le maximum, Eve.

— C'est possible, mais ça ne suffira peut-être pas. Si elle est vivante, elle doit être folle d'angoisse. Pas seulement pour elle, mais pour son enfant. Quand on porte ce… ce potentiel en soi, ce doit être le centre du monde, je suppose. Cet être humain, on l'a créé, on le protège, on le materne. Malgré l'inconfort, les désagréments, la douleur, le sang et la peur, c'est vital. Sa santé, sa sécurité comptent avant tout. Je le vois bien chez Mavis. Je ne suis pas sûre d'en être capable.

— Tu plaisantes ? Mon Eve chérie, tu donnes tout cela et bien davantage à des inconnus.

— C'est mon boulot.

— C'est ta nature.

— Tu sais bien que je suis nulle avec les mômes.

Pendant qu'ils roulaient, il lui prit la main et la porta à ses lèvres.

— Nous avons tous deux besoin d'un peu de temps avant de nous sentir prêts à agrandir la famille que nous avons déjà fondée.

— Ouf. Tant mieux.

— Personnellement, j'aimerais en avoir cinq ou six.

— Cinq ou six quoi ? *Hein ?* s'exclama-t-elle, le cœur palpitant, les oreilles bourdonnantes. Ce n'est pas drôle !

— De mon point de vue, si. Tu aurais dû voir ta tête !

— Un de ces jours, peut-être avant la fin de notre vie, la science médicale inventera une méthode pour implanter l'embryon chez l'homme. Quand il se dandinera comme une baleine ayant avalé un cochon ventru, on verra si tu rigoleras.

— La fertilité de ton imagination me réjouit.

— Tâche de ne pas l'oublier le jour où je t'inscrirai sur la liste. Pourquoi les gens ne restent-ils pas chez eux le dimanche ? ajouta-t-elle d'un ton amer, en ralentissant derrière une queue interminable de voitures. Ils ne sont pas bien chez eux ? Quel moyen de transport Bullock et son fils ont-ils emprunté pour quitter New York ?

— Encore une chose que j'adore, chez toi : ta capacité à sauter du coq à l'âne. Vu leur fortune, je suppose qu'ils sont montés à bord d'un jet privé.

— La navette de la fondation. Ils sont venus ici pour affaires. Ils ont dû poursuivre leur périple aux frais de l'association.

— Où étaient-ils quand tu as vérifié l'alibi de Kraus ?

— Je n'en sais rien. C'est Peabody qui s'en est chargée. Elle a dû demander qu'on la rappelle. Sur le moment, c'était un détail insignifiant. S'il le faut, je peux facilement pister leur jet. Cela m'obligera à me frayer un chemin dans les méandres des lois et des relations internationales, ce dont j'ai horreur, mais j'ai de quoi les serrer pour un interrogatoire. Par ailleurs, je pense que le gouvernement britannique sera très intéressé par leurs finances.

— Ils accuseront peut-être le coup, concéda Connors, mais s'ils sont malins – et leurs avocats le seront –, ils n'auront qu'à renvoyer la balle à Randall Sloan et au cabinet.

— Un véritable sac de nœuds, dans la mesure où leurs avocats sont dans le même bateau. Je vais devoir soumettre cette affaire au Global. Après avoir parlé avec Sloan.

Randall Sloan habitait une élégante maison en brique rouge à la lisière de Tribeca. Depuis le trottoir, Eve put constater que le deuxième étage avait été transformé en un vaste solarium surmonté d'un dôme de verre bleu pâle.

— Il a un permis de conduire en cours de validité, déclara Eve. Il gare sa voiture dans un garage privé, à quatre blocs d'ici. Les moyens, le mobile...

— Question opportunité, c'est plus délicat, dans la mesure où il a un alibi. À moins que ses compagnons ne le couvrent ?

— Ce n'est pas l'impression que j'ai eue, mais nous y reviendrons. Il n'est peut-être qu'un pion. Les pions ne se salissent pas forcément. S'il n'a pas commis les meurtres lui-même, il était au courant.

Elle gravit les trois marches du perron.

— L'alarme est au vert, fit-elle remarquer.

Levant la main pour appuyer sur la sonnette, elle s'aperçut que ce n'était pas tout. Aussitôt, elle enclencha son magnétophone.

— Dallas, lieutenant Eve, et Connors, expert consultant, civil, au domicile de Sloan, Randall. À notre arrivée, j'ai constaté que le système de sécurité était débranché et la porte d'entrée déverrouillée.

Machinalement, elle dégaina son arme. Elle sonna.

— Randall Sloan, ici le lieutenant Dallas de la police de New York. Je suis accompagnée d'un consultant civil. Veuillez manifester votre présence.

L'oreille tendue, elle patienta.

— Monsieur Sloan, je répète : c'est la police. Votre résidence est désécurisée.

N'obtenant aucune réponse, elle poussa la porte.

— Rien à signaler au premier coup d'œil, annonça-t-elle. Il a peut-être pris la fuite. Il me faut un mandat.

— C'est ouvert.

— Oui, et je pourrais effectuer une fouille superficielle, mais sans autorisation je risque de devoir ensuite affronter ses avocats. Je préfère procéder légalement.

Alors qu'elle s'apprêtait à composer le numéro sur son communicateur, quelqu'un l'interpella de loin.

Se retournant, elle discerna Jake Sloan et Rochelle DeLay qui se dirigeaient vers la demeure, main dans la main, le visage rosi par le vent glacé.

— Lieutenant, Jake et Rochelle, vous vous rappelez ?

— Oui. Voici Connors.

— Je vous reconnais, répliqua-t-il en tendant la main. Très heureux de vous rencontrer. Pour info, si vous êtes à la recherche d'un jeune comptable acharné au boulot, je suis disponible.

— Je m'en souviendrai.

— Je vous présente Rochelle.

— Enchanté.

— C'est papa que vous êtes venus voir ? Il vous fait attendre dans le froid ?... La porte est ouverte, pourtant.

— Elle l'était quand nous sommes arrivés.

— Vraiment ? C'est bizarre.

Il passa devant eux et pénétra dans le vestibule.

— Hou ! Hou ! Papa ! Tu as de la visite ! Entrez, je vous en prie. Nous sommes venus le chercher car nous devons assister à un repas dominical chez grand-père.

Jake ôta son bonnet, le fourra dans la poche de son pardessus.

— Vous voulez vous asseoir ? Il est sûrement là-haut.

Eve rangea son pistolet dans son étui.

— Cela ne vous ennuie pas si je viens avec vous ?

— Euh...

— Jake... la porte était ouverte, la sécurité débranchée. Je suis flic.

— Bon, d'accord. Il devait sans doute nous guetter. Nous sommes un peu en retard. Il aura oublié de réenclencher le système, c'est tout.

Cependant, comme il se dirigeait vers l'escalier, Eve sentit qu'elle avait semé l'inquiétude dans son esprit.

— Papa ? Je monte ! Je suis avec la police ! prévint-il en esquissant un sourire.

N'obtenant aucune réaction, il redevint grave. Tous les sens d'Eve étaient en éveil.

— Si vous restiez derrière moi ? suggéra-t-elle d'un ton nonchalant... Laquelle est sa chambre ?

— Deuxième à droite. Écoutez, lieutenant...

Eve poussa doucement la porte.

Randall Sloan ne dégusterait pas son déjeuner dominical, songea-t-elle en retenant Jake.

Un lustre alambiqué en chrome tombait du plafond à caissons. Randall Sloan était pendu à une corde savamment enroulée autour de la tige étincelante.

# 17

Eve dut maintenir les bras de Jake derrière son dos et le plaquer contre le mur.

— Il est mort. Vous ne pouvez plus rien pour lui.

— Merde ! C'est mon père ! Mon père !

— Je suis désolée.

Il était jeune, fort et désespéré. Elle eut donc un mal fou à l'empêcher de la repousser et de se ruer à l'intérieur de la pièce, au risque de contaminer la scène du crime.

— Écoutez-moi. Écoutez-moi, bordel ! C'est à moi de l'aider, maintenant. Je ne pourrai rien faire pour lui si vous brouillez les empreintes. Descendez.

— Je ne sortirai pas d'ici. Je refuse de le laisser. Allez vous faire foutre !

Il se mit à sangloter.

— Je prends le relais, murmura Connors en s'approchant. Elle est en bas, précisa-t-il, devinant qu'Eve allait lui demander où était Rochelle. Je l'ai convaincue de ne pas bouger quand nous avons entendu les cris. Je m'en occupe.

— J'ai besoin de mon kit de terrain.

— Je sais. Venez, Jake. Vous devez laisser le lieutenant, à présent. C'est son métier. Venez avec moi. Rochelle est toute seule et elle a peur.

— C'est mon père.

— Je suis désolé… Je m'en charge, ajouta-t-il à l'intention d'Eve. Ensuite, j'irai chercher ta mallette dans la voiture.

— Qu'il ne contacte personne pour le moment !

— J'y veillerai. Venez, Jake.

— Je ne comprends pas.

— C'est normal.

Tandis que Connors éloignait Jake, Eve alerta le Central, puis revint dans la chambre.

— La victime est pendue à une corde enroulée autour de la tige du lustre dans la chambre principale, entonna-t-elle. Identification visuelle : Sloan, Randall. Aucun signe apparent de lutte.

Tout en parlant, elle scruta les alentours.

— Le lit est fait. Les stores sont baissés, les rideaux ouverts.

Les lampes de chevet étaient allumées. Un verre contenant un fond de vin blanc trônait sur la table de droite. Sloan était pieds nus, mais ses pantoufles en cuir étaient disposées sous le corps. Il portait un pull beige et un pantalon marron. Une chaise gisait sur le sol. Derrière lui, dans le coin-bureau, un mini-ordinateur branché.

Eve repensa à la porte d'entrée. Aucune trace d'effraction.

— Merci, marmonna-t-elle, quand Connors s'approcha avec son kit de terrain.

— Veux-tu que j'avertisse Peabody ?

— Pas encore. Elle est suffisamment débordée comme ça. Tu peux les neutraliser, en bas ? Qu'ils ne touchent à rien, ne parlent à personne.

— Entendu.

Il posa un regard sombre sur Randall.

— Il savait que tu étais sur ses talons.

— C'est l'impression que cela donne, répliqua-t-elle en s'enduisant les mains de Seal-It.

— Mais… ajouta-t-il.

— Mais ce n'est pas ce que je ressens. Il savait que son fils allait passer aujourd'hui. Est-ce ainsi qu'il voulait qu'on le trouve ? Le système de sécurité est débranché, la porte entrouverte. Pourquoi ne pas avoir pris ses jambes à son cou ?

— La culpabilité ?

— Il trempe dans les affaires louches depuis des années et, tout à coup, il a des états d'âme ?

— Entre la fraude fiscale et le meurtre, le fossé est large.

— C'est possible, mais il me paraît du genre fuyard plutôt que suicidaire.

Elle se mit au travail.

Elle examina d'abord la chambre. Superbement décorée, avec un goût infaillible, comme son propriétaire. Meubles somptueux, vêtements luxueux, appareils électroniques dernier cri. Voilà un homme qui aimait le confort, qui était sensible aux symboles du statut social.

Soulevant le verre, elle huma le vin. Elle déposa un repère à l'endroit où elle l'avait pris, avant de mettre le contenu sous scellé, puis le verre lui-même.

Elle tapota sur le clavier, et l'écran s'éclaira. Elle y lut le texte affiché :

*Je suis désolé. Je ne peux plus vivre ainsi. Je vois leurs visages, Natalie et Bick. Ce n'était que de l'argent. La situation a dérapé. J'ai dû perdre complètement la tête pour ordonner leur exécution. J'ai perdu la tête, et maintenant mon âme. Pardonnez-moi, car je ne me pardonne pas. J'emporte cet acte odieux avec moi en Enfer, pour l'éternité.*

Elle contempla le cadavre.

— Une chose est sûre : la situation a dérapé.

Elle procéda à une identification officielle en prélevant les empreintes digitales, puis examina les mains, les enveloppa de sachets transparents. Selon ses premières estimations, le décès remontait aux alentours de vingt heures quinze, le vendredi soir.

Elle passa dans la salle de bains attenante et reprit son enregistrement. Tout était impeccable. Quelques objets de toilette masculins étaient alignés sur le comptoir, auprès d'une grosse plante verte dans un pot en céramique laquée noire. Douche et cabine de séchage séparées, baignoire à jets en marbre. Une immense serviette-éponge noire drapée sur un séchoir chauffant en chrome.

Elle ouvrit le placard sous le lavabo.

Lotions, potions – des crèmes anti-âge et des shampooings. Plusieurs plaquettes de contraceptifs masculins, des antalgiques, des somnifères. Dans le tiroir, elle découvrit un assortiment de produits d'hygiène dentaire.

Elle revint vers le corps.

— Tu t'es exercé à façonner ce nœud, Randall ? Il est parfait. Il faut une main stable et une grande habileté pour créer une mise en scène aussi admirable.

Connors se trouvait avec Jake et Rochelle dans la salle de séjour. Jake était recroquevillé sur lui-même, les bras ballants entre ses cuisses. Ses yeux étaient rouges et gonflés, comme ceux de Rochelle, qui se tenait à ses côtés en silence.

— Je veux voir mon père, dit-il, sans redresser la tête. J'ai besoin de le voir. Il faut que je prévienne mes grands-parents.

— Nous allons nous en occuper rapidement, le rassura Eve en se perchant sur la table basse devant lui. Jake, quand avez-vous vu ou discuté avec votre père pour la dernière fois ?

— Vendredi. Nous avions organisé une cérémonie en hommage à Natalie et à Bick, dans nos locaux. Les familles n'ont rien prévu en ville. Nous tenions à marquer le coup. Nous étions tous présents.

— À quelle heure ?

— Vers seize heures. Les associés ont autorisé tous ceux qui le souhaitaient à rentrer chez eux aussitôt après. Mon père et moi sommes partis ensemble, aux alentours de dix-sept heures. Il m'a proposé de boire un verre, mais j'ai refusé. J'aurais dû accepter, parler avec lui.

— Il vous a semblé préoccupé ? Déprimé ?

Cette fois, Jake leva les yeux.

— Pour l'amour du ciel, nous pleurions le décès de deux collègues.

— Jake, chuchota Rochelle en lui caressant la cuisse. Elle essaie de t'aider.

— Il est mort. En quoi peut-elle l'aider ? Comment a-t-il pu mettre fin à ses jours ? Pourquoi ? Il était jeune, en bonne santé, il réussissait bien dans sa vie. Il… ô mon Dieu, et s'il avait appris qu'il était malade ? S'il ne nous en avait rien dit ?

— Je répète ma question : vous a-t-il semblé préoccupé ou déprimé ?

— Je n'en sais rien. Il était triste. Nous l'étions tous. C'est vrai que je l'ai trouvé assez nerveux, vendredi. Il m'a invité à boire un pot, mais il n'avait pas plus envie que moi de traîner.

— Savez-vous où il jouait ?

— Il ne joue plus depuis des années ! Il a tout arrêté.

— Très bien. Vous a-t-il précisé où il se rendait quand vous l'avez quitté vendredi ?

— Non. Je n'en sais rien. Je ne faisais pas attention. J'étais bouleversé. Seigneur ! Il va falloir que j'annonce la nouvelle à ma mère. Ils sont divorcés depuis des lustres, mais il faut qu'elle soit au courant. Quant à mes grands-parents… je ne sais pas comment ils vont supporter cela.

— Votre père avait-il des convictions religieuses ?

— Papa ? Non. Sa philosophie, c'est qu'il faut profiter de tout ce que la vie peut offrir parce que, quand c'est fini, c'est fini… Fini, conclut-il, la voix brisée.

— Est-ce qu'il pratiquait la voile, Jake ?

— La voile ? répéta-t-il, pris de court. Non, il avait horreur de l'eau. Pourquoi ?

— Simple curiosité. Avait-il une amie ?

— Non. Il aimait les femmes, mais il se contentait de les séduire.

— C'est lui qui prend soin de sa maison ? Les courses, le ménage, la cuisine ?

— Il a un droïde.

— Très bien. Je vais demander à un agent de vous conduire avec Rochelle chez vos grands-parents.

— Je veux voir mon père.

— Je ferai en sorte que vous et votre famille puissiez le voir au plus vite. Mais pas maintenant, pas ici. Allez retrouver vos proches.

Une fois débarrassée d'eux, elle entreprit d'inspecter le rez-de-chaussée de la maison.

— Il a laissé un mot sur son ordinateur, annonça-t-elle à Connors.

— Pratique.

— Oui. En fait, seul un petit pourcentage de suicidés prennent soin de rédiger un message d'adieu. Il y avoue avoir commandité l'assassinat de Copperfield et de Byson.

— Très pratique.

— Oui, tu suis mon raisonnement, rétorqua-t-elle en se faufilant à travers une petite salle de vidéo, puis la salle à manger. Primo, ces meurtres n'ont pas été perpétrés par un pro. Évidemment, il a pu engager un type au hasard. Mais il avait besoin d'un type capable d'arracher les infos à Copperfield sous la torture.

— Il avait donc un complice.

— Bingo ! Secundo, il explique dans sa lettre qu'il a perdu son âme et va finir en Enfer. Avec un E majuscule. C'est un détail mais qui, à mes yeux, trahit un penchant religieux ou une certaine croyance. Par ailleurs, le nœud semble avoir été façonné par un bourreau professionnel, ou un marin aguerri, ou encore, un scout. Quelqu'un de calme et de précis.

Elle pénétra dans la cuisine, ouvrit les portes des placards – abondamment remplis.

— Où est le droïde ?
— Pas ici. À l'étage ?
— Je vais voir. Pendant ce temps, si tu mettais tes talents d'informaticien à profit pour analyser son système de sécurité, ses disques et tout le reste ?
— S'agit-il d'un homicide, lieutenant ?
— Je le flaire. Nous verrons ce qu'en dira le médecin légiste. De toute façon, certains éléments semblent l'indiquer. Pourquoi cette porte ouverte, l'alarme débranchée ?
— Quelqu'un voulait qu'on découvre le cadavre facilement et dans les plus brefs délais.
— Exactement. Un homme qui a décidé de mettre un terme à son existence invite-t-il son fils à boire un pot quelques heures avant de passer à l'acte ? Certainement pas. Ou alors, il insiste : « Il faut que je te parle, j'ai quelque chose à te confier. »
— Nous avons affaire à un homme avec un certain goût du luxe qui ne reculait devant rien pour y parvenir. Il était seul, ne s'intéressait que moyennement à l'entreprise familiale. Un père rigide, un fils en pleine ascension, c'est le canard boiteux. Cependant, il sait s'octroyer ses plaisirs, et il a un gros problème : le jeu.
— Au présent ou au passé ?
— Au passé, puisqu'il est mort. Mais je parie qu'il a joué jusqu'à la dernière heure. Le meilleur moyen de blanchir de l'argent empoché illégalement, c'est de le jouer. Randall Sloan n'était pas un homme scrupuleux. C'était un opportuniste, et il aurait détalé comme un lapin s'il avait senti qu'on était à sa poursuite. Je vois en lui un bouc émissaire.

Aucun droïde ne se trouvait sur les lieux et, d'après son informaticien préféré, les disques du vendredi avaient été remplacés par des disques vierges.
— On relèvera des traces de sédatif dans son organisme, dit Eve. Quelque chose qu'il aurait pu prendre

pour se calmer avant de se passer la corde au cou. On découvrira peut-être aussi – parce qu'on va chercher – une marque de pistolet paralysant sur son corps.

— Pourquoi l'avoir éliminé ?

— Imaginons qu'il soit devenu gourmand, qu'il ait exigé une plus grosse part du gâteau. Ou peut-être a-t-il commencé à s'agiter après les meurtres des amis de son fils. D'une manière comme d'une autre, il représentait un obstacle, et une proie commode. Je me laisse convaincre par le mot, la scène, je range mes joujoux et je m'en vais. Les soupçons qui pèsent sur lui salissent la réputation du cabinet. « Navrés, mais la fondation Bullock a décidé de changer de firme. » Le scandale, c'est mauvais pour l'image. Les avocats récupèrent leurs dossiers et poussent les saletés sous le tapis. Toutes les parties impliquées dans l'affaire Sloan, etc. sont – à notre connaissance – décédées.

— C'est clair et net.

— Comme l'aime l'assassin. Deux strangulations, une pendaison. Même méthode. Il emporte le droïde, au cas où ce dernier aurait conservé des enregistrements de ses visites. Car il est déjà venu. Il connaît la maison par cœur.

— Et il est venu préparé, renchérit Connors.

— Oh, oui. ! Il se présente à l'entrée. « Si on bavardait ? Si on en profitait pour boire un coup ? » Il verse une dose de somnifère dans le verre de vin de la victime. « Tenez, je vais vous aider à monter dans votre chambre. » Là, il l'allonge par terre, le neutralise si nécessaire, rédige le message sur l'ordinateur. Une erreur, à mon avis, car il y met trop de lui-même : son âme perdue, le E majuscule… Il attache la corde autour de la tige du lustre, hisse la victime tranquillisée ou paralysée sur une chaise, y donne un bon coup de pied et admire le spectacle.

Elle marqua un temps.

— Oui, il admire le spectacle, reprit-elle, songeuse. Comme il a regardé Natalie et Bick. Leur visage, leur regard. Randall s'est débattu, a fait tomber ses pantoufles, s'est agrippé à la corde. J'ai remarqué des fibres sous ses ongles. Cela prend un certain temps. La mort n'est pas rapide, si la nuque ne se brise pas dès la chute. Il a souffert, mais je suppose qu'il l'a mérité.

Elle fronça les sourcils.

— Il avait peut-être un véhicule, mais ce n'est pas indispensable. Il a pu emprunter les transports en commun, le métro, probablement, et repartir avec le droïde sans être inquiété, à condition de l'avoir désactivé.

— Si je comprends bien, tu es à la recherche d'un homme avec un droïde.

Elle ébaucha un sourire.

— Possible.

Son communicateur bipa.

— Dallas.

— C'est la mi-temps, alors je vais être bref, déclara Feeney.

— Vous auriez pu me joindre plus tôt !

— Difficile de localiser un portable quand il n'est pas branché. J'ai le numéro... Il n'a été remis en marche qu'il y a quelques minutes, et ce durant une quinzaine de secondes seulement.

— Vous avez un lieu ?

— L'Upper East End.

— À New York ? Ce portable est à New York ?

— Où voulez-vous qu'il soit ? Vous entendez les pom-pom girls, Dallas ?

— Quelles pom-pom girls ?

— Celles des Liberties. Le match vient de recommencer.

— Pour l'amour du ciel, ces filles sortent à peine du berceau.

— Si on ne peut pas prendre son pied à regarder des jolies créatures à moitié nues qui se déchaînent sur un terrain de foot, autant mourir. Vous avez ce qu'il vous faut ?

— Oui, oui. Merci. Continuez de suivre la trace de ce portable, voulez-vous ? Les pom-pom girls ! grommela-t-elle, tandis que Feeney coupait la transmission. Décidément, les hommes sont simples d'esprit.

— Ce ne sont pas nos esprits qui sont simples, riposta Connors.

Malgré elle, elle rit.

— New York. Nom de Dieu ! Ils n'ont probablement pas quitté la ville. L'Upper East End. Un hôtel, une résidence privée ? Il faut que je lance une recherche : la fondation, Bullock ou son fils possède peut-être des immeubles dans le quartier.

— Je peux m'en charger à partir de chez nous, car nous rentrons, à présent. Tu pourras tout aussi bien y rédiger ton rapport qu'au Central, ajouta-t-il en lui prenant le bras avant qu'elle ne puisse protester. Tu as besoin de te restaurer et moi aussi. Tu carbures à vide, Eve. Je le vois dans tes yeux.

— Le temps presse. Si j'avais agi plus vite, Randall Sloan serait encore vivant et je serais sur le point de clôturer le dossier.

Elle l'accompagna jusqu'au seuil, pila brusquement.

— Attends ! Un type comme Randall... il avait sûrement une assurance.

Elle fit demi-tour. Une maison à trois étages. Douze pièces, un solarium. Toutes sortes de cachettes où dissimuler une police d'assurance.

— Il n'était pas stupide. Il a convaincu Kraus de laisser son nom sur le compte, mais c'est lui qui planchait dessus. Un faux pas, et il accuse Kraus. L'assurance.

— Le bouc émissaire en avait prévu un autre, au cas où. Kraus.

— Parfaitement. Randall avait forcément des copies des comptes quelque part. S'il ne les avait pas avant, il se les était procurées après avoir modifié les fichiers de Natalie.

— Je suppose qu'ils y ont pensé aussi et ont réussi à lui soutirer le renseignement.

— Pas forcément. Il n'a pas été torturé, on n'a pas fouillé dans ses affaires. Ils pensent peut-être avoir toutes les copies. Mais imaginons qu'il ait été plus intelligent que cela, plus prudent. Il va falloir passer cet endroit au peigne fin.

— Ce qui va prendre des heures, fit remarquer Connors. Si tu crois que tu en as l'énergie, tu te trompes. Je te propose un compromis, enchaîna-t-il précipitamment. Tu délègues cette mission à Peabody et à McNab. Un informaticien et une inspectrice. S'il y a quelque chose à trouver, ils le trouveront.

— Bonne idée.

Elle sortit, scella la porte d'entrée.

— Si tu as raison à propos des copies, il les a peut-être cachées ailleurs. Dans un coffre-fort, par exemple ?

— Pourquoi pas ? Sauf qu'il devait pouvoir les récupérer facilement, surtout ces temps-ci. Tout fout le camp, il a besoin de son bouclier. Mais si sa banque est fermée ? Si c'est un dimanche ? Il voyageait beaucoup, poursuivit-elle en montant dans la voiture. S'il s'est servi d'un coffre-fort, celui-ci pourrait être n'importe où.

Elle s'assoupit. Lorsqu'elle se réveilla, presque à l'horizontale, Connors ralentissait devant le perron. Loin de la reposer, cette sieste l'avait abrutie et désorientée. Elle eut du mal à redresser son siège. Connors s'en chargea depuis son propre tableau de bord.

— Il faut que tu dormes vraiment.

— Il faut que je boive un café.

Ils pénétrèrent dans la demeure.

— Viande rouge, ordonna-t-il à Summerset. Vous nous servirez dans son bureau. Si les autres n'ont pas encore mangé, prévoyez un bœuf entier.

— Tout de suite, monsieur.

Avant de s'éloigner, Summerset s'empara du chat, qui s'était enrubanné autour de ses mollets.

— Je prévoirai aussi un plat de haricots verts frais. Elle détestera ça, confia-t-il au félin, mais il l'obligera à les manger, n'est-ce pas ?

Quand Eve apparut, Mavis se leva péniblement.

— Tu es de retour.

— Oui, désolée, il y a eu des complications. Il faut que tu m'accordes quelques minutes pour régler un autre problème.

— Vous avez eu la liste ? s'enquit Peabody. J'ai repéré deux ou trois noms intéressants.

— Quelle liste ?

— Les agences, les conseillers. Vous m'avez demandé de vous la transférer sur votre ordinateur portable.

— Ah oui, oui !

Elle avait la cervelle en compote.

— Je n'ai pas eu le temps de la parcourir. Un imprévu. Je meurs d'envie d'un café.

— J'y vais, proposa Leonardo tout en repoussant délicatement Mavis vers son fauteuil.

— Donc, insista Peabody, j'ai repéré deux ou trois n...

— Tout à l'heure. J'ai besoin de vous et de McNab sur une autre mission. Randall Sloan est mort.

— Mince alors ! Rude journée !

— Selon moi, la scène a été maquillée en suicide. J'ai examiné le lieu, les techniciens vont procéder aux analyses.

Peabody ouvrit la bouche, jeta un coup d'œil vers Mavis, puis opina.

— Entendu.

— Je vais vous mettre au courant. Ensuite, vous vous rendrez sur place.

— Tu vas les mettre au courant en mangeant, intervint Connors.

— Dès que j'aurai lu la liste.

— Ça peut attendre, dit Leonardo en s'approchant d'Eve, une tasse fumante à la main. Désolé, ma Mavis adorée, mais il faut absolument qu'elle se nourrisse et qu'elle se repose un moment.

— Décidément, souffla Eve en acceptant le café avec bonheur, qu'est-ce qu'ils ont, tous ces hommes ?

Mavis se passa les mains dans les cheveux.

— Il a raison. Tu as l'air éreinté. Nous allons tous nous asseoir autour d'une table et manger.

Pendant le repas, Eve leur résuma la situation.

— Sacrée opération, commenta McNab. D'où sortent-ils les fonds ?

— Excellente question. Trafic de stupéfiants, d'armes ? Nous allons nous pencher dessus. À moins que le Global ne s'en charge. Bullock, Chase ou un de leurs employés a assassiné trois personnes pour protéger cette opération. De cela au moins, nous sommes certains.

— Et ils sont toujours à New York, murmura Peabody tout en savourant son steak. Pourquoi ? Après avoir supprimé Randall, pourquoi ne pas avoir fui à toute allure ?

— Encore un mystère à résoudre. Ils doivent avoir d'autres affaires à régler ici. Ils se sentent en sécurité là où ils sont. De leur point de vue, ils ne sont pas concernés par l'enquête. Ils étaient l'alibi d'un innocent qui, à son tour, les a couverts. Un autre homme a avoué les meurtres et, comme il est mort, il ne peut revenir sur sa parole. Mais vous avez raison, s'ils sont restés, c'est pour une raison précise.

Elle réfléchit.

— Ils voulaient qu'on découvre le cadavre dans les délais les plus brefs. Dans le cas contraire, ils auraient rebranché la sécurité et verrouillé la porte. Plus tôt le mort est découvert, plus vite ils peuvent s'en laver les mains. Ce doit être irritant d'être aussi riche et puissant, et d'avoir tout ce petit personnel qui picore dans votre fondation. Comme des fourmis.

— Je ne pense pas que les fourmis picorent, fit remarquer Peabody.

— Peu importe. Ils sont imbus d'eux-mêmes. Ils tentent de soudoyer la gentille comptable, mais elle est honnête. Ils ne vont tout de même pas mettre en péril leur train de vie, leur réputation et leur fortune à cause d'une pauvre croqueuse de chiffres. Cela explique le côté « personnel » de ce premier meurtre. « Nous sommes plus forts que toi, espèce de salope. Que peux-tu contre nous ? Tu as eu l'audace de nous menacer ? Tu vas le payer cher. Et quand tu m'auras dit tout ce que je veux savoir, je te tuerai de mes propres mains et je te regarderai mourir. Mais pas avant de t'avoir expliqué que je vais en faire autant avec ton fiancé. Pour que tu crèves dans la douleur, la peur et le chagrin. »

Elle piqua sa fourchette dans une minuscule pomme de terre nouvelle. Tout le monde la fixa en silence.

— Quoi ? Quoi ?

Mavis s'empara de son verre d'eau et but goulûment.

— C'est un film d'horreur que tu nous décris là.

— Ah ! Désolée.

— Comment sais-tu que l'assassin a pensé cela, éprouvé cela ? demanda Leonardo, fasciné, tout en caressant le bras de Mavis.

— Ce qui est sûr, c'est qu'il ne pensait pas à la météo...

Soudain, elle plissa les yeux.

— Randall Sloan avait un garage privé. Il ne s'en est pas servi cette nuit-là. Lui et ses alibis ont précisé qu'ils s'étaient déplacés en taxi. Voyons si l'on peut relever les entrées et les sorties de ce garage. Le meurtrier a pu emprunter le véhicule, le temps d'accomplir son boulot. Sinon, il va falloir se renseigner auprès des loueurs et des sociétés de service. La fondation Bullock a peut-être une limousine en ville, à moins qu'elle ne fasse appel à un prestataire.

Peabody avait déjà sorti son bloc-notes. Eve hocha la tête.

— Non, vous avez déjà assez à faire comme ça. Je vais contacter Baxter. Il voulait participer à l'enquête. Je peux lui confier cette tâche.

Eve se leva.

— Dès que je l'aurai joint, je jetterai un coup d'œil sur la liste des agences.

En face d'elle, Mavis reprit son souffle.

— Merci, Dallas.

Après avoir discuté avec Baxter, Eve demanda à Mavis de la rejoindre dans un petit salon. Elle ferma la porte.

— Tu vas me dire qu'à ton avis Tandy est morte.

— Pas du tout. Assieds-toi. En revanche, tu dois te préparer à cette éventualité. Elle a été enlevée pour une raison quelconque, et pour l'heure tout indique que c'est le bébé.

— Or, une fois qu'elle aura accouché… Elle a disparu depuis jeudi. Elle a pu…

— Les possibilités sont innombrables, l'interrompit Eve. Concentrons-nous sur les faits. Je sais que je te donne l'impression de négliger cette affaire, de ne pas chercher suffisamment. Mais je te promets qu'elle hante mon esprit. Et quand je ne travaille pas dessus, Peabody prend le relais.

— Ce n'est pas cela, protesta Mavis en lui prenant les mains. Je ne te reproche rien. Je sais que Peabody fait de son mieux… et que c'est un excellent flic. Mais Dallas… elle n'est pas toi. Sans vouloir te stresser, je…

— Surtout, ne pleure pas. Je t'en supplie, mets un frein côté larmes.

— J'ai tellement peur pour Tandy. Je me répète sans cesse : et si c'était moi ? Si j'étais enfermée quelque part, sans pouvoir protéger mon bébé ? Au risque de passer pour une reine de tragédie, je préfère mourir plutôt que de laisser quelqu'un me prendre mon enfant ou lui faire du mal. Je sais que Tandy ressent la même chose. Elle m'a dit un jour que c'est la raison pour laquelle elle avait décidé de le garder, même en sachant qu'elle devrait l'élever seule. Qu'une famille bien intentionnée aurait beau prendre soin de lui, ce ne serait jamais vraiment le leur, et qu'elle ne serait jamais absolument certaine qu'ils l'aimeraient autant qu'elle.

— Quel genre de famille ? Elle t'a donné des détails ?

— Non, c'était juste... Attends...

Paupières closes, Mavis se frotta lentement le ventre, puis souffla.

— Oh, merde ! Tu as des contrac...

— Mais non, du calme. J'essaie de me concentrer. Tandy et moi discutions des avantages et des inconvénients d'élever un gamin en ville. Elle m'a confié qu'elle espérait avoir fait le bon choix, alors qu'elle aurait pu lui offrir une vie luxueuse de châtelain à la campagne.

— Très bien, revoyons ensemble la liste de Peabody. Peut-être qu'un de ces noms te rappellera quelque chose.

# 18

Eve fit signe à Leonardo de les rejoindre.

— Si tu mettais tes yeux et ton cerveau au service de votre mémoire commune ? Je suppose que tu as assisté à quelques conversations sur les couches et les biberons ?

— Oui. Tandy attend un garçon, répondit-il en posant tendrement la main sur le ventre rond de Mavis. Elle voulait connaître le sexe de son bébé. Nous avons discuté ensemble de ses projets, de son avenir. J'y tenais, d'une part, parce que je dois assister à son accouchement et, d'autre part, parce que je suis en train de lui dessiner quelques tenues spéciales. Ce sera mon cadeau.

— N'est-ce pas le plus adorable des chéris de l'univers et au-delà ? roucoula Mavis.

— Certainement. Arrêtez-vous sur chacun de ces noms. Rappelez-vous vos échanges avec elle ou à son sujet. Individuellement et ensemble. L'un d'entre vous pourrait réveiller la mémoire de l'autre. Je reviens dans une minute.

Elle passa dans le bureau de Connors et ferma la porte.

— Un problème ?

— Notre maison est pleine et l'une de nos invités pourrait exploser d'un instant à l'autre, comme une bombe d'hormones émotionnellement surchargées. Tu travailles pour moi sur deux affaires, dont l'une a commencé par une insulte monumentale à ton égard. Je t'ai traîné jusqu'à Brooklyn un dimanche, puis je t'ai lâché au beau milieu d'une troisième scène de crime en te confiant un témoin hystérique. Et j'en oublie sûrement.

— Encore une journée au paradis.

— Je t'aime. Je voulais juste que tu le saches.

Le regard de Connors s'illumina, et elle eut un frémissement de bonheur.

— C'est gentil. Tu es si fatiguée, Eve.

— Tu m'as l'air assez éreinté toi-même.

— Crois-tu ?

Il se leva.

— Tu pourrais peut-être me serrer dans tes bras pour me redonner des forces.

— Peut-être.

Elle vint vers lui et ils s'enlacèrent. Elle était capable de tenir le coup seule – Dieu sait qu'elle l'avait prouvé par le passé ! Mais c'était tellement mieux de pouvoir compter l'un sur l'autre sans s'accuser de faiblesse.

— Nous avons déjà repoussé nos vacances d'hiver à deux reprises à cause de moi.

Il la berça contre lui, huma les parfums de ses cheveux, de sa peau.

— Il y a eu des imprévus.

— Il y en a toujours. Dès que Mavis aura pondu son gamin et que nous aurons accompli notre devoir, nous partirons.

— Vraiment ?

— Tu as ma parole… J'ai besoin de toi, ajouta-t-elle en s'écartant légèrement pour le regarder droit dans les yeux. De toi, et de temps pour nous deux. Je ne sais pas pourquoi j'ai tendance à l'oublier. D'ailleurs, je me dis qu'après avoir mené à bout notre mission dans ce lieu de débauche qu'est une salle d'accouchement, nous aurons bien mérité de nous retrouver dans un lieu tranquille, où nous pourrons nous griser d'alcool et de sexe pendant plusieurs jours.

— Il fallait que tu en parles.

— De quoi ? De sexe ? s'exclama-t-elle en lui caressant les joues. C'est comme une tumeur qui me ronge la cervelle. Si je dois y penser, toi aussi.

— J'y pense sans cesse.

— Coquin.

Elle effleura ses lèvres d'un baiser au moment précis où l'ordinateur annonça qu'il avait achevé sa tâche.

— Ce sont mes données ?

Elle se précipita sur les feuilles que crachait l'imprimante.

— Ainsi se termine un charmant interlude.

L'ignorant, elle parcourut les diverses propriétés, possessions et adresses.

— Tiens ! Tiens ! Madeline a un petit pied-à-terre, East End Avenue, tout près de la Quatre-vingt-sixième Rue.

— J'en déduis que nous allons reprendre notre tournée des visites du dimanche ?

— Si tu préfères rester ici, je peux m'y rendre seule.

— Au risque de sauter avec la bombe d'hormones ? Non, merci.

Quand ils regagnèrent le bureau d'Eve, Leonardo était seul devant l'écran, les sourcils froncés.

— Mavis ?

— Oh, elle fait pipi ! Encore.

— Explique-lui que j'ai une piste sur les homicides. Je serai de retour aussi vite que possible. Si tu tombes sur quoi que ce soit d'intéressant, surligne-le. Nous nous pencherons dessus tout à l'heure. Au cas où Peabody et McNab arrivent avant nous, confiez-leur le boulot.

— Entendu. Dallas, Connors, cela vous ennuierait-il que nous dormions ici cette nuit ? Elle voudra revenir demain ou aller au Central, si Eve travaille là-bas. J'aimerais qu'elle évite les trajets car elle est très fatiguée.

— Vous êtes toujours les bienvenus, répliqua Connors. Demande donc à Summerset de lui concocter un remontant. Il saura ce qui est bon pour elle et pour le bébé.

— Tu devrais en prendre un aussi, intervint Eve en gratifiant le mari de sa meilleure amie d'une tape amicale sur l'épaule. Dis-lui que Tandy est dans ma tête. C'est souvent là que je suis la plus efficace.

— Elle a confiance en toi. Ton aide lui est précieuse.

« Mais elle doit éviter tout stress inutile », songea Eve en sortant.

— Prends le volant, dit-elle à Connors. Pendant ce temps, je vais en profiter pour réfléchir.

Elle bascula son siège en arrière, ferma les yeux et se concentra sur l'image de Tandy.

Jeune, en bonne santé, seule, enceinte, sans famille proche. Aux États-Unis depuis peu. Pourquoi ne pas avoir maintenu des liens avec ses amis outre-Atlantique ?

Se cachait-elle ?

Que fuyait-elle ? Qui ?

Le père du bébé ? Possible, mais peu probable. Elle ne s'était jamais plainte auprès de ses nouvelles collègues du salaud qui l'avait mise en cloque.

Eve repensa à son appartement. Un nid, avait commenté Peabody. Pas un terrier. Si elle se cachait, ce n'était pas par peur, mais plutôt pour repartir de zéro.

Les victimes des crimes similaires avaient pris la même initiative – du moins la Britannique. Nouvel emploi, nouvel endroit, nouvelle vie. Peut-être était-ce davantage un désir de s'échapper que de se dissimuler.

Échapper à quoi ? À qui ?

Une femme décédée, deux autres disparues. Elle demanderait à un médecin – Louise ou Mira, ou encore la sage-femme de Mavis – de parcourir le rapport d'autopsie de la victime du Middlesex. Si elle avait été blessée, agonisante ou morte, l'assassin avait peut-être tenté d'extirper le bébé.

Mon Dieu ! Quelle horreur !

Nulle tentative de camoufler le cadavre. Le tueur l'avait déposé non loin de sa demeure. Mais ce n'était pas là qu'il avait achevé la victime.

Belego, elle, n'avait jamais refait surface. Lui avait-on pris son bébé ? S'était-on débarrassé du corps ? C'eût été logique. Les flics étaient à la recherche d'une otage enceinte ou mère d'un nourrisson. À moins qu'elle n'ait fugué ? Elle n'avait pas hésité à déménager une première fois, pourquoi ne pas recommencer ?

Personne n'avait cherché un bébé en bonne santé récemment adopté par un couple charmant. Dans le pays, sans doute, mais loin du lieu de l'enlèvement.

Si elle approchait du terme, on n'avait pas pu la mettre à bord d'un avion. Le médecin de Mavis lui avait interdit de voyager à partir de la trentième semaine.

— Elle est toujours à New York, marmonna Eve. Sauf s'il l'a transportée en dehors de la ville, en voiture. Mais pas loin. Pour lui épargner tout stress superflu. Le stress, c'est mauvais pour le fœtus… Elle est encore vivante.

— Parce que ?

— À moins d'avoir accouché toute seule, le fruit est toujours dans l'urne. Toutes ces femmes ont été kidnappées dans les dernières semaines de leur grossesse. C'est peut-être une coïncidence. Ou alors, le meurtrier patiente jusqu'à ce qu'elles soient sur le point de mettre leur enfant au monde.

Le cerveau en ébullition, Eve poursuivit son raisonnement.

— Il ou elle pourrait être un obstétricien ou une sage-femme frustré(e). Quelqu'un qui aime accoucher les bébés. Ensuite, il faut éliminer la mère, d'une manière ou d'une autre. Pas question de garder le nouveau-né. Si cet homme ou cette femme les collectionne, le voisinage finira par s'en étonner. Ou bien…

— Ou bien, c'est raté. Il ou elle perd les deux, et multiplie les tentatives.

— Oui. Il ne faut surtout pas évoquer cette hypothèse devant Mavis. Imaginons que ce soit un fanatique religieux. Sauf que l'une des victimes avait épousé le père.

— N'empêche qu'elle avait conçu en dehors des liens du mariage.

— C'est à prendre en compte.

Du coin de l'œil, elle aperçut un glissagril fumant.

— Le fait que nous ayons trois cas dans trois pays différents me fait pencher pour la thèse de l'argent. Un business. Enlèvement, accouchement, vente, destruction des indices.

— C'est abominable.

— Abominable, en effet, concéda-t-elle, tandis que Connors se garait dans East End Avenue.

Ils étaient au pied d'un petit palais de verre et de pierre, construit sur les cendres des guerres urbaines. De nombreuses bâtisses de ce genre, vastes et somptueuses, se succédaient au bord des rivières de New York, offrant une vue spectaculaire sur les cours d'eau. Le soleil s'était couché, et on distinguait la lueur diffuse des éclairages de sécurité derrière les immenses baies vitrées teintées.

Après avoir appuyé sur le bouton de la sonnette, Eve présenta son insigne devant la caméra. Le rayon rouge du laser l'analysa, puis la porte s'ouvrit.

Une droïde ravissante en uniforme de bonne l'accueillit.

— En quoi puis-je vous aider ?

— Lieutenant Dallas, police de New York, et son associé. Nous souhaitons voir Mme Bullock ou M. Chase.

— Ni Mme Bullock ni M. Chase ne reçoivent aujourd'hui. Voulez-vous me laisser une carte de visite ?

Eve agita son badge sous le nez du robot.

— Vous voyez cela ? Il ne s'agit pas d'une visite de courtoisie. Croyez-vous que Mme Bullock ou M. Chase préférerait me retrouver au Central ?

— Si vous voulez bien patienter un instant, je vais prévenir Mme Bullock.

Ils pénétrèrent dans un immense vestibule au sol carrelé or et argent, éclairé par d'étranges luminaires en verre rouge et aux formes complexes, suspendus au plafond. Les murs étaient couverts de tableaux dans des cadres dorés – des œuvres clinquantes, abstraites, qui laissèrent Eve de glace.

Les bancs, les sièges et les tables étaient en ébène, bordés d'un fin liseré rouge foncé.

Eve s'avança, admira brièvement le somptueux escalier argent, aperçut à sa gauche une immense pièce où l'on avait inversé les couleurs du décor : carreaux rouges et noirs au sol, meubles or et argent.

Un feu ronronnait dans la cheminée couleur rubis. Par la gigantesque baie vitrée, on apercevait la rivière.

Pas la moindre trace de douceur ou de féminité, songea Eve. L'ensemble donnait une impression de méticulosité et de raideur.

Ici, personne n'aurait l'audace de poser ses pieds sur une table basse en argent étincelant ni de s'allonger pour une petite sieste réparatrice sur le canapé parmi les coussins dorés.

Elle perçut un cliquetis de talons et se retourna pour examiner Mme Bullock en chair et en os.

Les photos d'identité ne lui rendaient pas justice. Cette femme avait une présence incroyable. Grande, imposante, belle, ses cheveux gris lissés en arrière et enroulés en un chignon au bas de la nuque pour mettre en valeur un visage juvénile.

Ses yeux étaient d'un bleu perçant, ses lèvres, du même rouge que le pourtour de la cheminée. Elle portait un pull et une jupe parfaitement assortis à ses iris. Des diamants scintillaient comme des gouttes de glace à ses oreilles et autour de son cou.

— Lieutenant Dallas, lança-t-elle en s'approchant d'une démarche assurée.

Elle lui tendit une main étincelante de diamants et de rubis. Eve se demanda si elle avait choisi ces accessoires en fonction du décor.

— J'ai parlé avec votre collègue il y a quelques jours, enchaîna-t-elle, au sujet de cette terrible tragédie chez Sloan, Myers et Kraus.

— C'est exact.

— Vous êtes Connors ! reprit Mme Bullock, son sourire se réchauffant de plusieurs degrés. Je ne crois pas avoir eu l'honneur de vous rencontrer. C'est étrange, en fait.

— Madame.

— Je vous en prie, asseyez-vous. Dites-moi ce que je peux faire pour vous.

— J'avais cru comprendre que vous aviez quitté le pays, attaqua Eve.

— Pris la main dans le sac ! rétorqua-t-elle en riant tout bas et en croisant ses longues jambes gainées de bas de soie. Mon fils et moi avons décidé de nous offrir quelques jours incognito, si vous voyez ce que je veux dire.

— Naturellement.

Madeline conserva son sourire.

— C'est vrai, nous avons dit à Robert – Robert Kraus – et à quelques autres que nous partions. Vous comprendrez, j'en suis sûre, combien les mondanités peuvent être épuisantes au bout d'un moment. Certes, vous êtes jeunes tous les deux. Vous devez sortir énormément.

— J'adore les soirées mondaines, railla Eve.

Cette fois, Madeline tressaillit.

— Vous ne pouviez pas tout simplement refuser une invitation ou expliquer que votre fils et vous souhaitiez un peu de tranquillité.

— On attend beaucoup des gens dans notre position.

Madeline souleva les mains, les laissa retomber gracieusement sur ses genoux et poussa un profond soupir.

— Parfois, cela devient une charge. Accepter telle invitation, refuser telle autre... c'est à coup sûr vexer quelqu'un. Nous avons donc monté ce petit stratagème pour pouvoir en profiter. Nous adorons votre ville. Ah! Voici des rafraîchissements.

La droïde apparut, poussant devant elle une table roulante croulant sous les carafes en cristal, verres, tasses et théière, assiettes de fromages, de fruits et de gâteaux.

— Voulez-vous un cognac ou un thé? Un peu des deux, peut-être?

Anticipant son refus, Connors posa la main sur la cuisse d'Eve.

— Je boirais volontiers un thé.

— Parfait. Je vous le sers. Vous pouvez disposer, ajouta-t-elle à l'intention de la droïde. Un nuage de lait? Une rondelle de citron?

— Ni l'un ni l'autre, ni pour l'un ni pour l'autre. Pas de sucre, merci, répondit Connors. Vous avez une demeure magnifique. Quelle vue!

— C'est ce qui nous a séduits. Je pourrais rester assise pendant des heures à regarder couler la rivière. Toutes nos maisons sont au bord de l'eau. C'est un élément qui m'attire.

— Vous possédez cette demeure magnifique, pourtant, vous avez logé chez les Kraus.

— Parfaitement. Sa femme – l'avez-vous rencontrée? – est une perle. C'est elle qui nous l'a proposé, et nous avons pensé que ce serait amusant. Nous nous entendons bien, tous les quatre. Nous jouons souvent aux cartes.

Après leur avoir offert une tasse de thé, elle se servit.

— Je crains de ne pas comprendre en quoi cela peut vous intéresser.

— Lorsque je mène une enquête sur un meurtre, les moindres détails m'intéressent.

— L'affaire n'est donc pas encore résolue ? Quelle tragédie ! Ils étaient si jeunes, tous les deux. Enfin tout de même, vous ne soupçonnez pas Robert, j'espère ?

— J'essaie simplement de me faire une idée générale. Vous connaissiez Randall Sloan.

— Bien sûr ! Un véritable mondain. Quelle énergie ! En voilà un qui ne reste jamais terré chez lui.

— C'est étonnant. C'est pourtant là qu'il est mort.

— Pardon ? Que dites-vous ?

— Randall Sloan a été découvert tôt cet après-midi, pendu au lustre de sa chambre à coucher.

— Mon Dieu !

Madeline plaqua les deux mains sur sa poitrine.

— Mon Dieu ! Randall ? Mort ?

— Quand lui avez-vous parlé pour la dernière fois ?

— Je ne... Excusez-moi, je suis bouleversée. Je... Pardon.

Elle se pencha, ouvrit une boîte en argent, à l'intérieur de laquelle était dissimulé un système de communication.

— Brown, veuillez demander à M. Chase de descendre immédiatement.

Madeline se cala dans son siège, se massa les tempes.

— Je suis désolée, je suis en état de choc. Je connaissais cet homme depuis près de dix ans. Nous étions amis.

— Proches ?

Madeline blêmit.

— Je sais que c'est votre devoir de poser des questions, mais je trouve le sous-entendu de fort mauvais goût.

— Les flics sont réputés pour leur mauvais goût. Entreteniez-vous des relations particulières ?

— Certainement pas celles que vous semblez imaginer. Nous nous appréciions.

— On m'a affirmé que c'était lui qui vous avait convaincue de confier votre fondation aux mains de la firme de son père.

— C'est vrai. Il y a des années. J'ai toujours été très satisfaite de leurs services.

— Robert Kraus était votre responsable financier.

— C'est exact.

— Pourtant, c'est Randall Sloan qui gérait vos comptes, ceux de la fondation.

— Vous faites erreur. C'est Robert.

— Randall Sloan s'est occupé des dossiers de la fondation Bullock depuis le premier jour et jusqu'à son décès.

— Je ne comprends pas. Mon Dieu ! Win ! Sloan est mort.

Winfield Chase se figea sur le seuil de la pièce. Il ressemblait à sa mère : même taille imposante, mêmes traits volontaires, même regard froid. Il se précipita pour saisir la main qu'elle lui tendait.

— Randall ? Comment est-ce arrivé ? Il a eu un accident ?

— Il a été retrouvé aujourd'hui, pendu à une corde dans sa chambre, déclara Eve.

— Il s'est pendu ? Pourquoi aurait-il fait une chose pareille ?

— Je n'ai pas dit qu'il s'était pendu.

— Vous avez dit… Vous avez dit qu'on l'avait retrouvé pendu, j'en ai déduit…

Il écarquilla les yeux.

— En d'autres termes, il aurait été *assassiné* ?

— Ça non plus, je ne l'ai pas dit. L'enquête est en cours. Étant chargée de cette affaire, j'aimerais savoir où vous étiez vendredi entre dix-huit et vingt-deux heures.

— C'est une insulte ! Comment osez-vous interroger ma mère de cette manière ? protesta-t-il, entremêlant ses doigts à ceux de Madeline, dont l'autre main vint se poser sur sa cuisse. Savez-vous qui elle est ?

— Bullock, Madeline. Ex-Chase, née Madeline Catherine Forrester.

Quelque chose dans leur attitude la heurta, mais elle demeura impassible.

— Au cas où vous ne sauriez pas qui je suis, poursuivit-elle, je suis le lieutenant Eve Dallas. Tant que la cause du décès n'aura pas été déterminée par le médecin légiste, cette affaire sera traitée comme une mort suspecte. Répondez-moi.

— Mère, je vais appeler notre avocat.

— Allez-y, l'encouragea Eve. Vous risquez d'en avoir besoin, si vous avez peur de me révéler vos activités de vendredi.

— Calme-toi, Win. Calme-toi. Tout cela est navrant. Nous avons passé la soirée à la maison. Win et moi avons échafaudé des plans pour notre grand gala de printemps, un bal de charité organisé par la fondation à Madrid, en avril prochain. Nous avons dîné aux alentours de vingt heures, il me semble, puis écouté de la musique et joué aux cartes. Je suppose que nous avons dû nous retirer dans nos chambres vers vingt-trois heures. C'est bien cela, Win ?

Il toisa Eve.

— Nous avons mangé des côtelettes d'agneau, précédées d'une soupe à la tomate fumée.

— Mmm ! L'un d'entre vous s'est-il déjà rendu au domicile de Randall Sloan ?

— Naturellement ! s'écria Madeline, sans lâcher son fils. Il recevait souvent.

— Lors de ce séjour ?

— Non. Comme je vous l'ai expliqué tout à l'heure, nous étions en quête d'un peu de tranquillité.

— Bien. Monsieur Chase, avez-vous l'habitude de conduire à New York ?

Il grimaça, vaguement dégoûté.

— Quelle idée !

— Parfait. Merci de m'avoir accordé ces quelques minutes, conclut Eve en se levant. Ah ! Vos comptes, tels que supervisés par Sloan, Myers et Kraus, vont être présentés aux autorités fiscales américaines et britanniques – de même qu'à celles de plusieurs autres pays, j'imagine.

— C'est grotesque !

Winfield faillit se jeter sur elle, mais sa mère se leva d'un bond pour le retenir.

— Que signifient ces propos ? glapit-elle.

— Un certain nombre d'anomalies ont été repérées dans lesdits comptes. Je ne suis qu'un simple flic, je n'y connais rien. Mais je suis sûre que les agences spécialisées résoudront les problèmes.

— S'il y en a, c'est à Sloan, Myers et Kraus de s'en expliquer. Robert Kraus.

Madeline marqua une pause.

— Mais non, vous venez de m'apprendre que c'est en fait Randall qui les gérait. En sois, c'est un camouflet. Les a-t-il falsifiés ? Doux Jésus, nous leur faisions confiance, nous lui faisions confiance !

Elle s'inclina vers Chase, qui plaça un bras autour de ses épaules.

— Se serait-il servi de nous ? Est-ce la raison pour laquelle il a mis fin à ses jours ?

— Ce serait pratique, n'est-ce pas. Merci encore pour tout.

Sur ces mots, Eve tourna les talons et partit.

— Je n'ai pas l'impression que nous figurerons sur la liste des invités à Madrid, murmura Connors, tandis qu'ils montaient dans la voiture.

— Cela me brise le cœur. Tu as vu ça ? On se serait cru dans un vieux film anglais. Cela étant, elle est solide. Elle n'avait pas imaginé une seconde qu'on viendrait frapper à sa porte. Pourtant, elle n'a pas vacillé. Lui, en revanche, a besoin d'être tenu en laisse et canalisé. Il a un sale caractère.

— C'est lui qui les a tués.

— J'en mettrais ma main à couper. « Vous m'interrogez ? Vous me menacez ? » Oh, oui, il les a tous éliminés, puis il est revenu à la maison tout raconter à maman ! Ils doivent être furieux de constater que ces trois meurtres n'ont pas suffi pour couvrir le délit.

— Ils vont tout mettre sur le dos de Randall Sloan.

— Ils vont essayer. Laissons aux Fédéraux et aux gars du Global le soin de fourrer leur nez là-dedans. Trois homicides volontaires. Conspiration et complicité, avant et après. Je vais les coincer facilement.

— Puis-je savoir comment ?

— On a prélevé des traces d'ADN sur le poing de Byson. C'est la science qui le dénoncera. Grâce à mes remarquables talents d'investigatrice, j'ai de quoi obtenir d'un claquement de doigts un mandat exigeant de Chase qu'il nous soumette un échantillon de son ADN. Pour peu que la chance ait souri à Peabody et à McNab, Sloan conservait chez lui une ou plusieurs pièces les mettant en cause. Je fais venir *Win* au Central, je le presse comme un citron. Sans sa mère pour le retenir, il crachera le morceau.

— Et s'ils quittaient le pays pour l'Angleterre ou ailleurs dès ce soir ?

— Ils ne le feront pas. S'enfuir maintenant ne servirait qu'à accroître nos soupçons. Madeline Bullock est trop rusée pour tomber dans le piège. La meilleure solution, pour eux, c'est de jouer la stupéfaction et l'indignation. Leur ami – leur ami mort, ça tombe à pic ! – les a dupés, il a abusé de leur confiance. Il s'est servi de leur fondation pour se remplir les poches. Quelle honte ! Elle est déjà sur le pont, elle est en train de prévenir Cavendish ou un de ses collègues à Londres, pour ordonner le déclenchement de procédures et d'injonctions, tout ce qu'ils réussiront à sortir de leur chapeau. Je vais devoir convoquer Cavendish, aussi. En trente minutes, le tour sera joué. Ce type n'a aucune personnalité. Il va cafter. Il est au courant des meurtres, et il se mettra à table dans l'espoir d'éviter la prison pour complicité.

Connors freina à un feu rouge, l'examina.

— Tu es drôlement excitée, n'est-ce pas, lieutenant ?

— Oui. Les pièces du puzzle commencent à se mettre en place. Je vais d'abord m'occuper des mandats, pour Chase et pour Cavendish.

Elle sortit son communicateur de sa poche.

— Je devrais pouvoir les interroger tous les deux dès demain matin.

Elle gâcha la soirée du dimanche de l'adjointe du procureur et de son commandant, en organisant une vidéoconférence de dernière minute sur l'ordinateur du tableau de bord. La discussion allait encore bon train, quand Connors franchit la porte.

— J'exige un prélèvement de l'ADN de Chase, insista Eve.

À l'écran, Cher Reo bougonna.

— Ce que vous avancez est insuffisant.

— Le médecin légiste ne va pas conclure à un suicide.

— Vous n'en savez rien.

— J'en ai la putain de certitude ! Excusez-moi, commandant.

Whitney se contenta de soupirer.

— Si le lieutenant en a la « putain » de certitude, Reo, nous aurions tort de refuser. Si Chase n'a rien à se reprocher, le pire qui puisse en découler, c'est qu'il porte plainte auprès de son ambassade et nous envoie une armée d'avocats.

— Je vais trouver un juge qui acceptera, promit Reo. Pour Cavendish, c'est pareil. Les allégations sont minces.

— Je me débrouillerai pour les étayer. Je les veux au Central dès huit heures demain matin. Merci, commandant. Encore pardon de vous avoir dérangé.

— Et moi ? demanda Reo.

— Vous aussi.

— Joli travail, dit Connors, en se penchant pour l'embrasser. Moi, je te les donnerais sans hésiter, tes mandats.

— Je n'en doute pas. Je vais les détruire, Connors. Pour Natalie, pour Bick, et même pour ce connard de Randall Sloan. Quand j'en aurai fini avec eux, les Fédéraux et le Global n'auront plus qu'à ramasser les miettes pour les accuser de fraude fiscale, de blanchiment d'argent et tout le reste.

Comme ils gravissaient les marches du perron, elle prit Connors par la taille.

— Ta présence m'a été précieuse, camarade.

— Rétribue-moi.

Son rire se transforma en ricanement agressif, quand elle aperçut Summerset au milieu du vestibule.

— Décidément, vous êtes toujours là où il ne faut pas !

L'ignorant, il s'adressa directement à Connors.

— Mavis dort. Je leur ai donné la chambre d'amis bleue, au troisième étage. C'est très tranquille, et elle a besoin de repos.

Il posa son regard sur Eve.

— Elle a subi beaucoup trop de tensions aujourd'hui.

— C'est ça, mettez tout sur mon dos.

— C'est la personne qui a enlevé Tandy Willowby, la responsable, dit Connors. Tout ce que nous voulons, c'est le bien-être de Mavis.

Summerset s'éclaircit la voix.

— Je suis inquiet.

De nouveau, il dévisagea Eve, cette fois avec une lueur d'angoisse. Si un balai sur pattes pouvait éprouver de l'affection pour quelqu'un, c'était le cas de Summerset envers Mavis.

— Je ne peux pas l'attacher. Tout ce que je peux faire, c'est retrouver Tandy.

— Lieutenant, dit Summerset, tandis qu'elle entamait l'ascension de l'escalier... Si vous le voulez, je peux vous préparer une boisson énergisante ne contenant aucun de ces produits chimiques que vous détestez.

— Vous ? Ai-je l'air d'avoir perdu la tête ?

Elle poursuivit son chemin, jeta un bref coup d'œil vers Connors.

— Je n'avalerai pas ses potions de sorcière, je te préviens.

— Je n'ai rien dit.

— Tu n'en pensais pas moins. Je vais m'offrir un café et contacter Peabody. Si Mavis est couchée, je vais pouvoir me rendre sur place la relayer ainsi que McNab. Il faut aussi que je mette Baxter au courant. Il va vouloir participer aux interrogatoires, demain.

— Eve, pour l'amour du ciel, tu as besoin de dormir !

— Je croyais que tu ne disais rien.

— Nom de Dieu de bordel de me...

Il fut interrompu par le bip du communicateur.

— Dallas.

— Regardez-moi ça ! s'exclama Peabody en tournant son appareil pour qu'Eve puisse distinguer l'ouverture béante d'un coffre-fort.

— Nom d'un p'tit bonhomme !

— C'est le deuxième. On était sur le point de tout arrêter, mais mon compagnon est obstiné.

L'air épuisé, Peabody lui envoya une série de baisers.

— Assez !

— Quoi, il le mérite bien, non ? Le premier coffre-fort était dans la bibliothèque. Fausse façade, le coup classique, repérable par le cambrioleur le plus simple d'esprit. Vide. Nous étions tristes, car nous nous disions que celui qui avait supprimé Sloan était arrivé avant nous.

— C'est probable. Normal qu'il ait cherché à effacer toute trace pouvant incriminer Sloan.

— Mais McNab a tenu à ce qu'on continue nos recherches. Comme vous nous aviez signalé que la victime n'était pas totalement idiote, nous avons pensé qu'il devait y avoir une deuxième cachette. Sinon ici, ailleurs. Comme on était déjà là, on a continué à...

— C'est bon, j'ai compris.

— Désolée. Mon cerveau s'est endormi il y a une heure. Bref... celui-ci est dans la cuisine, encastré dans un placard à provisions. Au passage, j'ajoute que ce type était un fin gourmet. Nous n'avons rien mangé. C'était très dur, mais nous avons résisté. Et dans ce joli petit coffre-fort, que mon étalon écossais a mis plus de trente-cinq minutes à forcer, nous sommes tombés sur des espèces. Deux cent cinquante mille dollars, des bijoux et... une collection de disques. Tous étiquetés, Dallas, et certains d'entre eux contiennent les archives de la fondation Bullock.

— Formidable. Emballez-moi tout ça et apportez-le.

Eve se tourna vers Connors avec un large sourire.

— On les a, ces salauds.

Son sourire s'estompa, quand elle vit le grand verre contenant un étrange liquide vert qu'il lui tendait.

— D'où sors-tu ce machin? Je n'en veux pas! Et si tu essaies de me le faire avaler de force, je te saigne!

— Au secours, maman, j'ai peur. Menacé de dommages corporels par une femme qui tient à peine debout. La moitié pour moi, l'autre pour toi, insista-t-il.

Dommage qu'il se montre si raisonnable, elle lui aurait volontiers donné un coup de poing!

— Merde. Toi d'abord.

Sans la quitter des yeux, il s'exécuta. Puis il inclina la tête et lui tendit le verre.

— C'est dégoûtant, n'est-ce pas?

— Absolument. C'est ton tour.

Elle grimaça comme une gamine récalcitrante de douze ans, puis, paupières closes, but le reste d'un trait.

— Là. Tu es content?

— Je le serai encore plus quand nous pourrons danser sous le soleil tropical.

— D'accord, concéda-t-elle, titubante. Finissons-en avec cette affaire.

# 19

Quand elle se connecta avec Baxter, il franchissait pratiquement le portail de la propriété.

— J'ai pensé que ce que j'avais pouvait vous intéresser et réciproquement. Je préférais vous le dire de vive voix. Trueheart est avec moi. On doit pouvoir lui confier une tâche quelconque.

En effet, songea Eve en rassemblant ses notes. Trueheart était parfaitement capable de lui rédiger son rapport. Bien que sous l'aile de Baxter depuis des mois, Trueheart était toujours frais et enthousiaste comme un chiot gambadant à travers un pré de marguerites au printemps. Il ne rechignerait pas à accomplir un travail fastidieux.

— Encore des flics, constata Connors, cela signifie encore du café.

— Je te rappelle que nous allons danser tout nus sous le soleil tropical dans un avenir proche.

— Je suppose qu'il est inutile d'espérer un quart d'heure dans l'holo-salle, histoire de se mettre en jambes ?

Il posa une tasse près d'elle.

— Nous nous exerçons à chaque occasion possible depuis deux ans. D'après moi, nous sommes prêts à passer dans la catégorie professionnelle. D'où provient l'argent qu'ils blanchissent ?

— Je croyais que tu avais l'intention de laisser aux Fédéraux et aux gars du Global le soin de résoudre ce problème ?

— Oui, mais ça me tracasse.

Elle se leva, s'approcha de son tableau, examina les photos de Bullock et de Chase. Elle les revit l'un à côté de l'autre, la manière dont ils se touchaient sans arrêt.

— Ce n'est pas une simple relation mère-fils.

Connors ne répondant pas, elle pivota vers lui, hocha la tête.

— Tu l'as remarqué, toi aussi.

— J'imagine que toi et moi sommes plus sensibles à ce genre de chose que la plupart des gens. J'ai noté, disons... une certaine intimité entre eux.

— Le terme est trop neutre. Je pencherais pour l'inceste, pourtant, j'ai des doutes. C'est elle qui domine.

Un frémissement la parcourut, tandis qu'elle enchaînait :

— Elle est l'araignée, alors qu'elle devrait le protéger. Elle se sert de lui, l'embobine... et ça n'a rien à voir avec mon passé.

Il vint vers elle, posa les mains sur ses épaules, les lèvres sur ses cheveux.

— Forcément, cela résonne en toi, de la même manière que ce qui arrive à Tandy résonne en moi.

Eve prit ses mains dans les siennes.

— C'est lui qui a dû commettre les meurtres. Sous cette façade parfaitement vernie, j'ai senti une grande violence. Mais c'est elle qui appuie sur les boutons. À moins que je ne m'égare.

— Si c'est le cas, je suis le même chemin que toi.

Elle reprit son souffle, laissa retomber les bras le long de son corps.

— Si nous avons raison, c'est un argument dont je me servirai une fois que je les aurai en face de moi en salle d'interrogatoire. Pour l'heure... Quelle est la source de tout ce fric ? Trafic d'armes ? C'est curieux, je n'en ai pas l'impression. Mafia ? J'en serais étonnée, ils n'ont pas le style. Il existe toutes sortes d'autres moyens. Oui, on peut s'enrichir en douce de multiples façons, mais je crois – je subodore, rectifia-t-elle –, une activité qu'ils pratiquent eux-mêmes ou apprécient, en laquelle ils croient, en tout cas. Ils sont tellement imbus d'eux-mêmes.

— La description est parfaite.

— Tu me comprends. Bégueules, suffisants, vaniteux. Je les vois mal s'acoquiner avec la pègre, parce qu'elle aime être le chef d'orchestre. Ce serait bien que je puisse en discuter avec Mira, qu'elle m'établisse un profil.

— À mon avis, tu t'en es déjà chargée.

— Elle porte ses diamants chez elle. Lui est en costume cravate un dimanche soir, alors qu'ils traînent à la maison. Ils tiennent à leur image, même quand personne n'est là pour les juger. Ils l'ont façonnée et ils l'entretiennent, y compris quand ils s'accouplent dans l'obscurité. Quant au sexe, c'est un niveau supplémentaire d'harmonie, qui les place au-dessus des autres. *Savez-vous qui nous sommes ?* La contrebande, peut-être ? Une occupation possédant un soupçon de classe et un zeste de romantisme.

— Merci du compliment, ma chérie.

Elle leva les yeux au ciel. Elle aurait dû se douter qu'il sauterait sur l'occasion pour lui rappeler comment il avait gagné une grande partie de sa fortune, dans sa jeunesse.

— Bijoux, tableaux, vins fins… Pourquoi pas ? Peut-être exercent-ils une forme subtile de chantage ?

— Les disques que nous rapportent Peabody et McNab devraient t'éclairer ou du moins te mettre sur la voie, répliqua-t-il.

— Mouais. Ils sont vraisemblablement codés. Sacrée corvée en perspective. Nombre de leurs résidences et propriétés sont au nom de la fondation.

Agacée, elle effectua plusieurs allées et venues devant son tableau.

— Mais ce n'est qu'un moyen parmi d'autres pour échapper au fisc. Je parie que la plupart des joyaux, œuvres d'art et autres objets de valeur ont été payés en espèces.

Elle pointa un doigt en direction des données affichées sur son écran.

— Regarde-le. Bientôt cinquante ans, aucun mariage, aucune cohabitation à son actif, vit toujours chez sa maman, travaille avec sa maman, voyage avec sa maman. Ils n'éprouvent même pas le besoin de dissimuler ce qui se passe entre eux. Il n'a pas dit : « Vous ne savez pas qui *nous sommes* », il a dit : « Vous ne savez pas qui *elle est* ». C'est elle qui a le pouvoir. Elle qui contrôle tout.

Percevant un bruit de pas se rapprochant du bureau, elle se tut.

Voir Trueheart sans son uniforme la surprenait chaque fois. Celui-ci et Baxter avaient l'air de deux acteurs vedettes dans une série policière : le séduisant flic vétéran et son jeune apprenti appliqué.

— Du café, souffla Baxter, comme en prière. Vite, fiston. Dallas, Connors...

— Alors ? Le véhicule ? demanda Eve.

— Ils effacent les disques de sécurité toutes les vingt-quatre heures. La nuit en question a disparu depuis longtemps et il n'existe aucune sauvegarde.

— Vous débarquez ici sans rien ?

— Pour qui me prenez-vous ?

Baxter accepta la tasse que lui tendait Trueheart et s'assit, les jambes étendues devant lui.

— C'est un parking privé. Le loyer mensuel est plus élevé que celui de mon appartement et de celui du môme ici présent réunis. Pour entrer, il faut une carte à puces et un mot de passe. Capacité d'accueil : une demi-douzaine de voitures, et laissez-moi vous dire qu'elles sont toutes impressionnantes. Celle de la victime est un 4x4 surpuissant. Un vrai bolide qui coûte bonbon.

— C'est fascinant, Baxter.

— Ça le devient. Nous voilà en train de tourner autour – on a dû faire venir le gérant, qui ne nous a rien appris. Mais pendant qu'on y était, survient un type à bord d'une Sunstorm, modèle Triple X, superturbo. Noire et rutilante comme la bouche de l'enfer, toit en verre teinté argent. Vous connaissez ? demanda-t-il à Connors. Le premier est sorti en 2035.

— En effet. Un engin remarquable.

— J'ai failli fondre en larmes, quand je l'ai vu arriver.

— C'était vraiment une caisse superbe, intervint Trueheart.

Eve lui jeta un coup d'œil, et il devint écarlate.

— On dirait que vous vous êtes bien amusés, tous les deux. Mais où tout cela me mène-t-il ?

— Au cours de la conversation, le propriétaire de la Sunstorm – un certain Derrick Newman – a déclaré que, même s'il n'avait jamais rencontré Sloan, il avait souvent admiré son véhicule et envisagé d'en acquérir un pour braver les tempêtes et les routes de campagne.

— Il fera peut-être une affaire, vu que Sloan est mort.

— Bien que n'ayant jamais rencontré Sloan, répéta Baxter, il avait noté que le tout-terrain était systématiquement reculé dans son emplacement. Il était ainsi garé le mercredi de la semaine dernière aux alentours de dix-neuf heures, quand Newman est descendu chercher sa propre voiture. Il avait rendez-vous avec sa conquête du moment pour un dîner à Oyster Bay – un repas de fête pour son frère qui devait se marier le samedi suivant. La conquête du moment n'ayant pas daigné l'accueillir chez elle cette nuit-là, il est revenu juste après trois heures du matin le jeudi. C'est là qu'il s'est étonné de voir le 4x4 rangé dans l'autre sens.

Eve eut une moue.

— Et alors ?

— Et alors, quand Newman a évoqué cette manie de Sloan, le gérant a confirmé. Sloan loue cette place depuis trois ans et pas une seule fois il ne s'est garé par l'avant. Jusqu'à cette fameuse nuit du mercredi il y a une semaine.

— Qu'on le saisisse ! Je veux que les techniciens l'inspectent molécule par molécule.

— J'en étais sûr. J'ai déjà donné des ordres. Ils sont en route.

— Bon boulot.

Baxter haussa les épaules.

— Au moins, j'ai l'impression d'avoir rendu service. Je parle avec Palma tous les jours. Elle souhaite venir chez sa sœur emballer toutes ses affaires dès que possible.

— Nous aurons bientôt terminé là-bas.

Eve lui résuma la situation, salua Peabody et McNab d'un signe de la tête tout en concluant.

— Emballé, étiqueté, livré ! annonça Peabody en bâillant, tandis que McNab déposait les pièces à conviction sur le bureau d'Eve. Le fric, ça sent bon. Surtout quand il y en a plein.

— Donnez-lui un café ! ordonna Eve.

— Prenez cela d'abord, lui conseilla Connors en lui offrant un verre.

— Beurk ! marmonna Peabody en grimaçant.

— Je viens de le préparer exprès pour vous.

— Dans ce cas, roucoula-t-elle, les prunelles pétillantes.

Elle but d'un trait.

— C'est ignoble.

— Oui, je sais. Vous aussi, Ian.

— Quoi ? Un remontant ? Pourquoi pas ? Je ne trouve pas cela si mauvais.

Il avala le sien sans se plaindre, tandis que Trueheart continuait la distribution de café.

— Maintenant que tout le monde est désaltéré, attaqua Eve en ouvrant un sachet en plastique contenant les disques de la fondation Bullock, commençons par l'année dernière et remontons dans le temps.

Elle inséra le premier disque dans son ordinateur.

— Afficher les données, écran numéro un.

Tiens ! Tiens ! Il n'était pas codé. Si elle n'avait pas été aussi fatiguée, elle en aurait dansé de joie.

— Connors ? Traduction ?

— Ce sont des comptes mensuels. Selon moi, il s'agit de la copie personnelle de Randall Sloan. C'est clairement exprimé ici, contrairement aux fichiers confisqués au cabinet. Voyez ici, son salaire mensuel, indiqua-t-il à l'aide d'un pointeur laser. Et celui de Madeline Bullock, les commissions de Winfield Chase... Sont inventoriés par ailleurs les virements pour frais juridiques effectués à Cavendish, New York. Le siège s'octroie un pourcentage mensuel ainsi que des honoraires au coup par coup.

— Ce qui signifie ?

— D'après la manière dont ces comptes ont été établis officiellement, les revenus et les dépenses sont plus précisément exprimés ici et parfaitement illégaux. Les bouledogues du fisc vont se lécher les babines pendant des années.

— Je vois ici des revenus, dit Eve en descendant au bas de la page. Essentiellement en provenance de particuliers. Des virements, pris là-dessus et adressés à d'autres individus et à des institutions. Hôpitaux, centres médicaux... nourriture, logement, transport... Samuel et Reece Russo, deux cent cinquante mille dollars...

— C'est un versement partiel, expliqua Connors. Le premier sur quatre.

— Un million de dollars pour Sam et Reece, un montant identique en provenance d'une certaine Maryanna Clover. Et ici, de nouveau... nous avons combien quatre, non cinq versements de particuliers rien qu'au cours du premier trimestre de l'an dernier. Que payaient-ils ?

— Les dépenses rattachées à ces revenus nous en révéleront davantage, je pense.

Connors fit afficher le feuillet par commande vocale.

— Le paiement des Russo comprend un versement de dix mille euros en acompte, destiné à une dénommée Sybil Hopson ; deux mille euros mensuels perçus par une Leticia Brownburn, profession médecin, après une avance initiale de dix mille euros en octobre de l'an dernier. Un autre, libellé « Dons à *L'Enfant du dimanche* »... Les frais juridiques s'élèvent à douze mille euros pour cette transaction – payés par la fondation.

— Donc, sur un million d'euros, qu'ils se débrouillent pour carotter comme un revenu essentiellement non imposable, ils en dépensent moins de cent mille. Pas mal, constata Eve. Et *L'Enfant du dimanche*, qu'est-ce que c'est ?

— Une agence de placement d'enfants, marmonna Peabody, à moitié endormie. Basée à Londres.

Eve se tourna vers elle.

— Quoi ?

— Hein ? Pardon ?

Peabody sursauta, se redressa sur son siège, cligna des yeux.

— Désolée, j'ai dû perdre le fil.

— *L'Enfant du dimanche*.

— Ah ! Vous êtes revenus à l'enlèvement. C'est une des agences de la liste. Le siège est à Londres. Ils ont des filiales à Florence, Rome, Oxford, Milan et... euh... Berlin. Il me semble. Il faut que je relise mes notes.

— Cette agence apparaît sur la liste dans le dossier de Tandy, puis reparaît en tant que l'un des principaux bénéficiaires de la fondation Bullock ?

Eve s'adressa à Baxter.

— Les coïncidences, c'est de la connerie, n'est-ce pas ?

— Absolument. Dallas, vous croyez que les deux affaires sont liées ?

— Trueheart, sortez-moi la biographie de Leticia Brownburn, médecin à Londres. Je veux savoir si elle est associée à l'organisation *L'Enfant du dimanche*. Connors, j'aimerais que tu examines ces fichiers au plus vite, afin d'en extirper un *modus operandi*. Tâche de voir s'il y en a d'autres, agences d'adoption ou maternités, par exemple.

Branle-bas de combat. Tous les ordinateurs des deux bureaux étant utilisés, Eve alluma son portable.

— Recherche sur Russo, Samuel et Russo, Reece, ordonna-t-elle, avant de citer les numéros d'identification que Sloan avait inscrits sur le fichier.

— *Recherche en cours... Russo, Samuel, né le 5 août 2018, marié à Russo, Reece, née Bickle, le 10 mai 2050. Domiciles : Londres, Angleterre ; Sardaigne, Italie ; Genève, Suisse ; Nevis. Un enfant, sexe masculin, né le 15 septembre 2059. Adopté, circuits privés.*

— C'est suffisant. Arrêter la recherche. En lancer une sur Hopson, Sybil.

— *Recherche en cours... Hopson, Sybil. Née le 3 mars 2040. Parents...*

— Passer à la suite. Domicile, enfants.

— *Réside à l'université d'Oxford. Étudiante. Pas d'enfants. Une grossesse consignée, menée à terme ; enfant de sexe masculin, né le 15 septembre 2059. Placé en adoption, circuits privés.*

— Agence de placement pour Russo et pour Hopson.

— *En cours...* L'Enfant du Dimanche, *Londres*.

— Ce n'est pas illégal, Dallas, fit remarquer Baxter, debout à ses côtés. Je ne connais pas les tenants et les aboutissants des procédures d'adoption en Europe, mais ici tout cadre.

— Les rémunérations sont trop élevées, protesta Eve. Cette fille a vendu son bébé, et vendre des êtres humains est illégal, où que l'on soit.

— On peut prétexter une aide à l'éducation, des remboursements de frais. Ce peut être compliqué, mais je suis sûr que ça passe.

— Possible. Néanmoins, ils ont dissimulé l'argent et trafiqué les comptes, omettant de déclarer l'essentiel du revenu. Et si c'est ce que je crois, on peut affirmer qu'ils dirigent un vaste réseau de trafic de nourrissons – une activité qui génère des profits considérables. Si le scandale éclate, les médias vont se régaler. D'autant qu'ils ont tué trois personnes pour que le secret soit gardé.

— C'est donc là-dessus qu'était tombée la sœur de Palma, murmura Baxter.

— Je doute qu'elle ait compris exactement de quoi il s'agissait, mais à force de creuser elle devait en avoir une idée assez précise. Baxter, d'autres femmes ont disparu, comme Tandy, dont l'une au moins a été tuée en même temps que son fœtus. La boucle est bouclée, acheva-t-elle en désignant l'écran d'un signe de la tête.

— Vous voulez dire qu'ils enlèvent les femmes en pleine rue ? Qu'ils leur volent leur bébé ?

— Je le crains. Si ces femmes ont pris contact avec l'association *L'Enfant du dimanche*, voire entamé les démarches nécessaires, la fondation récupère le fric.

À présent, le puzzle était presque complètement terminé.

— Supposons que la future maman change d'avis, décide de s'enfuir. Ils la retrouvent. Elle se sent menacée, ou a peur d'être harcelée, poursuivie en justice. On la kidnappe peu avant la date prévue de son accouchement. C'est pour une bonne raison.

— On attend le produit moins longtemps, grommela-t-il.

— Une fois la livraison effectuée, la jeune femme n'est plus indispensable. On s'en débarrasse, tout simplement. C'est le meilleur moyen de limiter les dépenses. Mettez-vous au travail avec Connors, dénichez-moi quelqu'un qui a payé, dont les frais sont différents des autres.

— Je l'ai ! s'exclama Trueheart.

— Je vous écoute.

— Lieutenant, Brownburn appartient au conseil d'administration de l'association *L'Enfant du dimanche*. C'est aussi leur médecin titulaire.

— Peabody, cette agence a-t-elle une filiale à New York ?

— Uniquement en Europe.

— Une autre, alors, une qui se détache du lot. Ils ne l'ont pas ramenée en Angleterre, pas à son stade de grossesse. Ils veulent s'assurer que le produit soit viable. Essayez le New Jersey, le Connecticut. Peut-être…

Poussant un juron, elle se rua sur son ordinateur principal. La grande demeure aux vitres teintées. « On peut voir à l'extérieur, mais personne ne peut voir à l'intérieur », pensa-t-elle en composant le numéro de Cher Reo.

Incognito, tu parles !

— Seigneur, Dallas ! Combien de fois allez-vous me gâcher ma soirée ? grogna Reo en repoussant ses cheveux blonds décoiffés. Je suis sur le point de…

— J'ai besoin d'un mandat.

— Je les ai, vos fichus mandats, et croyez-moi, j'ai dû soulever des montagnes pour y parvenir.

— Il me faut une autorisation de perquisitionner la résidence Bullock, East End Avenue. De fond en comble.

— Ah bon ? C'est tout ? s'enquit Reo, d'une voix mielleuse.

— J'ai des raisons de croire qu'ils retiennent une jeune femme contre son gré. Une femme enceinte jusqu'au cou, dont la vie sera en péril si nous ne la retrouvons pas avant qu'elle accouche. Si elle n'est pas séquestrée là-bas, je dois pouvoir fouiller les lieux pour déterminer le lieu où ils l'ont cachée.

— Dallas, ce sont des ravisseurs ou des assassins ?

— Une chose en a entraîné une autre. Reo, cette femme a disparu jeudi dernier. Il est peut-être déjà trop tard.

— « J'ai des raisons de croire » est un argument bien mince, Dallas. J'ai eu un mal fou à décrocher votre mandat pour le prélèvement d'ADN. Si je continue comme ça, les avocats de la partie adverse vont m'accuser de harcèlement.

— Je n'ai pas le temps…

Eve s'interrompit, s'obligea à respirer calmement.

— Je vous passe Peabody, elle va tout vous expliquer. Je suis en train de préparer une opération, Reo. Avec ou sans mandat, je fonce dans une heure.

Sur ce, elle se rua chez Connors, tout en invitant d'un geste Peabody à prendre le relais.

— J'ai ton *modus operandi,* lieutenant. Un maximum de dix bébés placés par an, à la naissance, contre rémunération. Quatre au minimum. Au total, soixante-cinq placements en huit ans, pour un bénéfice brut de soixante-cinq millions d'euros.

— J'attends un mandat pour fouiller la demeure de East End Avenue. Je pense qu'ils y cachent peut-être Tandy. McNab.

— Vos joujoux informatiques sont vraiment fantastiques, déclara-t-il, sans quitter son écran des yeux. J'ai extrait six cas sur soixante-cinq, dans lesquels les frais sont nettement moins élevés, et un dont le paiement initial a été remboursé.

— Jones, Emily, Middlesex et Londres, Angleterre.

— C'est le nom qui apparaît, et le seul virement à un individu hormis les frais médicaux sur la somme remboursée. Euh, Dallas… Tandy figure sur la liste.

McNab se tourna vers elle.

— Un versement effectué en mai dernier, apparemment rendu en totalité début juin.

— Elle a changé d'avis et les a remboursés. Mais ça n'a pas suffi. On y va.

De retour dans son propre bureau, elle se fia à ses souvenirs pour leur détailler le plan de la maison.

— Le sujet est probablement séquestré au premier ou au deuxième étage. Je penche pour le deuxième. Elle est peut-être attachée, très certainement surveillée, en tout cas par des caméras. Deux des suspects au moins sont sur les lieux ainsi qu'une droïde domestique. Vu les circonstances, nous devons envisager aussi la présence d'un médecin, robot ou humain. Nous allons partir du principe que les deux suspects sont violents.

Elle s'adressa à Connors.

— Peux-tu télécommander leur système de sécurité à distance ?

— Je le peux.

— Une fois la sécurité désactivée, on agit au plus vite. La priorité, c'est de localiser et de mettre à l'abri le sujet. Peabody, vous et Trueheart vous en chargerez. McNab, vous et Connors débrancherez tous les appareils électroniques, y compris les droïdes. Baxter, les suspects sont pour vous et pour moi. S'ils résistent, on les neutralise.

— Par n'importe quel moyen ?

— Le but, c'est qu'ils parlent. Pour le reste, c'est en option. Tous les communicateurs doivent être sur la fréquence A du début à la fin de l'opération. À la seconde où le sujet aura été retrouvé, je veux en être informée, ainsi que de son état de santé. Voilà comment nous allons procéder.

Elle se tourna vers l'écran mural, sur lequel elle avait dessiné une esquisse de la demeure.

Lorsqu'elle eut terminé, elle se rendit dans sa chambre, se harnacha pour la circonstance, vérifia son arme et ses menottes. Puis elle s'aspergea le visage d'eau glacée.

Elle se releva le souffle coupé et croisa le regard de Connors dans la glace au-dessus du lavabo.

— Ne me dis pas que je suis fatiguée.

— Je n'ai pas besoin d'énoncer ce qui est évident, d'autant qu'on ne peut pas attendre que tu aies rechargé tes batteries.

— Idem pour toi.

La figure encore ruisselante, elle se retourna vers lui et lui caressa la joue.

— Tu es pâle. C'est si rare, chez toi.

— Ces deux dernières journées me font penser que tu aurais beau me promettre deux fois ce que je gagne, je refuserais d'être flic.

— Il ne s'agit pas d'argent, mais d'aventure.

Il rit aux éclats. Elle s'empara d'une serviette, s'essuya vigoureusement.

— Je repense à ce rêve que j'ai eu, quand tous les écheveaux étaient emmêlés. Nom de nom, c'était bien cela. C'est bien cela. Si je l'avais senti plus tôt...

— Comment ?

— Je n'en sais rien mais, si je l'avais senti plus tôt, Tandy serait chez elle dans son lit, pendant que Bullock, Chase et les autres seraient en cage.

Elle jeta sa serviette de côté.

— Mon Dieu, Connors ! Tu m'as bien vue tout à l'heure chez eux, la façon dont je leur suis rentrée dedans. Je leur ai mis la pression et s'ils paniquent à cause de cela, s'ils décident tout simplement d'accélérer le processus... Elle était là. Bordel de merde, Tandy était là, j'en ai la *certitude* ! Pendant que cette salope me servait une tasse de thé !

— Nous ne le saurions pas si nous n'avions pas suivi notre instinct et envoyé Peabody et McNab chez Sloan en quête d'archives. Personne n'a trouvé les autres, Eve. Ne l'oublie pas.

— Je m'en souviendrai. Si elle respire encore...

Elle consulta sa montre.

— Tant pis pour le mandat. Allons-y !

Au cours de la dernière heure, la neige s'était mise à tomber. De gros flocons. Toute l'équipe s'entassa dans l'un des tout-terrain de Connors.

Sur le trajet, elle se remémora l'intérieur de la maison. Une entrée immense, un escalier à gauche, le salon à droite. Des baies vitrées coulissantes, côté est, donnant sur la terrasse. Une échappatoire possible.

Mais ils ne s'enfuiraient pas. Ils étaient beaucoup trop imbus de leur personne pour détaler comme des lapins.

Le mandat lui permettant de prélever un échantillon d'ADN de Chase n'arriverait pas avant le lendemain matin. Elle était prête à parier que sa maman et lui dormaient du sommeil du juste. Les pauvres, ils allaient être réveillés en sursaut.

Connors gara le véhicule à une centaine de mètres, en face de la propriété.

— On inaugure nos joujoux, Ian ?

— J'ai déjà commencé.

Assis en tailleur sur son siège, il manipulait les commandes d'un petit clavier.

— Alors ça, c'est génial ! J'ai déjà programmé les coordonnées. Je suis prêt si vous l'êtes.

— Baxter, si vous changiez de place avec moi ? proposa Connors, tout en se faufilant vers le fond, pendant que McNab continuait de pianoter. Allez-y !

— Rayons infrarouges et détecteurs de chaleur engagés. Image à l'écran – cette machine est un bolide ! Bon, on dirait qu'on a deux corps chauds, au premier étage. À l'horizontale. Ils font dodo. Même chambre, même lit. Je croyais qu'on cherchait une mère et son fils.

— Absolument, confirma Eve, l'estomac noué.

— Ah ! C'est dégoûtant. Deux corps chauds, répéta-t-il. Premier étage, aile est, deuxième pièce.

— Deux seulement ? insista Eve.

Il la gratifia d'un regard contrit.

— C'est ce que j'obtiens ici. J'ai la température des corps, les rythmes cardiaques, la masse et la densité, la taille et le poids. Cet équipement est tellement évolué qu'il me donne le nombre de droïdes – trois au rez-de-chaussée, un au troisième. Malheureusement, je ne vois aucun signe de présence d'un troisième être humain. Pas plus que d'un bébé à bord.

— Ian, murmura Connors, jetez un coup d'œil là-dessus.

Du bout du doigt, Connors tapota une zone au deuxième étage.

— Un espace blanc, là où il ne peut pas y en avoir. Une chambre froide. Nom de Dieu, j'ai dû prendre un coup de vieux ! Elle est protégée contre les détecteurs.

— Vous pensez pouvoir passer à travers ?

— Il va nous falloir quelques minutes, répliqua Connors.

— Je n'attends pas. On y va…

Le bip de son communicateur lui coupa la parole.

— Reo, dites-moi que vous l'avez.

— J'ai dû vendre le peu d'âme qui me restait et mon cavalier m'a lâchement laissée tomber. Vous avez intérêt à réussir votre opération, Dallas. Le document est en cours d'envoi.

— Bravo, Reo.

— Pas de quoi. Si vous trouvez cette femme, prévenez-moi. Immédiatement.

— Entendu. Un dernier petit service.

— Vous exagérez.

— Contactez le lieutenant Jaye Smith. Elle appartient au service des Personnes disparues. Mettez-la au courant. Je ne voulais pas l'avertir avant d'être sûre d'avoir mon mandat.

— C'est avec plaisir que je jouerai le rôle de droïde messager. Pendant que j'y suis, si vous avez autre…

Eve raccrocha.

— C'est bon !

— Je n'y suis pas encore ! protesta Connors.

— Tant pis. Peabody, Trueheart, vous venez derrière Baxter et moi et vous montez directement au deuxième. Débrouillez-vous pour pénétrer dans la pièce en question. Connors, McNab, vous inspectez le rez-de-chaussée, puis les étages. Vous neutralisez toute la sécurité.

Bien qu'irrité de ne pas avoir pu aller jusqu'au bout de sa tâche, Connors s'empara d'un élégant petit décodeur, descendit de la voiture et s'éloigna.

Eve ne savait pas si c'était parce qu'il avait besoin de se rapprocher de la cible, ou plus simplement, parce qu'il préférait éviter qu'une bande de flics le regarde désactiver un système de sécurité ultrasophistiqué en moins de trente-cinq secondes.

— Le système de secours est activé, lui annonça-t-il d'un ton posé, quand elle le rejoignit. Je dois déconnecter l'alarme automatique, si tu veux pouvoir entrer sans que personne le sache.

— C'est le cas. Combien de temps te reste-t-il ?

— Douze secondes.

Elle suivit le décompte sur l'écran de l'appareil, tandis qu'une série de lumières se mettaient à clignoter plus bas. Tout à coup, tout s'arrêta, et l'engin bipa. Il ne restait plus que trois secondes.

— Et voilà, on peut passer à la suite.

Elle traversa la rue au pas de course en faisant signe aux autres de la rejoindre.

— Enregistrement, murmura-t-elle.

Connors s'accroupit pour terminer. Quand il eut fini, elle se servit de ses mains pour indiquer à ses hommes dans quelle direction ils devaient aller.

— Je passe en premier, chuchota-t-elle à Baxter.

— À votre guise.

L'arme au poing, ils s'introduisirent dans le vestibule. Derrière eux, Connors et McNab filèrent vers la droite.

— Police ! aboya Eve en gravissant l'escalier à toute allure, Peabody et Trueheart sur ses talons. Nous avons un mandat pour pénétrer en ces lieux, les fouiller et saisir tout élément ayant rapport avec les termes dudit mandat. Allez ! Allez !

D'un geste, elle encouragea Peabody et Trueheart à grimper jusqu'à l'étage supérieur, tandis que Baxter et elle s'arrêtaient au premier.

Un bruit fracassant lui parvint du rez-de-chaussée, mais elle continua.

Chase émergea brutalement d'une pièce sur la gauche en serrant la ceinture de son peignoir.

— Qu'est-ce que cela signifie ? C'est un scandale !

Eve agita son document sous le nez de Chase.

— Nous sommes en Amérique et nous adorons les scandales. Soit vous coopérez, soit je vous passe les menottes et je vous emmène au Central. J'espère que vous n'êtes pas d'humeur à coopérer.

— J'appelle immédiatement notre avocat ! lança Madeline, en négligé rouge vif, les cheveux sur les épaules.

Sans son maquillage, elle faisait facilement cinq ans de plus, songea Eve. Chancelante de rage, elle se tenait sur le seuil de sa chambre, à côté de son fils.

Son amant.

— Comme vous voudrez. L'inspecteur Baxter vous accompagnera avec plaisir.

— L'inspecteur Baxter peut aller se faire voir et vous aussi. Vous êtes ici chez moi. C'est ma chambre ! glapit-elle en agitant théâtralement le bras derrière elle. Personne n'y entre sans invitation !

— La voici, mon invitation ! rétorqua Eve en lui montrant son mandat.

Puis elle lui saisit les poignets et brandit ses menottes.

— Vous voulez une nouvelle paire de bracelets ?

Madeline Bullock devint cramoisie de fureur.

— Win, ne dis rien, ne bouge pas. Non seulement votre carrière sera ruinée avant la fin de la nuit, lieutenant, mais j'aurai votre peau.

Sur ce, elle tourna les talons, son négligé virevoltant autour de ses mollets.

— Quel caractère, n'est-ce pas ? railla Eve. Vous lui obéissez toujours au doigt et à l'œil, *Win* ? Vous êtes un gentil garçon avec votre maman, même quand vous la roulez dans la farine ?

— Comment osez-vous, espèce de sale putain !

— J'appelle un chat un chat. Votre mère vous a-t-elle donné l'ordre de torturer Natalie Copperfield avant de la tuer, ou était-ce une idée à vous ?

— Je n'ai rien à vous dire.

— C'est vrai, maman vous a recommandé de la boucler. Pas grave. Dès qu'on aura fini de fouiller la maison, on aura tout ce qu'il nous faut. Je sais que Tandy se trouve au deuxième. Deux de mes hommes y sont en ce moment. Ils la sortent de votre chambre froide.

Une lueur vacilla dans ses prunelles, aussi Eve anticipa-t-elle sa réaction. À l'instant précis où il sortait un pistolet paralysant de la poche de son peignoir, elle donna un grand coup de pied pour le désarmer. Quand il tenta de se jeter sur elle, elle pivota. Le coup de poing de Chase ne fit donc qu'effleurer son épaule. Elle lui enfonça le coude dans le plexus solaire, et il se plia en deux de douleur. Pourtant, il n'abandonna pas la partie et se précipita sur elle. Le dos d'Eve heurta le mur et, en l'espace d'un éclair, il referma les mains autour de sa gorge. Un simple coup de genou dans les parties, et il se dégonfla comme un ballon piqué par une épingle.

— Votre manque de coopération fait mon bonheur. Winfield Chase, vous êtes en état d'arrestation pour agression d'un officier de police.

Elle se pencha pour le retourner sur le ventre, tirer ses bras derrière son dos et lui mettre les menottes.

— Et croyez-moi, ce n'est que le début.

Se redressant, elle aperçut Madeline venant vers elle, toutes griffes dehors, l'expression haineuse. Baxter intervint juste à temps et bondit sur Madeline.

— Désolé, Dallas. Elle m'a échappé.

— Pas de problème.

Elle se massa l'épaule, vit Connors et McNab monter l'escalier.

— Le rez-de-chaussée est sécurisé, lieutenant, annonça McNab. Trois droïdes, une domestique, deux gardes de sécurité. Neutralisés.

— De même que ces deux-là. McNab, aidez Baxter à les maîtriser. Connors et moi montons au deuxième.

# 20

Au deuxième étage, un droïde en blouse verte de laboratoire gisait par terre contre une chaise renversée.

— Nous avons été obligés de le descendre, expliqua Peabody en ôtant son passe-partout de la fente creusée dans une porte conçue pour se fondre dans le mur.

Trueheart s'accroupit devant un petit ordinateur.

— Le droïde a dû le désactiver quand il nous a entendus arriver.

Il hocha la tête.

— Je n'arrive pas à le remettre en marche.

Connors sortit quelques outils de la poche de son pardessus.

— Je vais essayer.

— On dirait un robot médical, constata Eve en gratifiant celui-ci d'un coup de pied. Matériel d'accouchement transportable, moniteur.

Elle indiqua une table roulante.

— Plateau chauffant. Serviettes, balance et tout ce qui s'en suit. J'ai vu cela au cours de préparation à l'accouchement. Elle est là-dedans.

— Elle doit être surveillée par des caméras, dit Peabody. Le droïde pouvait parfaitement l'observer d'ici grâce à l'écran. Les suspects ?

— Neutralisés. McNab et Baxter sont avec eux. Prévenez le Central, Peabody. Je veux qu'on y conduise les suspects. Demandez aussi un obstétricien et une ambulance. Connors ?

— J'y suis presque. Compliqué, ce système.

— Peabody, arrangez-vous pour que deux agents passent chercher une copie du mandat à l'encontre de Cavendish. Je vais avoir besoin de lui aussi. D'autre part, contactez Reo et le lieutenant Smith, mettez-les au courant de la situation. Il me faut un mandat pour Bruberry. On va s'offrir une grande fête au Central.

— Je m'occupe des guirlandes et des chapeaux.

— J'y suis presque, répéta Connors. Arrgh ! Espèce de salope. Je t'ai eue !

Un point lumineux vert clignota sur l'étroite bande de chrome.

— Il y a peut-être un autre garde de l'autre côté, dit Eve. Sois…

— … prudent, compléta Connors.

Opinant, elle poussa la porte.

— Lumières ! commanda-t-elle tout en balayant la pièce avec son arme et ses yeux.

— Tandy Willowby, c'est la police. C'est Dallas.

Des haut-parleurs diffusaient un air de musique classique, un subtil parfum floral imprégnait l'air. Les cloisons étaient peintes d'un jaune vif et ornées de tableaux représentant prés fleuris ou étendues d'eaux calmes. Fauteuils confortables, tables matelassées et la neige que l'on pouvait apercevoir à travers les vitres teintées créaient une sensation de luxe et de tranquillité.

Dans le lit, Tandy se redressa, le teint blême, les yeux cernés, la main serrée autour d'un objet blanc et pointu.

— Dallas ? s'enquit-elle d'une voix faible.

Tout son corps se mit à trembler.

— Dallas ? Ils vont me prendre mon bébé. Ils vont me l'enlever. Je ne peux pas m'échapper.

— Tout va bien, à présent. Vous n'avez plus rien à craindre. Nous allons vous sortir de là.

— Ils m'ont enfermée à clé. Je ne pourrai pas garder le bébé. Je n'en ai pas le droit.

— N'importe quoi. Peabody !

— Vous n'avez plus à vous inquiéter, intervint cette dernière. Tenez, ajouta-t-elle en s'approchant doucement du lit. Pourquoi ne pas me donner cela ? Nous allons vous trouver un manteau et vous transporter à l'hôpital.

— Non, non, non !

Le regard fou, Tandy se recroquevilla sur elle-même.

— Pas d'hôpital. Ils me prendront mon bébé.

Eve rengaina son pistolet et vint vers elle, la main tendue.

— Non. Ils ne vous le prendront pas, car je les en empêcherai.

Tandy lâcha son arme de fortune en plastique, puis s'effondra dans les bras d'Eve.

— Je vous en prie, je vous en prie, je vous en prie, emmenez-nous d'ici !

Connors ôta son pardessus.

— Mettez ceci. Il fait froid dehors. Levez les bras. Là, parfait...

— Restez près de moi ! sanglota Tandy en s'agrippant à Eve avec l'énergie du désespoir. Je vous en supplie, restez près de moi. Ne les laissez pas me prendre mon bébé. Qui est-ce ? Qui est-ce ? demanda-t-elle en apercevant Trueheart sur le seuil.

— Un de mes hommes. Il fait partie des bons. Trueheart, descendez aider Baxter et McNab. Qu'on débarrasse le plancher de ces gens au plus vite.

— Oui, lieutenant.

— Vous vous sentez la force de marcher, Tandy ?

— Oui. Pour m'en aller d'ici. Le bébé va bien, il n'arrête pas de me donner des coups. Je ne veux pas aller à l'hôpital, s'il vous plaît. Je ne veux pas qu'on me laisse seule. Ils pourraient revenir et...

— Je suppose que cela vous ferait plaisir de voir Mavis ? proposa Connors, d'un ton enjoué. Elle est chez nous ; elle n'a pas cessé de penser à vous. Si nous allions lui rendre visite maintenant ?

Connors et Eve échangèrent un regard, tandis qu'il l'entraînait hors de la pièce.

— Elle est choquée, déclara Peabody. Je pense qu'elle a surtout eu peur. Comment voulez-vous que l'on s'organise ? Je peux l'accompagner, pendant que vous vous chargez des suspects.

Eve aurait volontiers accepté. Mais elle pouvait difficilement infliger deux femmes enceintes en même temps à Connors.

— Je vais escorter Tandy. Dès qu'elle sera calmée, je lui demanderai sa déposition. Assurez-vous que les suspects soient mis en cellule pour la nuit. Ils attendront demain pour être interrogés. Voyons un peu comment ils apprécient le fait d'être enfermés. Ensuite, rentrez chez vous et reposez-vous.

— Regardez-moi cette salle. Tout le confort. Les salauds.

Eve alerta ses collègues de la brigade scientifique. Elle laissa à Baxter, Trueheart et McNab le soin de travailler avec les techniciens pour examiner le lieu où Tandy avait été tenue prisonnière, puis fouiller la maison. Elle s'en voulait de quitter la scène, de ne pas achever son travail, pourtant, elle s'installa sans rechigner sur la banquette arrière de la voiture. Une victime avait besoin d'elle.

— J'ai eu tellement peur, murmura Tandy, assise à l'avant, emmitouflée dans le pardessus de Connors et une couverture. J'ai cru qu'ils allaient me tuer. Me prendre mon bébé, puis me tuer. Ils m'ont abandonnée là. Lui me rendait visite une fois par jour. Quand il me contemplait, j'avais l'impression d'être déjà morte. Je ne pouvais rien faire.

— Où avez-vous trouvé le surin ?

— Le quoi ?

— La lame en plastique que vous teniez.

— Ah ! Ils m'apportaient de la nourriture. Enfin, le droïde… en me répétant sans cesse que le bébé devait naître en bonne santé. Horrible, ce robot. Toujours de bonne humeur. Même quand elle m'attachait pour m'examiner. J'ai piqué deux ou trois cuillères en plastique – c'est le seul couvert auquel j'avais droit. Des cuillères en plastique. La nuit, après l'extinction des feux, je les frottais l'une contre l'autre sous la couette. Pendant des heures et des heures. J'étais décidée, d'une façon ou d'une autre, à en blesser un.

— Dommage que vous n'en ayez pas eu l'occasion. Voulez-vous me raconter ce qui s'est passé, ou préférez-vous repousser cela à plus tard ?

— C'était jeudi. J'ai quitté la boutique pour me rendre à pied jusqu'à mon arrêt de bus. Elle – elle s'appelle Madeline Bullock – m'a abordée. Si vous saviez comme j'avais honte ! Avant, à Londres, à l'époque où j'avais découvert que j'étais enceinte, et que tout semblait aller de travers pour moi, je m'étais présentée à une agence. J'avais décidé de donner mon bébé à des parents adoptifs. Cela me paraissait la meilleure solution. Je...

— Nous sommes au courant. Ils dirigent une vaste opération sous le couvert de leur fondation. Un trafic de bébés.

— Ô mon Dieu ! Mon Dieu ! Quelle idiote je suis !

— Pas du tout, la rassura Connors. Vous aviez confiance en eux.

— Oui. Oui ! Ils avaient des conseillers, des personnes adorables, compréhensives. Mme Bullock est venue me rencontrer, ainsi que son fils. Ils m'ont expliqué que j'allais offrir un cadeau merveilleux à un couple méritant et à mon enfant. J'ai signé un contrat, ils m'ont donné de l'argent. Pour mes frais, ont-ils précisé. Pour que je puisse me nourrir et m'habiller correctement. Je devais promettre de ne consulter que leurs médecins, dans leurs centres médicaux, mais tout était si accueillant. Je devais être suivie régulièrement, et la fondation promettait de m'aider à me loger, voire à poursuivre mes études si je le souhaitais, ou suivre une formation professionnelle. C'était formidable.

— Terriblement tentant.

— En effet. Seulement, j'ai changé d'avis.

Elle croisa les bras sur son ventre rond.

— J'avais toujours rêvé de fonder une famille, de devenir maman, et voilà que je renonçais à tout cela. Je suis intelligente, solide, en pleine santé. Je suis une adulte. Je me suis dit que j'avais tous les atouts en main pour élever mon petit toute seule. J'ai rapporté l'argent. Je n'avais pratiquement rien dépensé, et j'ai compensé la différence avec mes économies.

Elle essuya son visage ruisselant de larmes.

— Ils se sont montrés impitoyables. J'avais signé un contrat, j'étais légalement engagée. Ils ont menacé de me traîner devant les tribunaux. D'après eux, la loi m'obligerait à remplir mes obligations. J'étais indigne d'être une mère : j'étais une menteuse, une tricheuse. C'était abominable. J'ai laissé l'argent. J'étais bouleversée, et je m'interrogeais. Et s'ils avaient raison ? Si je n'avais pas les qualités requises ? Si le juge me condamnait ? Comment prouver que j'avais remboursé la somme dans sa totalité ? Qu'est-ce que j'ai été stupide.

— Donc, vous êtes venue vous installer à New York, devina Eve.

— J'ai ruminé nuit et jour. Je ne savais plus où donner de la tête. Je... j'ai failli aller trouver le père du bébé une dizaine de fois, mais j'avais fait un choix, je voulais aller jusqu'au bout. J'ai préparé mes bagages, remis ma lettre de démission à mon employeur, vendu quelques affaires. J'avais une amie qui devait se rendre à Paris pour le week-end. Je suis partie avec elle dans sa voiture. Je lui ai même menti, en lui affirmant que j'avais l'intention d'y chercher du boulot. Je ne sais pas pourquoi, exactement, mais je craignais qu'ils n'envoient les flics à mes trousses.

Renversant la tête, Tandy ferma les yeux, tout en traçant des cercles sur son ventre.

— J'étais furieuse. J'en voulais au monde entier. J'ai pris un car de Paris à Venise puis, de là, une navette pour New York. Au début, j'ai énormément souffert de ma solitude, j'ai failli rentrer. Mais ensuite, j'ai obtenu cette place à *La Cigogne blanche,* qui me convenait parfaitement. Je me suis inscrite au cours de préparation à l'accouchement, j'ai connu Mavis. Tout semblait aller pour le mieux. Bien sûr, mes proches me manquaient, mais je devais penser à mon enfant.

— Vous avez donc quitté le magasin jeudi.

— J'étais en congé le vendredi, et la fête de Mavis avait lieu le samedi. J'étais sereine, heureuse. Et voilà que Madeline a surgi devant moi. Surprise de me voir, gentille comme tout, prenant de mes nouvelles. Je lui ai dit que je m'en voulais d'avoir réagi de cette manière, mais elle m'a rassurée. Elle m'a dit qu'elle avait sa voiture non loin de là et qu'elle pouvait me déposer chez moi. Quand la limousine a ralenti comme par magie au bord du trottoir, j'ai craqué.

« Le véhicule a tourné, songea Eve. Ils ne l'ont pas garé exprès, pour éviter de laisser la moindre trace de leur passage. »

— Elle est montée à l'arrière avec moi et le chauffeur a démarré. Elle m'a offert une bouteille d'eau et nous avons parlé de Londres. Et là… je me sentais bizarre… j'ai un trou. Quand je me suis réveillée, j'étais dans cette pièce où vous m'avez trouvée.

— Vous n'y êtes plus, murmura Eve, tandis que Tandy se remettait à trembler comme une feuille. Vous êtes sauvée et eux sont sous les verrous.

— Je suis sauvée. Oui, nous n'avons plus rien à craindre. Ils étaient là, tous les deux, enchaîna-t-elle, d'une voix plus sûre. Et ce droïde horrible, qui me fixait quand j'ai ouvert les yeux. Ils m'ont exposé leur plan.

Le bébé ne m'appartenait pas, j'avais signé un contrat. Mais j'étais seule à pouvoir le mettre au monde.

Elle changea de position pour se tourner vers Eve.

— Ils m'ont annoncé cela, posément. Quand je me suis mise à hurler et à me débattre, le droïde m'a maintenue sur le lit. Ils m'ont promis que je serais traitée correctement, bien nourrie, et qu'ils comptaient sur moi pour accoucher d'un garçon en pleine forme d'ici une semaine. J'ai répliqué qu'ils étaient fous, qu'ils ne pouvaient pas me forcer à abandonner mon bébé. Il – le fils – a déclaré qu'ils étaient fortunés et puissants. Moi, je n'étais qu'une matrice fertile. J'ai eu droit à cette musique nuit et jour. Parce que c'était bon pour le bébé. Tout, dans la salle, était boulonné. Je ne pouvais rien lancer. J'ai frappé contre les vitres, mais personne ne pouvait me voir de l'extérieur. J'ai hurlé à en perdre la voix, personne ne pouvait m'entendre... Quel jour sommes-nous ?

— Lundi matin, dit Eve.

— Lundi seulement.

Tandy se détourna, se cala contre l'appuie-tête.

— J'ai eu la sensation que c'était beaucoup plus long que cela. Interminable. Vous avez sauvé mon bébé. Vous m'avez sauvée. Jamais je ne l'oublierai, jusqu'à la fin de mes jours.

Les lampadaires étaient allumés, leur éclairage se reflétant dans les carreaux et baignant le sol d'une blancheur immaculée. Les branches des arbres ployaient, alourdies par la neige, qui continuait de tomber en douceur.

— Oh ! C'est un véritable palais ! s'exclama Tandy avec émotion. Comme un palais d'hiver. J'ai l'impression d'être la princesse que l'on vient de secourir.

Avant même qu'ils ne soient garés au pied du perron, la porte d'entrée s'ouvrit. Mavis, perdue dans l'un des peignoirs d'Eve, se précipita dehors. Summerset et Leonardo étaient sur ses talons.

— Mavis, vous m'aviez promis de patienter, gronda Summerset en tentant de lui saisir le bras.

— Je sais. Je suis désolée, mais je ne peux pas. Tandy !

Elle ouvrit la portière.

— Tandy ! Comment vas-tu ? Et le bébé ?

— Ils nous ont sauvés.

En chœur, les deux jeunes femmes éclatèrent en sanglots et s'étreignirent.

— Entrons, ma chérie, proposa Leonardo. Il fait si froid dehors… Viens, Tandy.

— Montez-les directement dans la chambre que je leur ai préparée, lança Summerset. Je vous rejoins tout de suite.

Tandis qu'elles montaient les marches, protégées par Leonardo, Mavis tourna la tête vers Eve.

— Je savais que tu la retrouverais ! J'en étais sûre.

— Summerset, à vous de jouer. J'ai du boulot.

— Lieutenant.

Elle pivota vers lui, grogna.

— Quoi ?

— Bravo.

— Hmm. Merci.

Elle pénétra dans le vestibule avec Connors, s'adressa à lui en haussant les sourcils.

— Il faut que je contacte Peabody. Je veux être certaine que les prisonniers soient sous clé. Je dois aussi voir avec Baxter où ils en sont sur la scène du crime et faire le point avec Reo et Smith.

— Bien entendu. Quand tu auras dormi.

— Je ne peux pas laisser ces détails en plan.

— Tu régleras cela plus tard. Tu es à bout de forces, lieutenant. Tu es pâle comme la lune et tu commences à manger tes mots.

— Un café.

— Pas question.

Il devait avoir raison, parce que lorsqu'elle parvint à se concentrer, elle se tenait – à peine – debout dans sa chambre.

— Une heure à l'horizontale, concéda-t-elle en se débarrassant de son harnais.

— Quatre – ce qui te permettra de recharger tes batteries et d'être en pleine forme pour aller cuisiner tes suspects dans la matinée.

— Je ne vais pas me contenter de les cuisiner. Je vais les rissoler. Tu ne me portes pas jusqu'au lit ?

— Tu n'es pas déshabillée.

— Pas grave. Je peux dormir comme ça.

Elle ébaucha un sourire, leva les bras vers lui.

Il la souleva, chancela légèrement, grimpa sur l'estrade et tomba avec elle sur la couette.

— Je ne peux pas faire mieux.

— Ça me convient parfaitement.

Elle se blottit contre lui, il la prit par la taille, et tous deux sombrèrent dans un profond sommeil.

Connors n'avait pas eu tort d'insister, décida Eve, à son réveil. La journée s'annonçait longue et difficile. Elle ne regrettait pas d'avoir rechargé ses batteries.

Comme elle s'y attendait, Bullock et les autres avaient appelé une armée d'avocats à la rescousse. Eve les laisserait mariner, le temps qu'elle et son équipe fassent leurs rapports complets à Whitney et à Reo.

— Les Fédéraux et le Global prendront en main l'aspect fraude fiscale, trafic de bébés et toute autre opération louche à laquelle est mêlée la fondation, lui dit Reo.

— Avec plaisir.

— Ils vont s'amuser comme des fous. La firme de Londres a aussi du souci à se faire. Vous avez dévoilé une affaire d'envergure internationale, Dallas.

— J'ai trois cadavres. Ceux-là sont pour moi. Quant à l'enlèvement et à la séquestration de Tandy Willowby, je partagerai ce dossier avec le lieutenant Smith des Personnes disparues.

— Comment va-t-elle ? Willowby ?

— Bien, m'affirme-t-on. Elle dormait quand j'ai quitté la maison.

Eve se tourna vers Whitney.

— J'aimerais commencer par Cavendish, commandant. C'est le maillon faible.

— À votre guise.

Reo se leva.

— En ce qui concerne le kidnapping et les détournements de fonds, ils sont cuits. Pour les trois homicides, c'est plus complexe.

— Je les aurai.

Reo acquiesça.

— Je peux observer ?

Cavendish était dans la salle d'interrogatoire, pâle, luisant de transpiration et flanqué de deux costumes-cravates à l'air méchant. Celui de gauche attaqua d'emblée :

— Mon client a été retenu ici toute la nuit contre son gré et patiente dans cette pièce depuis plus d'une heure. Nous avons l'intention de porter plainte, et quand vous en aurez fini avec ce grotesque jeu de charades, nous ordonnerons une enquête internationale à votre encontre.

— Charades ? demanda Eve à Peabody.

— C'est ce jeu dans lequel on n'a pas le droit de parler. On doit mimer un mot ou une expression jusqu'à ce que l'adversaire la devine.

— Pas possible ? C'est parfait, car si M. Cavendish est en droit d'exiger la présence de ses représentants juridiques et de discuter avec eux, je ne suis en rien forcée de leur parler. Enregistrement. Dallas, lieutenant Eve et Peabody, inspecteur Delia, interrogatoire formel de Cavendish, Walter avec ses deux avocats. Je commencerai par énumérer les charges.

Quand ce fut terminé, elle allongea ses jambes devant elle.

— On vous a déjà cité le Miranda révisé, monsieur Cavendish...

— Mon client est citoyen britannique.

— Dieu protège le Roi. Avez-vous bien compris vos droits et obligations ?

— Oui. Je n'ai rien à dire.

— Excellent, c'est moi qui prendrai la parole. Démarrons par l'accusation de complicité de meurtre, multipliée par trois. Aux États-Unis, cela peut vous valoir trois condamnations consécutives de prison à perpétuité. D'un autre côté, les Britanniques pourraient vouloir vous récupérer et nous pourrions accepter l'extradition, ce qui m'attristerait beaucoup. Enfin ! Il semble que vous risquiez de rester à l'ombre jusqu'à la fin de vos jours là-bas aussi – histoire d'économiser l'argent des contribuables.

— Vous n'avez rien qui puisse lier mon client à un assassinat ou à un crime quelconque.

— Non seulement j'ai de quoi prouver votre implication, rétorqua Eve, directement à Cavendish, mais j'ai de quoi vous enchaîner et vous jeter par-dessus bord. Randall Sloan conservait des comptes cachés, Cavendish. Chase n'a pas réussi à les récupérer. Moi, si. Votre nom y figure.

Elle sourit en voyant quelques gouttelettes de sueur perler au-dessus de sa lèvre supérieure. Oui, il était bien le maillon faible.

— Vous étiez au courant des pratiques de la fondation Bullock : trafic de nourrissons et fraudes fiscales destinées à augmenter les bénéfices de cette opération. Vous saviez aussi que Chase avait l'intention d'assassiner Natalie Copperfield et Bick Byson, qui avaient découvert ces agissements, du moins en partie. Vous saviez qu'il allait les supprimer.

Eve poussa vers lui deux photos prises sur les scènes des crimes.

— Mon client ne sait absolument rien sur les circonstances qui ont mené à ces drames.

— Vous êtes peut-être le dernier rouage de la machine, Walt, mais vous saviez pertinemment ce qui se passait. Bullock et Chase sont venus vous voir à votre bureau pour en discuter en privé, n'est-ce pas ? Vous avez déjeuné tranquillement, tout en évoquant la manière dont il allait éliminer deux personnes.

— C'est absurde !

L'un des avocats se leva d'un bond.

— Ce ne sont que des spéculations. Sans fondement. Cet entretien…

— Ce n'est pas tout, Walter. Votre petite amie est dans la pièce voisine.

Il jeta un coup d'œil vers la porte, et Eve sourit.

— Oui, parfaitement, et je parie qu'elle va vous mettre toute l'affaire sur le dos. Elle était à votre service, elle obéissait aux ordres, elle ne savait rien. Elle peut opter pour cette attitude, et vous tomberez. Les gens de votre espèce finissent toujours par se casser la figure. Vous n'êtes qu'un lâche. Elle ne me plaît pas, c'est pourquoi je vous interroge en premier. J'ai une proposition à vous faire. Si votre réponse ne me convient pas, c'est à elle que je la ferai.

— Pas question de négocier, trancha le costume.

— Je ne serais pas étonnée que vous travailliez pour la firme Stuben, Robbins, Cavendish et Mull, riposta Eve. Eux aussi, ils sont dans de sales draps. Une bande d'avocats plutôt malins, n'est-ce pas, Walter ? Et qui représentent Bullock et Chase. Selon moi, ils vous ont désigné comme bouc émissaire. Ils vous ont expédié aux États-Unis et vous ont donné de quoi vous occuper, sans jamais vous montrer de respect. Maintenant que le feu est allumé, qui va brûler ?

— J'étais chez moi dans mon lit avec mon épouse quand les meurtres ont eu lieu, protesta Cavendish en tirant sur sa cravate. Je n'ai rien à voir là-dedans.

— Vous auriez tort de me mentir. Vous auriez tort de m'énerver, alors que je suis la seule ici à veiller sur vos intérêts. Chase a tué Randall Sloan, il l'a piégé. Je me demande ce qu'il ferait de vous. Je devrais peut-être vous jeter tous deux dans la même cellule pour le découvrir.

— Ces menaces sont intolérables ! s'indigna l'un des avocats.

— Il ne s'agit pas de menaces, mais d'hypothèses. Voici ce qui est arrivé, ce qui est documenté dans les archives de Randall Sloan. Copperfield est tombée sur une anomalie. Consciencieuse comme pas deux, elle a demandé conseil à Randall Sloan. Elle le connaissait, puisqu'il était le père de son ami et fils du directeur du cabinet. Elle avait confiance en lui. Peut-être avait-il déjà cherché à éteindre lui-même le feu, mais l'intervention de Copperfield le mettait mal à l'aise. Il prévient Bullock, qui s'adresse à vous. Désormais, vous êtes impliqué. Copperfield refusant de céder au moindre chantage, Madeline ordonne à son fils de descendre Copperfield. Vous étiez au courant, ce qui fait de vous un complice.

— Vous n'avez aucune preuve, rien de concret à l'encontre de mon client, de Mme Bullock ni de son fils.

— Qui croyez-vous, Walter ? Le costard de Stuben, ou le flic que vous avez devant vous ? Tout est fini pour vous, et vous en avez conscience. Votre vie, votre carrière, le bureau luxueux, les frais professionnels. Cependant, vous pouvez encore choisir la façon dont vous dépenserez ce qui vous reste. Trois inculpations pour complicité de meurtre ou – si vous coopérez maintenant – trois accusations d'obstruction à la justice. Vous séjournerez en prison, mais pourrez espérer une libération conditionnelle. Vous terminerez votre existence dehors, plutôt que dans un clapier. Vous avez trente secondes.

Eve se pencha vers lui.

— Vous savez pertinemment qu'elle acceptera mon offre si je la lui soumets. Elle vous jettera dans la fosse aux lions sans le moindre scrupule. Tic-tac, Walter. Vingt secondes.

— Je veux un écrit.

— Cavendish…

— Fermez-la ! explosa-t-il. Ce n'est pas votre vie qui est en jeu. Je refuse de prendre pour tous les autres. Par écrit, insista-t-il. Et je vous dirai tout ce que je sais.

— Fastoche ! commenta Peabody, dès qu'elles furent dans le couloir.

— Je n'ai même pas eu le temps de m'échauffer, regretta Eve. Quel poltron. Il sera condamné pour obstruction.

— Et pour fraude. Vous avez omis de lui en parler.

Eve sourit.

— Oups ! Remarquez, ce n'est pas mon domaine. Les Fédéraux s'en chargeront. Le pauvre, il va moisir à l'ombre.

— Et maintenant ?

— Bruberry. Elle ne va pas apprécier que son patron l'ait dénoncée.

— Vous croyez qu'elle va craquer ?

— Donnez-moi deux heures, maxi.

— Vous misez combien ?

Eve réfléchit.

— Cinquante ?

— Banco.

Une heure un quart plus tard, Peabody émergea de la salle d'interrogatoire.

— Je suis épatée. Certes, j'ai perdu cinquante dollars, mais quel spectacle ! Elle n'a pas seulement craqué, elle a carrément pété les plombs.

— Elle en savait bien plus que son patron sur l'endroit où sont dissimulés les secrets, répondit Eve en se frottant les mains de satisfaction. On double la mise sur Chase ?

— Je pensais qu'on allait s'attaquer à Bullock d'abord.
— Non, celle-là, je la garde pour la fin.
— On ne parie pas, décida Peabody. Vous êtes en pleine phase gagnante.
Comme elles se retournaient, elles aperçurent Baxter, qui fonçait vers elles.
— Le rapport des techniciens, je tenais à vous le livrer en main propre.
Il plaqua un dossier et un disque sur la paume d'Eve.
— Dans le véhicule de Sloan, ils ont relevé un cheveu sur l'appuie-tête, côté conducteur. Celui de Chase. Et voici le rapport de la DDE, ajouta-t-il en lui tendant un autre document. Mon nouveau meilleur ami McNab est tombé sur plusieurs transmissions destinées et en provenance du Dr Leticia Brownburn, Londres. Les autorités l'ont déjà arrêtée et agi sur mandat pour fermer l'association *L'Enfant du dimanche* le temps de l'enquête. Par ailleurs, il y a eu un certain nombre de communications depuis le bureau de Cavendish – entre Madeline et Bruberry, et entre Madeline et le cabinet de Londres. Elle aurait conversé un bon moment avec Stuben et ils auraient évoqué une « livraison imminente ».
— Cavendish et Bruberry ont craché le morceau, lui annonça Eve. À présent, nous allons nous occuper de Chase.
— Je serai en salle d'observation avec Reo.
— Baxter, pourquoi ne pas me remplacer cette fois-ci ? suggéra Peabody. Cela vous convient-il, Dallas ?
— Bien sûr.
— Merci. Comment comptez-vous vous y prendre ?
— Sans détour et sans pitié. Pas de négociation possible, pas de gentil flic. Il a un caractère de cochon. Poussons-le dans ses retranchements.
— J'adore votre style.
Ils s'engouffrèrent ensemble dans la pièce. Eve jeta les pièces sur la table devant laquelle Chase s'était installé avec trois avocats.

— Démarrage de l'enregistrement, décréta-t-elle...

Elle présenta l'introduction d'usage, puis :

— Il y a un costume en trop, ici.

Elle agita la main avant que l'un d'entre eux ne puisse riposter.

— La loi autorise la présence de deux représentants. Pour les autres, c'est à ma discrétion. L'un d'entre vous doit sortir.

— M. Chase étant un citoyen britannique, et vos accusations ridicules contre lui si graves, que nous requérons des spécialistes en matière de droit international, de droit criminel et de droit fiscal.

— Je me fiche éperdument de ce que vous requérez. L'un de vous doit sortir. Tout de suite, sans quoi je mets un terme à cet entretien et votre client regagne sa cellule jusqu'à ce que vous ne soyez plus que deux.

— Vous pourriez au moins faire preuve d'un minimum de courtoisie.

— Vous pouvez toujours rêver. Inspecteur ?

Elle pivota vers la sortie.

— Je peux cumuler à la fois le droit international et le droit criminel, lança la seule femme, une brune d'une cinquantaine d'années qui s'exprimait d'une voix claire, sans accent. Il me semble qu'il est dans l'intérêt de notre client que ceci soit réglé dans les plus brefs délais.

L'un des hommes se leva et disparut d'une démarche raide.

— M. Chase, on vous a cité le code Miranda révisé, est-ce exact ?

Comme il demeurait silencieux, l'avocate reprit la parole.

— M. Chase le reconnaît.

— Je veux le lui entendre dire, officiellement, sinon j'arrête l'interview.

— Je le reconnais, intervint-il d'un ton sec. On m'a aussi malmené. Je porterai plainte pour brutalité policière.

— Vous me semblez plutôt en forme. Souhaitez-vous un examen médical, afin de consigner toute blessure qui aurait pu vous être infligée pendant votre garde à vue ?

— Vous m'avez agressé.

— C'est le contraire, et ce fait a été pris en note. Avez-vous bien compris vos droits et obligations, monsieur Chase ? C'est à lui de me répondre, précisa-t-elle…

— Je les comprends tels qu'ils sont dans cette ville de cinglés qu'est la vôtre.

— Parfait. Dans cette ville de cinglés, nous avons l'habitude de mettre en taule jusqu'à la fin de leurs jours les coupables de délits variés. Par où voulez-vous débuter ?

— Lieutenant.

La brune sortit une feuille de papier de sa mallette.

— Pourrions-nous clarifier la situation d'une dénommée Tandy Willowby, actuellement en résidence temporaire chez Mme Bullock et M. Chase, à New York ?

— En résidence ? C'est ainsi que vous autres Britanniques qualifiez le fait d'être enfermé à clé contre son gré dans une pièce ?

Eve hocha la tête en fixant Baxter.

— Et ils prétendent qu'on parle la même langue… Bref, ce n'est pas l'impression que j'ai eue. Je suppose que vous préférez vos femmes sous clé et sans défense. Enceintes, en plus, afin qu'elles ne puissent pas lutter contre vous. Espèce de pervers.

— Nous ne tolérons pas les obscénités, répliqua la brune.

— Connard.

Eve gratifia Chase d'un sourire menaçant.

— Je suis sûre que vous avez observé Tandy sur l'écran de sécurité tout en vous caressant.

— Vous êtes monstrueuse !

La brune posa la main sur celle de son client.

— Monsieur Chase… Lieutenant, je vous en prie. Je suis certaine que nous pouvons expliquer la situation et passer à la suite. J'ai ici une déclaration de Mme Bullock, dictée à son avocat, lue et approuvée par M. Chase. Je souhaite l'ajouter aux pièces à conviction.

— Allez-y.

— Jeudi, peu après dix-huit heures, Mme Bullock a aperçu Mlle Willowby Madison Avenue, alors qu'elle y faisait des courses. Au mois de mai de l'année dernière, Mlle Willowby avait sollicité l'aide de la fondation Bullock pour placer son enfant dans une agence d'adoption. Toutefois, Mlle Willowby a manqué ses rendez-vous prévus avec son conseiller, son obstétricien et l'agence. Elle a ensuite disparu sans laisser de trace. Soulagée de la voir en bonne forme, Mme Bullock l'a abordée dans la rue. Mlle Willowby s'est effondrée tout à coup et a supplié Mme Bullock de lui venir en aide. Inquiète, Mme Bullock l'a emmenée jusqu'à sa voiture, avec l'intention de la déposer chez elle. Mais Mlle Willowby est devenue de plus en plus hystérique, au point de menacer de se suicider. Sa grossesse était presque à terme, et elle prenait conscience qu'elle serait incapable d'élever seule son enfant, qu'elle n'en avait ni la force psychologique ni les moyens financiers. Par générosité et désir de rendre service, Mme Bullock a emmené cette jeune femme dans sa demeure – avec son consentement. Elle l'a logée, s'est arrangée pour lui procurer une assistance médicale, puis a entrepris des démarches en vue d'une éventuelle adoption, dans le cas où Mlle Willowby déciderait d'abandonner son bébé.

— Vous pouvez vous taire tout de suite. Nous ne nous sommes malheureusement pas équipés de pelles. Or, ce que vous venez de me raconter est le plus gros tas de merde qu'on ait jamais lâché dans cette pièce. Vous êtes fichu, Chase. Nous avons la déposition de Tandy et celles de cinq flics et d'un civil : tous affirment qu'elle était séquestrée dans cette chambre contre sa volonté.

— Vu l'état d'esprit de Mlle Willowby…

Eve repoussa son siège et approcha son visage à quelques centimètres de celui de l'avocate.

— Je me demande quel aurait été votre état d'esprit, si vous aviez été prisonnière dans une pièce, examinée par un médecin droïde sans votre acceptation. Votre déclaration, vous pouvez la mettre où je pense, ma chère, parce que quand Stuben et compagnie tomberont, vous irez pointer au chômage.

— Si cet entretien ne peut se dérouler sans un minimum de décorum…

— Allez vous faire voir avec votre décorum. Si ça ne vous plaît pas, vous n'avez qu'à sortir.

Eve concentra son attention sur Chase.

— À l'instant où je vous parle, la DDE est en train d'analyser les disques mémoire de votre médecin droïde. Je ne perdrai pas de temps avec ça, car vous êtes coincés, *Win*, vous et votre maman. Ah ! À propos, avez-vous précisé à vos représentants que vous dormiez avec votre maman, à notre arrivée ?

— Taisez-vous.

— Lieutenant, s'il vous plaît…

La brune avait levé la main, mais Eve avait décelé une lueur de stupéfaction dans son regard.

— Je ne peux pas vous laisser ainsi ternir les réputations de Mme Bullock et de M. Chase. C'est inacceptable.

— Ici, dans ce pays de cinglés, l'inceste l'est tout autant. Vous risquez une peine d'entre vingt-cinq ans et la perpétuité, pour l'enlèvement et la séquestration de Tandy Willowby. Si nous découvrons que vous l'avez violée pendant…

— Je n'ai jamais touché à cette sale pute !

— Ah, non ? railla Eve en feuilletant l'un de ses dossiers. Exact, exact, vous ne jouez pas à ces jeux-là, parce qu'il n'y a que maman qui vous intéresse.

— Peut-être qu'il aime les petits garçons ? suggéra Baxter.

— Vous êtes révoltants ! Vous serez tous deux enterrés avant la fin de cette histoire.

— Non, je ne pense pas, dit Eve, répondant à Baxter. Ça n'aurait pas plu à maman. Vous n'avez pas non plus violé Tandy, n'est-ce pas, Win ? Vous êtes incapable de la lever sinon pour votre mère. Elle seule vous fait bander, n'est-ce pas ?

À ces mots, Chase bondit et se rua sur elle. Baxter et les deux avocats durent le retenir.

— Lieutenant, ceci est tout simplement inadmissible. Vous n'avez pas à employer ce ton avec mon client.

— Vous n'avez qu'à vous plaindre par écrit.

Eve se mit debout lentement, effectua un petit cercle, vint se pencher sur les épaules de Chase. Il respirait avec peine.

— Vous n'avez pas non plus violé Natalie Copperfield. Encore une sale pute ? Tout le contraire de votre mère, qui est importante et qui vous comprend. Vous et elle partagez tant de secrets. N'est-ce pas ce qu'elle vous a expliqué, quand elle vous caressait, dans votre jeunesse ? Un secret, rien qu'entre vous deux. Tant que vous obéirez à maman, tout ira bien. Mais voilà que cette salope de Copperfield se met à se mêler de ce qui ne la concerne pas. Quel culot de mettre en cause votre intégrité, n'est-ce pas ? Est-ce votre mère qui vous a donné l'ordre de l'éliminer, Win ? Je crois que oui. Vous faites tout ce qu'elle vous demande, sans quoi elle refuse de coucher avec vous. Vous a-t-elle dit d'utiliser la voiture de Randall Sloan ? Nous y avons relevé un cheveu.

— Mon client et M. Sloan se connaissaient. Il aurait pu monter dans ce véhicule à n'importe quel moment.

— Cette fois, il la conduisait, rectifia Eve. Le cheveu était sur l'appuie-tête, côté chauffeur. Votre cheveu. Votre ADN. De même, c'est votre ADN qu'on a prélevé sur les phalanges de Bick Byson. Il vous a donné un coup de poing juste avant que vous ne le neutralisiez au pistolet paralysant... espèce de lâche. Incapable de vous battre comme un homme. Mais évidemment, vous n'avez rien d'un homme. Vous n'êtes qu'un petit garçon qui dort dans le lit de sa maman. Pourtant, vous n'avez eu aucun mal à supplicier une jeune femme de la moitié de votre taille, à la ligoter, à lui fracturer les doigts, lui défoncer la figure, lui brûler la peau. Vous avez pris votre pied à la regarder dans les yeux pendant que vous l'étrangliez. Quand vous n'êtes pas avec votre mère, c'est le seul moyen pour vous de la lever.

— Cet entretien est terminé, déclara la brune.

— Je prendrai mon pied à vous regarder, souffla Chase.

— Vous allez vous laisser mener par le bout du nez par cette avocate ? Comme par maman. Fais ceci, Win, ne fais pas cela. Gentil chien-chien.

— Personne ne me donne d'ordres ! Taisez-vous ! Espèce d'idiote, lança-t-il à l'intention de l'avocate. J'en ai par-dessus la tête. Je n'ai fait que le strict nécessaire. C'est Randall Sloan qui a engagé un homme pour tuer ces personnes. Il l'a confessé avant de se pendre.

— Qu'en savez-vous ? Vous étiez là ?

— Vous nous l'avez dit vous-même.

— Ah, non ! J'ai dit que Randall Sloan avait été retrouvé pendu dans sa chambre, point. Il ne s'est pas suicidé. C'est vous qui l'avez tué. Ensuite, vous avez maquillé la scène. Parce que vous êtes un couard. Vous avez assassiné Sophia Belego, de Rome, et Emily Jones, du Middlesex en Angleterre. Je suppose que les femmes enceintes sont une offense à votre regard.

— Parce qu'il ne réussit à la lever qu'avec sa maman chérie, renchérit Baxter.

— Ça n'a rien à voir avec le sexe ! Elles avaient signé un contrat ! aboya-t-il en abattant le poing sur la table. Elles avaient signé un document légal, et nous avions donné notre parole à des parents triés sur le volet. Elles n'avaient pas le droit !

— C'est vrai, porter un fœtus pendant neuf mois ne vous procure aucun droit à son égard. Vous avez kidnappé Sophia Belego, n'est-ce pas ? Vous lui avez enlevé son bébé, vous vous êtes débarrassé de la couveuse. Avec Emily Jones, vous avez eu moins de chance. Vous avez perdu le produit. Combien d'autres, Chase ?

— Nous fournissons un service ! s'exclama-t-il, ignorant les mises en garde de ses représentants. Nous mettons notre temps, notre expertise, notre nom à la disposition de ces jeunes femmes en difficulté par leur propre faute. Nous offrons un cadeau merveilleux à des couples méritants.

— En échange d'une rémunération importante.

— Elles sont payées, non ? Elles ont de quoi redémarrer à zéro, tout en ayant la certitude que leur enfant est dans de bonnes mains. Comment osez-vous... ?

Il repoussa violemment l'avocate à sa gauche, faillit gifler celui à sa droite.

— Je n'ai pas à justifier mes actions ! vociféra-t-il en se redressant.

La brune essuya le sang sur son menton et tenta de se lever.

— Cet entretien est...

— Bouclez-la, à la fin !

— Natalie Copperfield, énonça Eve. Bick Byson, Randall Sloan.

— Ils ont mis leur nez dans nos affaires. C'est la faute de Sloan. Ce type était paresseux et incompétent.

— Donc, vous avez été dans l'obligation de les supprimer. Tous. C'était une question de fierté, poursuivit calmement Eve.

— Il fallait protéger la fondation Bullock. Elle compte bien davantage que tous ces êtres pathétiques. Ma mère en est le cœur. Ils nous faisaient chanter, tous autant qu'ils étaient. J'ai agi par légitime défense pour préserver une importante œuvre de charité.

Pressant un mouchoir sur sa lèvre, la brune agita le bras.

— Nous souhaiterions discuter en tête à tête avec notre client.

— Vous êtes virés ! grogna Chase en montrant les dents... Vous croyez que j'ai besoin de vous ? Bande d'imbéciles. Sortez d'ici. Je ne veux plus de vous. Hors de ma vue !

— Monsieur Chase...

— Immédiatement ! Je suis parfaitement capable de me défendre tout seul.

Les avocats ne se firent pas prier. Eve ne cilla pas.

— Monsieur Chase, si je comprends bien, vous venez de remercier vos représentants ?

Sa bouche se tordit en un rictus cruel.

— Je me défendrai tout seul.

— Vous renoncez donc à vos droits de conseil ?

— Combien de fois dois-je vous le répéter, espèce d'idiote ?

— Je pense que cela suffira. Nous prenons en compte le fait que M. Chase a renvoyé ses avocats et accepte de poursuivre cet interrogatoire sans eux.

Elle marqua une pause, afficha une expression à la fois compatissante et respectueuse.

— Vous avez parlé de chantage ? Naturellement, cela change beaucoup de choses. Si vous nous racontiez tout depuis le début ? Randall Sloan vous a signalé que Natalie Copperfield posait un peu trop de questions...

Chase déballa tout, dans les moindres détails.

# 21

Peabody attendait Eve dans le couloir avec un tube de Pepsi.

— Je sais que vous appréciez une dose de caféine glacée après un interrogatoire chaud.

Elle en tendit un autre à Baxter.

— Pour vous, j'étais moins sûre.

— Je prends tout ce qu'on me donne.

— Oui, j'ai entendu plus d'une femme dire cela, riposta Eve, avant de boire longuement.

Pour la première fois depuis des heures, Baxter rit aux éclats.

— Merci de m'avoir laissé participer, Dallas. Je vais prévenir Palma que nous avons notre coupable.

— Dallas, Jacob Sloan est passé pendant que vous étiez en entretien. Il est dans le salon d'attente.

— Très bien, je m'en occupe. Faites monter Bullock.

— Vous êtes certaine de ne pas vouloir prendre une pause ? Vous êtes au charbon depuis six heures d'affilée.

— Je veux en finir et rédiger mes rapports.

Eve massa sa nuque douloureuse.

— Ensuite, je vais rentrer chez moi et vous, chez vous.

— Super ! Je vous envoie Bullock.

Eve emporta sa boisson dans le salon d'attente, se frotta le visage, puis alla s'asseoir en face de Jacob Sloan.

Il paraissait vieilli, fragilisé, épuisé.

— Monsieur Sloan, vous devriez retourner auprès de votre famille.

— Winfield Chase a-t-il tué mon fils ? J'ai mes sources, précisa-t-il en voyant Eve hausser les sourcils. Je sais qu'il a été arrêté ainsi que sa mère. J'imagine mal Madeline Bullock autrement que dans le rôle de tireuse de ficelles, aussi je vous pose la question : Winfield Chase a-t-il tué mon fils ?

— Oui. Il vient d'avouer. Il a maquillé la scène en suicide de manière à impliquer Randall dans les meurtres de Natalie Copperfield et de Bick Byson – qu'il avoue avoir éliminés aussi.

Il pinça les lèvres, opina. Eve se leva. Oubliant qu'elle boycottait les distributeurs, elle programma une bouteille d'eau. Elle se rassit, la posa devant lui sur la table basse.

— Merci.

D'une main légèrement tremblante, il s'en empara et but.

— Mon fils m'a déçu à beaucoup d'égards. C'était un adolescent égoïste et paresseux. Il a gâché sa jeunesse, son mariage, sa réputation. Il n'en était pas moins mon fils.

— Toutes mes condoléances.

Il but encore, lentement, exhala.

— Natalie et Bick étaient brillants, intègres, enthousiastes. Leur vie de couple démarrait à peine. Je regretterai…

Il hésita.

— Leurs familles ont-elles été prévenues ?

— C'est en cours.

— J'attendrai donc demain avant de prendre contact avec elles. Pourquoi les a-t-il assassinés ? Pouvez-vous me le dire ?

— Je peux vous dire que Natalie était consciencieuse, qu'elle avait découvert une anomalie dans la gestion d'un certain compte, qu'elle a voulu arranger les choses.

— Mon fils. Il ne faisait pas son travail.

Eve resta silencieuse et il hocha la tête.

— Cela va être particulièrement douloureux pour mon petit-fils, pour mon épouse.

— Vous devriez être auprès d'eux, monsieur Sloan.

— Oui, vous avez raison. Si vous avez besoin de quoi que ce soit de moi, de mon entourage, de ma société, pour assurer la condamnation à la prison à vie de Winfield Chase, il vous suffit de demander.

Il lui tendit la main.

— Merci.

Eve se rassit après son départ, vida son tube de soda. Puis elle alla aux toilettes s'asperger la figure d'eau glacée.

L'heure était venue de confronter Madeline Bullock.

Apparemment, la nouvelle avait circulé, songea-t-elle, en constatant que seuls deux avocats étaient là pour l'assister.

— Enregistrement... Votre fils a avoué cinq meurtres, déclara-t-elle, les yeux rivés sur ceux de Madeline. Je vois que vous en avez eu vent. Il a aussi décrit minutieusement votre implication dans chacun de ses homicides et l'enlèvement de Tandy Willowby.

— Mme Bullock est prête à faire une déclaration, intervint l'un des conseillers.

— Je vous écoute, madame.

— Je ne m'attends pas à ce que vous compreniez ma terreur, ma souffrance, mon sentiment de culpabilité, murmura Madeline en pressant un mouchoir bordé de dentelle sur ses lèvres. Mon fils... comment ne pas m'en vouloir ? C'est moi qui l'ai porté et mis au monde. Mais quelque chose... a mal tourné chez lui. Que de violence, que de rage... Je vis dans la peur depuis si longtemps.

— Je vous en prie. Vous n'avez peur de rien, sinon de perdre votre emprise sur la fondation – l'argent, le prestige et l'opération que vous avez menée par son biais depuis le décès de votre époux.

— Vous ne pouvez pas comprendre. Il m'a forcée à… c'est impossible à…

— À coucher avec vous ? Vous voyez, il suffit de le dire. Mais vous vous fichez de moi. C'est vous qui avez abusé de lui pratiquement tout au long de son existence.

— Comment pouvez-vous prononcer des horreurs pareilles ?

Madeline parut s'effondrer, enfouit son visage dans son mouchoir.

— Win est malade, et aucune de mes initiatives…

Un flot de colère monta en Eve, tandis qu'elle se revoyait dans son enfance, prisonnière dans une chambre en compagnie de l'homme qui lui avait donné la vie, l'homme qui l'avait violée régulièrement.

— Il est le fruit de vos entrailles. Vous l'avez exploité. C'est vous qui l'avez rendu ainsi.

— Vous ne pouvez pas imaginer les horreurs que j'ai subies.

— Je n'ai aucune envie de le savoir. J'ai les déclarations de votre fils, de Walter Cavendish et d'Ellyn Bruberry. Tous vous désignent comme le cerveau de l'affaire, celle qui prenait les décisions et donnait les ordres. Croyez-vous, sous prétexte que vous ne vous êtes jamais sali les mains en commettant ces assassinats, que vous allez vous en sortir indemne ?

— J'ai obéi à Win. Si j'avais refusé, il m'aurait probablement tuée.

Madeline se pencha légèrement pour saisir les mains d'Eve, qui se laissa faire malgré son dégoût. *Vous êtes douée, Madeline. Vous êtes une comédienne remarquable !*

— Je m'adresse à vous, d'une femme à une autre femme. Je vous supplie de me protéger. Mon fils est un monstre. Je suis terrorisée.

— Mme Bullock est en quelque sorte prisonnière de la maladie de son fils, s'interposa l'un des avocats. Elle a été victime d'abus physiques et moraux. Il s'est servi d'elle…

— Il s'est servi de vous ? interrompit Eve en s'arrachant à l'étreinte de Madeline. Foutaises, Madeline. Personne ne se sert de vous. Je ne connais rien de plus faible, de plus pitoyable qu'une mère capable de piétiner son propre fils pour sauver sa peau. Vous êtes fichue, vous entendez ? Vous n'avez aucune porte de sortie.

*Je veux qu'elle transpire*, songea Eve. *Qu'elle tremble, qu'elle souffre, qu'elle gémisse comme une malheureuse.*

— Nous avons récupéré les disques de mémoire du droïde médical. Vous y apparaissez. Les autorités britanniques ont arrêté votre Dr Brownburn – qui a déjà avoué, déjà déclaré qu'elle travaillait directement sous vos ordres. Personne ne sera dupe de votre numéro de la maman fragile et terrifiée, Madeline. Vous avez le pouvoir. Pire, vous êtes une véritable araignée, une sangsue, et cela se voit.

— Je n'ai plus rien à dire à cette *personne*, glapit Madeline. Je veux parler avec le consulat du Royaume-Uni. Je ferai part de cet outrage à votre Président, qui est un ami personnel et au Premier ministre.

— Vous pouvez sauter le roi d'Angleterre, ça m'est complètement égal. Quand ils vous verront, ils reculeront si vite qu'ils en trébucheront. Et vous verrez ce qui se passera, quand les gars du Global commenceront à interroger les femmes dont vous avez acheté les bébés, les couples auxquels vous les avez vendus. Nous avons la liste, Madeline. Nous avons les noms, les coordonnées, et quand le scandale éclatera, les médias s'en donneront à cœur joie dans le monde entier.

— C'est ce que vous cherchez, n'est-ce pas ? L'attention médiatique. Mon nom, la réputation de la fondation Bullock surmonteront tout ce que vous pourrez manigancer contre moi. Vous serez détruite.

— Vous croyez ? riposta Eve en la fixant droit dans les yeux.

Elle lui sourit, et continua de sourire jusqu'à ce qu'elle décèle une lueur de frayeur dans les prunelles de Madeline.

— Ils vont vous crucifier sous les applaudissements du public. Quand j'en aurai fini avec vous ici, vous devrez faire face aux autorités italiennes pour l'affaire Sophia Belego – Chase nous a révélé le lieu où elle a été enterrée. Vous avez une demeure là-bas, je crois ; ils y trouveront de quoi prouver que vous l'y avez séquestrée.

— Mon fils est un malade mental. Il a besoin d'aide.

— Si c'est le cas, c'est à cause de vous, qui avez déformé sa vision du sexe, des femmes et de lui-même pour votre satisfaction personnelle.

Madeline la dévisagea sans un mot avec ses yeux bleus comme la glace.

— Lieutenant. Mme Bullock a déjà déclaré que c'était M. Chase, l'agresseur.

— Mme Bullock est une menteuse, lâche et dépravée. Vous avez eu tort d'évoquer vos projets d'assassinats devant vos domestiques, Madeline. Même les droïdes – surtout les droïdes – n'oublient jamais rien.

Eve ouvrit un dossier.

— J'ai ici une empreinte vocale sur laquelle vous intimez l'ordre à Win de supprimer Natalie Copperfield.

— C'est impossible. Nous étions seuls quand je…

— Quand vous lui avez donné cet ordre, acheva Eve à sa place. Pour les gens comme vous, les domestiques sont transparents. Vous pensiez sans doute être seuls.

Elle referma le dossier.

— Par ailleurs, j'ai les archives de Randall Sloan – là, votre fils a bâclé le travail : il n'a pas trouvé le deuxième coffre-fort. J'ai une multitude de dépositions qui correspondent, en plus de celle de Tandy. J'ai des transmissions que vous n'avez pas eu le temps d'effacer avant votre arrestation. Laissez tomber, Madeline. Votre fils a au moins eu assez de fierté pour se féliciter d'avoir accompli ce qu'il considérait comme son travail. Un travail que vous lui aviez confié.

— Je n'ai rien à ajouter.

— Parfait.

Eve se leva.

— Je vous accuse de conspiration de plusieurs homicides. Cela vous vaudra un séjour dans une prison hors planète afin de purger plusieurs condamnations à perpétuité. Et cela, avant que les Fédéraux, le Global, les Britanniques et les Italiens ne s'en mêlent. Combien de temps pensez-vous qu'elle conservera ce joli teint dans une cage hors planète, Peabody ?

— Six mois tout au plus.

— Je suis d'accord. Vous n'obtiendrez aucune libération sous caution. Vos avocats vous le confirmeront. Ils auront beau tenter d'amadouer le juge, ils se casseront le nez. Le risque que vous preniez la fuite est trop grand. Aucune négociation ne sera possible dès lors que j'aurai quitté cette pièce.

Elle se dirigea vers la sortie.

— Lieutenant ! s'exclama l'un des avocats, avant de se pencher vers Madeline pour lui chuchoter quelques mots à l'oreille.

— Certainement pas ! protesta celle-ci en secouant vigoureusement la tête. Elle bluffe ! Elle n'a pas la moitié de ce qu'elle prétend avoir. Elle bluffe !

Eve sourit, ouvrit la porte, jeta un ultime coup d'œil derrière elle.

— Non, je ne bluffe pas.

— Vous ne vouliez pas marchander, devina Peabody, tandis qu'elles s'éloignaient.

— Non. Elle est encore plus monstrueuse que son fils. Elle l'a conçu, corrompu et utilisé. Elle est pire que lui. Rentrez chez vous, Peabody. Vous avez mérité de vous reposer.

— Je partirai en même temps que vous.

Eve soupira.

— Rédigeons notre fichu rapport et déguerpissons.

Eve passa la porte à dix-huit heures en s'avouant pour une fois à quel point elle était lasse. Elle rêvait d'un doux moment dans la baignoire à jets ; de se griser d'une bouteille de vin, puis de faire l'amour avec son mari avant de dormir dix heures d'affilée.

Elle voulait se débarrasser de l'image de Madeline Bullock caressant son fils.

Quand elle entendit la musique en provenance du salon et la voix de Mavis, elle comprit qu'elle devrait patienter un peu avant de s'offrir ces petits plaisirs.

Mavis était confortablement calée dans un fauteuil, les pieds sur un pouf, tandis que Summerset lui tendait une tasse de thé – ce qui expliquait qu'ils ne s'étaient pas croisés dans le vestibule. Leonardo la contemplait avec un sourire béat, et Connors savourait un verre de vin avec un air empli d'indulgence.

— C'est divin d'être dorlotée de cette manière. Je ne dis pas que tu ne t'occupes pas de moi, mon amour, ajouta Mavis à l'intention de Leonardo. Mais aujourd'hui, j'ai eu l'impression d'être en vacances. Summerset, vous devriez venir habiter avec nous.

— Prenez-le, il est à vous ! lança Eve en franchissant le seuil.

— Dallas ! Dallas !

— Ne bouge pas ! ça va te prendre un temps fou et de toute façon, j'ai envie de m'asseoir.

Elle se percha sur l'accoudoir du siège de Connors, afin de lui piquer un peu de vin au passage.

— Tandy se repose. Elle a pas mal bougé dans la journée, et d'après Summerset, elle est en bonne forme.

Mavis gratifia le majordome d'un regard adorateur.

— Il nous a traitées toutes les deux comme des princesses enceintes.

— Vous avez subi une épreuve pénible. Tenez, goûtez un de ces canapés, proposa-t-il en passant un plateau. Ce sont vos préférés.

— Je n'ai pas vraiment faim, mais j'en prendrai volontiers un, voire deux. Dès que Tandy sera réveillée, nous allons l'emmener chez nous et vous laisser en paix. Elle n'est pas suffisamment solide pour se retrouver toute seule dans son appartement. Remarque, je ne pense pas que cette situation va durer longtemps.

— Mmm ? murmura Eve, dont l'esprit était ailleurs.

— Aaron a cherché à la joindre une demi-douzaine de fois aujourd'hui. Son petit ami ! Il est charmant ! Ils ont parlé, parlé, parlé. Elle a pleuré toutes les larmes de son corps, mais elle a ri, aussi. Il voulait – en fait, il l'a même suppliée – la voir tout de suite, mais elle a dit que c'était trop tôt. En revanche, elle a accepté qu'il passe chez nous dans la soirée. Il l'a demandée en mariage.

— Sympa.

— Elle n'a pas dit oui, mais ça ne saurait tarder. Elle m'a avoué que c'était ce dont elle rêvait depuis le début, et qu'après tout ce qui leur était arrivé, leur famille n'en serait peut-être que plus unie. Je savais que tu la retrouverais, Dallas.

— Tu ne cesses de me le répéter.

— Je ne le répéterai jamais assez. Tu ne peux pas imaginer ce que cela signifie pour moi. Ce que vous avez fait, toi, Connors, Peabody, McNab, Baxter et ce mignon petit Trueheart. J'espère que ces horribles individus pourriront en cellule jusqu'à la fin de leur vie.

— Mon nounours, murmura Leonardo.

Elle grimaça.

— Je sais, chassons les mauvaises ondes, attirons les meilleures.

Mavis changea de position.

— Je n'y peux rien, enchaîna-t-elle. Elle m'a tout raconté.

— L'affaire est close. Tout le monde a craché le morceau, sauf Bullock. Je n'ai pas insisté. C'était inutile et cela m'a amusée de la regarder se tortiller de rage devant moi.

— Nous allons vous laisser tranquilles.

Mavis changea de nouveau de position, tressaillit.

— Mavis ? s'enquit Leonardo en bondissant de sa place.

— Une mauvaise position, c'est tout. J'ai du mal à me sentir à l'aise, ces jours-ci. Plus que dix jours. Aide-moi à me lever, mon trésor, que je puisse dénouer mes muscles.

Comme il la hissait sur ses pieds, Tandy surgit de sa démarche de canard.

— Je suis désolée. Bonsoir, Dallas, Connors. Je tiens à vous remercier. Je ne sais pas par où commencer, tant j'ai de choses à dire. Seulement, je crains d'avoir perdu les eaux.

— Vraiment ? s'exclama Mavis.

Eve pâlit.

— Ouaouh ! Ouaouh ! Tandy !

Mavis se précipita autant que possible vers son amie et lui prit les mains.

— Nous allons avoir un bébé ! Tu veux qu'on appelle Aaron, n'est-ce pas ?

— Oui, murmura Tandy, avec un sourire radieux. Oui, absolument.

— Ne t'inquiète surtout pas. Leonardo va aller chercher ton bagage chez toi pendant que je t'accompagne à la maternité. Et nous... Euh... Aïe !

Mavis porta la main à ses reins, se ratatina sur elle-même, souffla bruyamment.

— Ouf ! Mince ! Oups ! J'ai l'impression que le travail a commencé.

Eve posa les paumes de ses mains sur ses yeux, tandis que Leonardo se mettait à rebondir comme un ballon perdu.

— Épatant.

— Les deux ? s'écria Connors en s'agrippant à Eve. Maintenant ? Ensemble ?

— Épatant, répéta Eve.

Ne venait-elle pas de mener à bout une opération qui lui avait permis de neutraliser deux criminels internationaux ? Et pendant ce temps, n'avait-elle pas personnellement assailli un assassin d'un coup de genou dans les parties ?

Ne venait-elle pas d'interroger, en compagnie de Baxter, un monstre abominable qui lui rappelait son propre père ?

Si, bien sûr. Elle était blindée.

Mais elle avait en face d'elle deux primipares en train de geindre dans son salon et un futur papa sur le point de tomber dans les pommes. Quant à son mari, en général calme et posé, il frisait la crise d'hystérie !

Quand elle le fusilla du regard, il se contenta de pointer l'index sur elle, tout en vidant le reste de son verre.

— D'accord, stop ! *Stop !* Voici ce que nous allons faire.

Les cris et les babillages s'arrêtèrent net, et toutes les têtes se tournèrent vers elle. Eve se retint de toutes ses forces d'appeler Summerset au secours.

— Bien. Nous allons tous monter à bord d'un des tout-terrain et nous rendre à la maternité.

— Mais j'ai besoin de ma valise, protesta Tandy en se frottant le ventre et en respirant par à-coups. Il me la faut. J'y ai ma musique et mes…

— Moi aussi, moi aussi ! renchérit Mavis en grimaçant de douleur. Si nous n'avons pas nos affaires…

— Ensuite… interrompit Eve… Je vais demander à Peabody et McNab de se rendre dans vos appartements respectifs chercher vos bagages. Mais nous, nous partons. Immédiatement.

— Mesdames, vous avez besoin de vos manteaux, intervint Connors en venant poser une main réconfortante sur l'épaule d'Eve. Désolé, j'ai perdu les pédales... Ah ! Summerset ! Vous tombez à pic ! Faites avancer un véhicule tout de suite.

— Vous êtes en phase de travail, Tandy ?

— J'ai perdu les eaux, et Mavis a des contractions.

— C'est merveilleux, murmura-t-il avec un flegme qui exaspéra Eve encore plus que de coutume. Vous allez mettre vos bébés au monde ensemble. Mavis, de combien sont espacées vos contractions ?

— J'ai oublié de chronométrer ! explosa Leonardo, visiblement paniqué. J'ai oublié de chronométrer.

— Ce n'est pas grave. Quand ont-elles débuté ? demanda Summerset.

— En fait, je pense que j'en ai de temps en temps depuis deux heures environ. Peut-être trois.

— *Deux heures !* glapit Eve, affolée. Seigneur, Mavis !

— Tout va bien, décréta Summerset en fixant Eve d'un air furibond. Tandy, à quand remonte votre dernière contraction ?

— Euh... Plus ou moins maintenant.

Elle reprit sa respiration.

— Il faut que je chronomètre ! tonna Leonardo. Il faut que je chronomètre !

— Non. Il faut qu'on y aille, trancha Eve.

— Quelqu'un a-t-il prévenu la sage-femme ? s'enquit Summerset.

— Merde ! grommela Eve en tirant sur ses cheveux. Contactez-la, Summerset. Dites-lui que nous arrivons avec deux patientes d'un coup. Et joignez Peabody. Qu'elle aille avec McNab chercher les affaires dans les appartements de Tandy et de Mavis. Apparemment, si elles ne les ont pas, nous sommes damnés. Ah ! Il faut aussi avertir Aaron Applebee.

— Oh, oui, oui, s'il vous plaît ! dit Tandy.

— Expliquez-lui où nous allons et pourquoi.

— Certainement. À présent, mesdames, asseyez-vous.
— Pas question ! riposta Eve. Nous partons.
— Il faut un minimum d'organisation. Mettez-vous à l'aise, le temps que nous vous apportions vos manteaux et chauffions la voiture. Tandy, souhaitez-vous parler vous-même à Aaron ?
— Oui, oui. Merci infiniment.
Summerset sortit son communicateur de sa poche et le lui offrit.
— Je me charge d'alerter la sage-femme et je reviens avec vos manteaux.
Summerset avait beau accumuler les défauts, il n'en était pas moins d'une efficacité redoutable, concéda Eve. Un quart d'heure à peine plus tard, ils quittaient la propriété – le majordome y compris, sur l'insistance de Mavis et de Tandy.
La discussion fut incessante – dilatation, contractions, concentration, allaitement... Eve pensa avec nostalgie à sa dernière mission en équipe. Aux préoccupations de ses collègues : la possibilité d'une mort ou d'une blessure.
C'était nettement moins stressant.
À deux reprises pendant le trajet, Leonardo dut placer sa tête entre ses genoux. Eve l'observa avec indulgence. Elle comprenait.
— Je vais vous déposer aux urgences et aller me garer, annonça Connors. Ne t'inquiète pas, Eve, je ne poursuivrai pas ma route jusqu'au Mexique. Je vous rejoins tout de suite. Je t'en donne ma parole.
— Si jamais tu n'es pas là, sache que je te pourchasserai et que je te démembrerai pour nourrir une horde de petits chiens hideux et affamés.
— J'en prends note.
Ils furent accueillis par deux infirmières aux yeux pétillants. Malheureusement, le soulagement d'Eve à la perspective de leur remettre son chargement fut de courte durée.

— Vous devez venir avec nous.

— Venir avec vous ? bredouilla-t-elle. Leonardo…

— Il doit s'occuper de notre inscription, coupa Mavis en s'agrippant au bras d'Eve. Il faut que tu viennes. Aïe !

Reconnaissant les signes, Eve chercha Summerset des yeux.

— Encore une contraction.

— C'est normal. Accompagnez-la. Je vous amènerai Leonardo et Connors.

C'était injuste, songea-t-elle. Elle n'aurait jamais la force de surmonter cette épreuve en solo. Mais Mavis était collée à elle, et les infirmières leur montraient déjà le chemin.

— Vous n'allez pas les pondre avant que les autres ne soient là, j'espère ?

— Je ne le crois pas.

— Nous avons tout le temps, la rassura l'infirmière affectée à Mavis. Je suis Dolly, et c'est moi qui vais vous assister, Mavis. Randa ne va pas tarder.

— Et moi, je suis Opale. Nous allons vous installer dans vos chambres et vous examiner. Je n'ai pas vu vos sacs ?

— Quelqu'un va les apporter, répondit Tandy en saisissant la main libre d'Eve. Nous n'étions pas chez nous quand cela a commencé. Mon ami – mon fiancé – le père du bébé, est en route.

— Nous vous l'enverrons directement. Ne vous inquiétez pas. C'est la première fois pour vous deux, n'est-ce pas ? Vous êtes amies, et vous accouchez ensemble ! N'est-ce pas amusant ?

— Hilarant, marmonna Eve.

# 22

Elle détestait les hôpitaux. Ils avaient beau avoir orné les murs couleur pastel de tableaux de bébés aux visages angéliques, organisé des petits coins-salon ressemblant à des jardins et enguirlandé les infirmières de rubans arc-en-ciel, ce n'en était pas moins un hôpital – un lieu où médecins et machines prenaient le contrôle de votre corps et où la souffrance était à peu près inévitable.

Grâce à son statut de vedette célèbre, sans doute, Mavis fut emmenée dans une salle d'accouchement équipée comme une chambre d'hôtel de luxe. Nimbée par les retombées de la gloire de son amie, Tandy fut installée dans une pièce presque aussi fastueuse juste en face.

Tous les espoirs d'Eve – qui, pour l'heure, pensait s'en sortir en s'assurant qu'elles étaient toutes deux en bonnes mains – allaient vite s'envoler. Mavis n'accepta de lui lâcher le bras qu'à la condition qu'elle aille en face prendre des nouvelles de Tandy et revienne aussitôt après.

— Leonardo et moi devions être avec elle. Seulement, vu la situation, ce ne sera pas possible. Elle n'aura personne, tant qu'Aaron ne sera pas arrivé.

Eve, préparée à traiter les deux femmes comme des bêtes dangereuses et blessées, lui tapota la main.

— Bien sûr. Pas de problème. J'y vais.

Elle traversa le couloir, poussa la porte et se retrouva nez à nez avec une créature toute nue, au ventre énorme, qu'une aide-soignante aidait à enfiler une courte blouse bleue.

— Mon Dieu ! s'exclama Eve en plaquant la main sur ses yeux. Désolée. Mavis voulait être sûre que tout se passait bien.

— Oh, ne vous inquiétez pas pour moi ! lança Tandy, d'une voix enjouée. Restez plutôt près d'elle.

— Bien sûr. Pas de problème. J'y vais.

— Ah ! Euh, Dallas... Pourriez-vous essayer de nouveau de contacter Aaron ? J'aimerais savoir s'il est en chemin.

— Vous pouvez compter sur moi.

Elle revint sur ses pas, se trouva devant une Mavis parfaitement nue, elle aussi.

— Je vous en prie, au nom du ciel, que quelqu'un couvre ces femmes !

Mavis gloussa, tandis que Dolly l'aidait à revêtir une blouse imprimée de tourbillons bleus et roses.

— Comment va Tandy ? Leonardo en a encore pour longtemps ? Et Aaron ?

— Elle va bien. Je vais me renseigner.

Enchantée de pouvoir s'échapper, Eve se propulsa dans le corridor. Elle ne tarda pas à apprendre qu'Aaron avait enfin réussi à héler un taxi et que Leonardo avait dûment rempli toutes les formalités d'admission.

— Courage ! se rappela-t-elle en retournant voir Mavis.

— Hé ! Regarde ! s'exclama celle-ci, assise, le visage rayonnant d'excitation. Je suis branchée ! Tu vois, là, ce sont les battements de cœur du bébé et celui-ci, c'est pour mesurer l'intensité des contractions.

Dolly enfila un gant chirurgical.

— Je vais juste vérifier le col.

« Pitié, mon Dieu ! »

— Je patiente dehors.

— Non, non, ne t'en va pas ! protesta Mavis en lui tendant la main.

Résignée – décidément, Dieu n'était pas à l'écoute – Eve la lui prit.

— Leonardo est sur le point de monter, lui annonça-t-elle, le regard fermement posé sur son visage.

— Trois centimètres ! proclama Dolly. Nous avons tout le temps. Mettez-vous à l'aise. Si vous avez besoin de quoi que ce soit, n'hésitez pas. Et vous ? Dallas, c'est bien cela ?

— Oui.

— Que puis-je vous apporter ?

— Un verre de vin géant.

Dolly s'esclaffa.

— Ttt ! Ttt ! L'alcool, ce sera pour fêter la venue du bébé. Une tasse de thé ?

Eve s'apprêtait à lui répondre qu'elle préférait un café. Elle se souvint juste à temps qu'il devait être aussi immonde que celui du Central.

— Vous avez du Pepsi ?

— Bien sûr.

— Mon chouchou ! s'écria Mavis, alors que Leonardo apparaissait derrière une immense gerbe de roses jaunes. Tu m'as apporté des fleurs, et notre bébé n'est même pas encore né !

— Elles sont de la couleur du soleil. C'est pour que tu puisses te concentrer sur elles jusqu'au grand moment.

Il se pencha, effleura son front d'un baiser.

— Comment te sens-tu ? Tu veux des copeaux de glace ? Le ballon stabilisateur ? Un fond de musique ?

— Je vais super bien. Le col est à trois centimètres. Je suis si contente que tu sois là. Que vous soyez tous là. C'est exactement comme ça que je l'avais imaginé. Summerset, soyez un ange, tenez compagnie à Tandy jusqu'à ce que... Aïe !

Leonardo étant là pour la bichonner, Eve s'éloigna pour se placer près de Connors.

— Je les ai vues nues toutes les deux et j'ai eu la peur de ma vie. Le corps humain n'est pas fait pour être étiré comme ça.

— Je m'inquiète davantage pour d'autres parties.

— Je t'en prie !

— Ouf ! C'était une petite ! dit Mavis d'un ton léger, avant de s'adresser à Leonardo, l'air follement amoureux. Mon petit loup adoré ? Tu sais, ce que tu m'as demandé, la semaine dernière, le mois dernier et encore le mois d'avant ?

Il lui tenait les deux mains. Il les pressa contre sa poitrine.

— Mon cœur !

— Oui !

Eve se détourna, tandis qu'ils s'embrassaient avec fougue.

— Nous allons nous marier ! s'écria Mavis.

— Pas possible ! rétorqua Eve.

— Mais si. Nous serons totalement casés.

— Je le lui propose depuis des mois, expliqua Leonardo, les yeux brillants de bonheur. Enfin ! Je vais te dessiner la robe de mariée la plus extraordinaire qui soit.

— Oh, non, mon nounours chéri. Nous devons faire cela tout de suite. Avant l'arrivée du bébé.

— Maintenant ?

— Je sais que c'est ce qu'il y a de mieux. Notre enfant va naître, et je veux être ton épouse enflammée quand nous le verrons – ou elle – pour la toute première fois. S'il te plaît ?

— Mais nous n'avons pas de licence, nous n'avons entamé aucune démarche officielle.

Le menton de Mavis se mit à trembler.

— Il faut que ce soit tout de suite.

— Une seconde !

Eve s'interposa rapidement afin d'éviter un déluge de larmes.

— Je crois pouvoir régler la question. Accordez-nous quelques minutes.

Elle sortit avec Connors.

— J'appelle le maire, lui confia-t-elle en sortant son communicateur. Si je ne parviens pas à le convaincre, j'aurai besoin de toi pour le soudoyer.

— Je m'en charge. Mais il faut prévoir un officiant. Je suppose que quelqu'un dans cet établissement doit pouvoir endosser ce rôle. Je vais me renseigner.

Eve opina, aspira une grande bouffée d'air.

— Monsieur le maire, ici le lieutenant Dallas. J'ai un service très personnel à vous demander.

Elle venait de couper la communication, quand Peabody et McNab jaillirent de l'ascenseur.

— Les renforts sont là, lieutenant, avec les provisions, décréta Peabody, avec un large sourire. Quelle est la situation ?

— Elles vont toutes les deux accoucher. Et comme si cela ne suffisait pas, Mavis vient de décider qu'elle et Leonardo allaient se marier. Sur-le-champ.

— Ici ? Immédiatement ? Nom d'un p'tit bonhomme !

— J'ai réussi à convaincre le maire de leur procurer une licence spéciale. Connors est parti à la recherche de quelqu'un qui puisse conduire la cérémonie.

— McNab, reviens en arrière sur le répertoire du communicateur. C'est nous qui avons collecté toutes les infos, ajouta-t-elle. J'avais une liste. Voilà… il n'y a plus qu'à appuyer sur cette touche et mettre l'ensemble à jour. Bébé plus mariage.

— C'est bon. Tandy ?

— Par ici. Mavis, c'est par là.

— Je prends le bagage de Mavis.

Peabody sautilla sur place.

— Je suis si contente d'avoir pensé à y glisser sa tiare avant de venir. Elle pourra la porter comme coiffure de mariage.

Comme Peabody poussait la porte, des cris fusèrent, de sa part, de la part de Mavis. Eve se frotta furieusement les paupières. Redressant la tête, elle aperçut Connors, qui venait vers elle en compagnie d'un homme terriblement pâle. Elle reconnut Aaron Applebee.

— Je suis tombé sur un papa errant.

— Je suis tellement bouleversé que mon cerveau refuse de fonctionner. Vous êtes Dallas !

Avant qu'elle ne puisse réagir, il l'étreignit avec force, posa la joue sur son épaule. Sa terreur ne fit que s'accroître quand elle l'entendit étouffer un sanglot.

— Merci ! Dieu vous bénisse. Merci pour ma Tandy, pour mon bébé.

— Ah ! Euh… elle est là-dedans.

— Tandy.

Il s'engouffra dans la chambre.

— *Tandy !*

— Je n'en peux plus.

— Du calme, lieutenant.

Une main réconfortante sur son bras, Connors haussa un sourcil inquisiteur en direction de Summerset, qui surgissait de la pièce.

— Alors ?

— Elle progresse vite. D'après moi, nous aurons un bébé d'ici deux heures, trois tout au plus.

— Nous allons aussi avoir un mariage. Mavis et Leonardo.

Les lèvres de Summerset s'étirèrent en un sourire. C'était si rare, chez lui, qu'Eve fut surprise que son visage ne se décompose pas.

— C'est merveilleux. Mais ne devriez-vous pas être auprès d'elle ?

Eve se balança d'un pied sur l'autre.

— Nous sommes sortis un moment pour travailler. Peabody est avec elle.

— C'est vous qu'elle veut, lui rappela le majordome. Je vais y faire un tour.

— Je ne me sentirai pas coupable, marmonna Eve. Je ne me sentirai pas coupable. D'accord, merde, je me sens coupable.

L'heure suivante s'écoula dans l'affairement, Peabody et McNab effectuant la navette entre les deux femmes. Trina déboula en insistant pour coiffer Mavis. La sage-femme allait de l'une à l'autre. Tout se déroulait comme prévu. Tandy était en pôle position.

Mavis cala à six centimètres de dilatation. Tandy atteignit les dix centimètres et reçut l'ordre de pousser.

À la suite de l'appel général de McNab, la pièce s'était remplie : le Dr Mira était là avec son mari, Louise DiMatto et Charles, Feeney, Nadine.

— C'est comme un vrai mariage ! Je suis si heureuse ! De quoi ai-je l'air ?

Leonardo couvrit les mains de Mavis de baisers.

— Tu es la plus belle femme du monde.

— Oh, mon chouchou d'amour. Allons-y ! On a tout, n'est-ce pas ? Les fleurs (Connors lui avait apporté un petit bouquet de violettes), la musique, les amis, les témoins, soupira-t-elle en regardant tour à tour Eve et Connors.

— Tout, approuva Leonardo.

Soudain, il écarquilla les yeux.

— Les alliances ! Je n'ai pas d'alliances !

— Ah !

Son menton tressaillit, mais elle ravala courageusement sa déception.

— Tant pis, ce n'est pas grave, mon doudou. Les bagues, ce n'est pas le plus important, après tout.

Summerset s'avança. De sous sa chemise amidonnée, il extirpa une chaîne.

— Si vous acceptez un objet emprunté, je serais heureux de vous prêter ceci jusqu'à ce que vous ayez la vôtre. C'était celle de mon épouse.

Des larmes perlèrent au bout des cils de Mavis.

— C'est un honneur pour moi. Merci. Auriez-vous la gentillesse de me conduire à l'autel ?

Il ôta l'anneau accroché à la chaîne et le passa à Leonardo. Eve l'entendit s'éclaircir discrètement la gorge.

— C'est un honneur pour moi.

Lorsqu'il s'écarta, elle accrocha son regard.

— Bien joué.

C'était parfait, songea-t-elle. Cela correspondait si bien à Mavis de prononcer ses vœux – entre deux contractions – dans une salle d'accouchement, entourée de ses amis et couronnée d'une tiare de pacotille.

McNab prit soin d'enregistrer toute la cérémonie sur son magnéto professionnel.

Quand Leonardo glissa l'alliance au doigt de Mavis, tout le monde – y compris Eve – eut la larme à l'œil.

Après les applaudissements, les embrassades, le champagne apporté en douce par Connors, la sage-femme apparut.

— Félicitations, tous mes vœux de bonheur, et j'ai la joie de vous annoncer qu'une nouvelle vie a commencé. Tandy et Aaron ont un fils. Quatre kilos de perfection. Mavis, je suis chargée de vous dire que Tandy vous envoie plein de bonnes ondes. Et, Dallas ? Elle souhaite vous voir un instant.

— Moi ? Pourquoi ?

— Je ne suis que la messagère. Très bien, maman, nous allons voir où vous en êtes.

— Tu viens avec moi, murmura Eve en agrippant le bras de Connors.

— Ce n'est pas moi qu'elle veut.

— Je n'irai pas toute seule.

Dans la chambre d'en face, Tandy semblait pâle, luisante de transpiration, épuisée. Comme le jeune papa. Dans ses bras, elle serrait un petit paquet emballé de bleu.

— Tout va bien ?

— Tout est merveilleux ! N'est-ce pas qu'il est beau ?

Tandy lui présenta le nourrisson, si bien enveloppé qu'on aurait dit une saucisse bleue avec une figure ronde d'extraterrestre.

— Magnifique, approuva-t-elle, sachant que c'était ce que l'on attendait d'elle. Comment vous sentez-vous ?

— Fatiguée, enchantée, follement amoureuse de mes deux hommes. Mais je tenais à vous présenter, vous particulièrement, à Quentin Dallas Applebee.

— Qui ?

— Le nouveau venu, lieutenant, dit Connors en la poussant devant lui.

— Cela ne vous ennuie pas, j'espère ? Nous voulions absolument vous rendre hommage. Sans vous, il ne serait pas là.

Surprise, touchée, Eve fourra les mains dans ses poches et sourit.

— C'est bien. Très bien. Ça fait beaucoup de noms pour un si petit bonhomme.

Aaron se pencha, embrassa la maman et l'enfant.

— Nous veillerons à ce qu'il soit à la hauteur... Comment va Mavis ?

— D'après la sage-femme, ce n'est pas pour tout de suite.

— J'irai la voir quand on m'y autorisera.

— Vous feriez mieux de vous reposer.

Quand elle émergea dans le couloir, Eve découvrit Feeney, en train de boire du mauvais café.

— La sage-femme est avec elle. Je ne veux pas voir ça.

— Je comprends, souffla Eve, à l'instant précis où son communicateur bipait.

— Tu n'iras nulle part, prévint Connors, d'un ton menaçant.

— Je me suis engagée, je n'ai pas le choix. Dallas.

— Lieutenant.

Le visage de Whitney remplit l'écran.

— Vous devez vous rendre immédiatement à la prison Rikers, côté femmes.

— Commandant, je ne suis malheureusement pas en mesure de… Je suis à la maternité. Mavis…

— Elle accouche ?

— Cela ne va pas tarder, commandant. Il s'agit d'un problème avec Madeline Bullock ?

— En effet. Elle est morte. Son fils lui a brisé le cou.

Quand il lui eut expliqué l'affaire en détail et promis de confier l'enquête à Baxter, elle s'assit dans l'un des jolis petits coins-salon, la tête dans les mains.

— Qu'as-tu à te reprocher ? lui demanda Connors avec un zeste d'impatience. Rien. C'est elle qui a convaincu un gardien d'accorder au fils un droit de visite.

— C'est stupide. Stupide. On n'aurait jamais dû les laisser se voir ou se parler. Pas encore. Je serais très étonnée qu'elle ait convaincu le gardien. Elle l'a sûrement soudoyé. Il y a des coups de pied dans les fesses en perspective.

— Dans ce cas, que fais-tu là, à culpabiliser ?

Elle se redressa dans son siège.

— Elle l'a poussé à bout, voilà ce qu'elle a fait. Elle a tenté de le persuader de corroborer son histoire, pour sauver sa propre peau. « Je suis ta mère, tu me dois la vie. » Je l'entends d'ici. Lui, je l'imagine devant elle, l'écoutant et comprenant enfin qu'il va être sacrifié. Qu'elle ne l'aime pas.

— Pourtant, sachant cela, tu te mets dans un état…

— Je voulais qu'elle souffre. C'est pour cela que je l'ai interrogée en dernier. Je voulais qu'elle marine. C'est pour cela aussi que je n'ai pas insisté outre mesure. J'avais l'intention de reprendre mon interrogatoire demain. J'aurais pu lui proposer un marché. Je ne l'ai pas fait. Je lui ai fait comprendre que j'allais la laisser moisir, pourrir.

— N'était-elle pas responsable de tous ces drames, de tous ces meurtres ? Tu voulais que justice soit faite.

— Pas seulement. Je voulais qu'elle ait mal, qu'elle ait peur. C'est lui qui a commis les homicides et il y a pris plaisir. Mais c'est elle qui l'a transformé en monstre, dès le début. Elle qui l'a façonné, qui s'est servie de lui comme d'un pion, qui a abusé de lui comme...

Connors souleva sa main et l'embrassa délicatement.

— Comme ton père avait abusé de toi.

— En face d'elle, dans la salle d'interrogatoire, je l'ai vu. Je l'ai senti.

— Elle était démoniaque, comme l'était ton père. Toutefois, Winfield Chase était un homme adulte. Il aurait pu s'enfuir. Demander de l'aide.

— Quand on a subi le genre de supplice que ces personnes nous infligent, on n'ose pas.

— Winfield Chase n'avait rien à voir avec toi, Eve. Et inversement. Tu n'aurais jamais fait ses choix.

— Non, j'en suis consciente. C'est vrai, il aurait pu réagir, nous le pouvons tous. Mais elle l'en a empêché.

— C'est ce que ton père a fait, ou essayé de faire avec toi.

— Il hante mes cauchemars. Je l'ai reconnu en elle. Quand je l'ai regardée dans les yeux, j'ai eu envie qu'elle paie. Qu'elle souffre et qu'elle sache *pourquoi*. Désormais, je sais qu'elle a payé. Je ne saurai jamais si elle a compris pourquoi.

— Tu souhaitais sa mort ?

— Non. Parce que après la mort, il n'y a plus rien. Ce n'est pas une punition suffisante. Whitney dit que c'est arrivé très vite. Ils discutaient, Chase s'est penché et lui a brisé le cou. Par la suite, il n'a pas cherché à résister, il s'est laissé emmener sans un mot. Ils le surveillent. Ils craignent qu'il ne se suicide.

— Regarde-moi et écoute-moi... Quoi que tu aies voulu, quelle que soit la façon dont tu aurais mené cette affaire, elle se serait terminée de la même manière. Cette femme n'aurait jamais accepté le moindre compromis. Elle aurait continué à se servir de lui, et il aurait fini par la tuer.

— Peut-être. Peut-être.

— Eve, tu as vu ce nourrisson, il y a quelques minutes, cette minuscule vie nouvelle qui porte en partie ton nom. Voilà un joli début d'aventure, auquel tu as participé. C'est beau. C'est pur. Nous ne pouvons pas l'être ni toi ni moi, et il ne le restera pas. Mais grâce à toi, il a une famille.

Paupières closes, elle hocha la tête, tandis qu'il concluait :

— Remets les choses à leur place.

— Tu as raison. Je sais que tu as raison.

— Dallas ? Désolée, interrompit Peabody en étouffant un bâillement. Mavis vous demande. Elle est à sept centimètres. Quelques-uns d'entre nous allons manger un morceau. Nous emmenons Leonardo, car selon la sage-femme, nous avons tout notre temps.

— Mais...

— Elle a envie de passer un moment calme avec vous.

— D'accord, d'accord. Efface cet air soulagé de ta figure, camarade ! ajouta-t-elle à l'intention de Connors. Tu ne te défileras pas au moment du décollage.

— Pitié !

Il se leva, l'enlaça tendrement.

— Pense à tout ce qui a été sauvé, chuchota-t-il. Pense à l'expression de Tandy, quand elle contemplait son fils. Ce n'est que du bonheur.

Elle se blottit contre lui un moment.

— Merci.

En rejoignant son amie, Eve la trouva fatiguée.

— Il s'est passé quelque chose. Tandy ? Le bébé ?

— Non, non, tout va pour le mieux. Un problème de boulot... Rien d'important.

— Tu ne vas pas devoir t'en aller ?

— Mavis, je n'irai nulle part tant que tu n'auras pas accompli ta mission. Comment te sens-tu ? Tu en as peut-être assez qu'on te pose la question ?

— Je ne me sens pas trop mal et, non, ça ne m'ennuie pas. Au contraire, c'est plutôt agréable d'être le centre de toutes les attentions. Ce n'est pas comme quand je suis sur scène. C'est... plus vrai, plus primitif, et je suis la seule à pouvoir le faire. Assieds-toi.

Mavis tapota le bord du lit, et Eve s'exécuta.

— Je voulais... Aïe ! Encore une... Costaude, celle-là. Merde ! Bordel !

— Il faut respirer. Où est ton machin pour la concentration ?

— Pour l'heure, c'est toi. J'en ai par-dessus la tête de fixer le soleil.

Mavis souffla en fixant Eve. Se remémorant les conseils de la sage-femme, Eve posa les mains sur le ventre de son amie et y effectua de larges cercles. Il était dur comme du béton.

— Là... ça se détend légèrement, non ?

Elle se tourna vers le moniteur.

— La contraction s'estompe. Bravo. Souffle.

Mavis souffla, puis esquissa un sourire.

— Tu as suivi attentivement les cours.

— N'oublie pas que je suis flic. Rien ne nous échappe. Tu sais que tu peux demander une anesthésie.

— Oui. Justement, j'y songe. Mais je crois que je peux attendre encore un peu. Pour l'heure, j'avais simplement envie d'un tête-à-tête avec toi. Regarde.

Elle agita sa main gauche, où scintillait la bague de Summerset.

— Je suis heureuse pour toi.

— Nous sommes toutes les deux mariées, maintenant. Qui l'eût cru ? D'ici peu, je serai maman. J'aimerais tant être une bonne mère.

— Mavis, c'est dans le sac.

— C'est si facile de tout gâcher. Moi-même, j'ai failli mal tourner. Mais je m'en suis bien sortie, n'est-ce pas ?

— Très bien.

— Je voulais te dire quelque chose, avant que tout ne change. Parce que je sais que ça va tout changer. Pour le mieux. Dallas, tu es la meilleure personne que je connaisse.

— Tu es certaine qu'on ne t'a pas déjà administré un calmant ?

Mavis eut un petit rire.

— Je suis sincère. Leonardo est le plus adorable, mais toi, tu es la meilleure. Tu prends les bonnes décisions, tu fais ce qu'il faut, quitte à en souffrir. Tu es le membre le plus important de ma famille. C'est grâce à toi que j'en suis là aujourd'hui.

— Je pense que Leonardo y est pour plus que moi.

Mavis gloussa, se frotta le ventre.

— Oui, il a eu droit au côté divertissant. Je t'aime. Nous t'aimons, Eve. Je tenais à ce que tu le saches.

— Mavis, si je ne t'aimais pas, je serais à des milliers de kilomètres de cette chambre.

— Je sais... à la réflexion, je trouve ça plutôt marrant. Mais comme je viens de te le dire, tu fais ce qu'il faut. Oh, bordel de merde, encore une... !

Deux heures plus tard, avec un petit coup de pouce pour accélérer le processus, Mavis fut déclarée « prête à pousser ».

Randa souleva une bâche entre ses cuisses.

— Mes amis, à vous de jouer. En position.

— Pourquoi me mettez-vous là ? demanda Eve, tandis qu'on la dirigeait vers le bas de la table.

— Mavis, dès la prochaine contraction, vous allez prendre une grande inspiration, puis vous la tiendrez en comptant jusqu'à dix avant de pousser. Dallas, vous lui donnerez de la résistance. Leonardo, placez-vous par là. Connors, vous êtes chargé de la respiration.

— Il arrive !

— Aspirez, tenez... Poussez ! Un, deux...

— Incroyable ! déclara Leonardo, une fois la contraction passée. Tu es sensationnelle. Un miracle. Doucement, à présent, mon chou. Ce n'est pas le moment de tomber en hyperventilation.

— Je t'aime, murmura-t-elle, les yeux fermés. Mais si tu me donnes encore un seul conseil, je t'arrache la langue et je te la tords autour du cou. Ouille... ça recommence.

Pendant l'heure qui suivit, Leonardo lui rafraîchit le visage et lui glissa des copeaux de glace dans la bouche. De son côté, Eve accomplit sa tâche en regardant tout sauf ce qui se passait plus bas.

— Je crois qu'on devrait changer de place, suggéra-t-elle en observant Connors à la dérobée.

— Pas question.

— Oui, Mavis, excellent ! encouragea Randa. Tiens ! Voici la tête.

Instinctivement, Connors se tourna vers le miroir positionné pour Mavis.

— Ô Seigneur !

Tirant sur la lanière rouge vif que tenait Leonardo et appuyant le pied sur Eve, Mavis lâcha un grognement inhumain, puis retomba sur son oreiller, haletante.

— Plus que deux ou trois, dit la sage-femme.

— Je n'ai plus de forces.

— Mais si, mon rayon de soleil ! s'écria Leonardo.

Mavis lui montra les dents.

— Merde, merde, aïe !

Elle se redressa brusquement, s'empara de la lanière, enfonça les ongles de sa main libre dans le bras de Connors.

— La tête est sortie ! Quelle jolie frimousse !

Les yeux à demi fermés, Eve lorgna la créature visqueuse qui apparaissait entre les cuisses de Mavis.

— Est-ce possible ? Il doit y avoir une erreur.

— Une dernière fois, Mavis, et votre bébé sera là.

— Je suis si fatiguée.

Eve souffla sur sa frange, chercha le regard de Mavis.

— D'accord, d'accord...

— Et voilà !

Un cri strident jaillit, en même temps que les exclamations de Mavis.

— Mon bébé ! Notre bébé ! Qu'est-ce que c'est ? Je ne vois rien. Il a une zigounette ou pas ?

Eve inclina la tête, tandis que la sage-femme soulevait le nourrisson brailleur.

— Pas de zigounette. C'est une fille. Elle a une sacrée paire de poumons.

Leonardo fondit en larmes en coupant le cordon, sanglota lorsqu'on déposa l'enfant sur le ventre de Mavis.

— Mes magnifiques femmes. Regardez mes femmes !

— Tout va bien, papa, ronronna Mavis en lui caressant les cheveux d'une main, et le dos du nouveau-né de l'autre. Bonjour, mon bébé. Bonjour, amour de ma vie. Je ferai tout mon possible pour que tu sois heureuse.

— Nous allons vous l'enlever quelques minutes, annonça Randa à Mavis. Pour la nettoyer, la peser. Dolly vous la ramènera très vite. Bravo, maman !

— Maman, répéta Mavis. Je suis une maman.

Elle prit la main d'Eve, puis celle de Connors.

— Merci.

Connors se pencha pour l'embrasser.

— Ta fille est superbe. On dirait une poupée.

Leonardo s'essuya les joues.

— Son prénom n'en sera que plus seyant.

— Nous avons beaucoup hésité, tu t'en souviens, Dallas ?

— Il me semble que le dernier en date, c'était quelque chose comme Radis.

— Abricot ! riposta Mavis en levant les yeux au ciel. Mais nous avons opté pour plus de douceur. Bella. Bella Eve. Nous l'appellerons Belle.